手稿文獻略論稿

吳銘能　著

臺灣 學生書局 印行

自 序

　　本來無意出版這樣的著作，但在神州大陸教學多年，尤其是在四川大學歷史系首開「手稿文獻學」專業課程選修已經有了兩次，同學都覺得需要有教材，但這類的課程與教材在中國大陸是比較罕見的，於是根據上課的內容以及個人論文撰寫經驗，就編成如今的樣子，一來可以作爲課堂的教材，二來也將自己做學問的方法、心得與同學分享。

　　在本書之前曾經給本科生開過一門「書評寫作」公共選修通識課程，受到熱烈歡迎之程度，大爲意料之外。本來限定人數以三十人爲上限，結果來了七十多人，加上旁聽生，教室幾乎擠不下，各種專業的學科都有，只好當場請學生簡單作文與面談作爲「遴選學生」的依據。

　　「書評寫作」選修課程是一個成功的嘗試，學生在學期末最後的讀書報告與提問討論，經常是兩節課很快過去，時間常常不敷所用，大有欲罷不能的趨勢。

　　「書評寫作」選修課程的成功，興起我要同樣在專業課程上有新的想法，於是大膽推出了「手稿文獻學」選修，人數初來大約十多個左右，最後堅持到學期結束者有八、九個，這樣也合乎當初的設計，寧可小班制，指定閱讀資料可以嚴格要求與上課品質保證。

　　本書分爲兩個部分，第一部分是解題，說明「手稿文獻學」之意義，第二部分是「手稿文獻學」舉隅，以個人撰寫論文舉例爲主，這些例子說穿了，就是要告訴學生一些做學問的方法以及強調基本功夫的重要。

　　大學生高年級以及研究生不知道如何撰寫學術論文者，本書提供最實際的例證，說明這些方法與觀念盡在論文之中，想要有獨立思考見解者，本書是不容錯過的。

　　特別需要提出者，張錦郎、林慶彰二位先生通讀全稿，並對書中若干觀點，提出了令人折服之見解，在此表達內心最虔誠敬意！主編陳仕華教授、編輯陳蕙文女士在百忙中特抽暇爲本書出版盡了最大努力，高隆情誼，沒齒難忘。

　　另外，四川大學歷史文化學院提供半年學術休假，使筆者能夠從容不迫於史丹佛大學胡佛研究院圖書館尋覓研究資料優游學海之中，是要表示誠摯謝意的。胡佛研究院圖書館豐富而多元的收藏，令人有不虛此行之感，絕非是言語所能表達於萬一的感恩致謝！

　　本書原名爲「手稿文獻學」，因考慮到理論尚未成熟形成系統，因改爲今名，也較符合實際情況。

甲午年閏九月廿八日自敘於敦化南路寓所小如如齋

丙申年臘八校竟

丁酉年臘月再校於松德別業二號院，養病中

手稿文獻略論稿

目　次

壹、解　題

　　中國歷史的特質係具有連續性，從有文字記載的甲骨文算起，迄今為止，則縱橫古今綿亙四千餘年，形成完整的系統與獨步世界的文獻大宗。這種連續特性，以先秦典籍儒家代表作品《論語・為政》[1]說得最為深中肯綮：

> 子張問：十世可知也？
>
> 子曰：殷因于夏禮，所損益，可知也；周因于殷禮，所損益，可知也；其或繼周者，雖百世可知也。

朱熹注解此段文字，先引用馬氏的說法，以為「所因，謂三綱五常，所損益，謂文質三統」，接著進一步解釋如下：

> 三綱謂君為臣綱，父為子綱，夫為妻綱。五常謂仁義禮智信。文質謂夏尚忠，商尚質，周尚文。三統，謂夏正建寅為人統，商正建丑為地統，周正建子為天統。三綱五常，禮之大體，三代相繼，皆因之而不能變。其所損益，不過文章制度小過不及之間，而其已然之跡，今皆可見。則自今以往，或有繼周而王者，雖百世之遠，所因所革，亦不過此，豈但十世而已乎！

這段文字，簡單說來，就是傳統三綱（君為臣綱，父為子綱，夫為妻綱）五

---

[1]　朱熹撰：《四書章句集注》（臺北：鵝湖出版社，2002 年 3 月），頁 59。

常（仁義禮智信）是華夏民族的禮治根本，由夏商周三代繼承，制度大體上是沒有太大的變動，只有小小的損益更新而已；自今而後，如果繼承周代而行王道，即使是延續百代之久遠，還是保留如此的宏遠規模，不致於有太大的革命性變更，豈僅僅是短短十個世代而已！

中國歷史悠久，其連續特性有如上述所言，關於資料來源，除了有獨步世界的二十五史皇皇巨著通行之外，還有鐘鼎彝器、寺廟碑刻、殉葬墓志、地下出土文物等，均可以與傳統史書對照，進一步閱讀解析出歷史真相的意義。

關於這方面的成就，近代以王靜安（國維）運用甲骨片上的文字，研究商、周二代制度與文化，取得的成績最爲顯著，也糾正了漢代司馬遷《史記》記載的錯誤與不足。王先生就研究的心得，提出了「二重證據法」的理論，即是傳統書面材料與出土文獻二者相互結合印證，歷史真相的可靠性進一步提高，得到更爲精確而穩固的實證基礎。

另外，中國傳統典籍在宋代至清代一千多年的歷史長河中，都是刻工把文字雕刻在木板上作爲印刷的載體，同樣一部典籍，不同地區（如蜀刻本、建刻本、浙刻本）與不同時代的雕版印刷典籍，容或有刻工的疏忽或校勘不仔細而形成的錯別字、衍文、落字等等情況，結果是造成典籍魯魚亥豕的現象。另外還有一種情況，係文字因爲避諱的問題，以不同文字取而代之，於是就會產生版本的歧異。所以，古代典籍閱讀需要經過校勘的過程，才好賦予時代的精神風貌。而這樣以不同的版本互校文字異同，所形成的一門專有學問，就是特有的校勘學。這一方面的成就以陳垣的成就最爲顯著，有名的「校勘學釋例」提出了校勘的方法有本校法、對校法、他校法、理校法等。

一、文與獻

上述提到閱讀典籍所需具備的版本學、校勘學之種種問題，坊間很多這方面的相關論著，而且也形成了系統，不難找到著作作爲入門的鑰匙。

這裏，要談一個較爲基本而專門的詞彙，也是大家容易忽略的。

　　「文獻」在當代作為一個特定專門詞彙，指的是取資以為研究的各種書面材料，在現代習用之範圍，與古典的原始意義比較之下，顯然是有點窄化了。揆諸古代的原始出處，「文」與「獻」是有不同的意義界定，絲毫一點不含糊。

　　《論語·八佾》說[2]：

　　　　子曰：夏禮吾能言之，杞不足徵也，殷禮吾能言之，宋不足徵也。文獻不足故也，足則吾能徵之矣。

　　杞國為夏人之後裔，宋國為殷商之後裔，各自在血緣上與文化上都是繼承了夏代、殷商禮樂文明之一部分，代表民族文化傳承繼繼繩繩，靡有斷絕。至於到了春秋時期，孔子的弟子與再傳弟子，留下了代表孔子的言行紀錄《論語》一書，寫下了孔子的感慨，以為夏代與商代的禮樂文明都是可以知道的，只不過杞國與宋國的「文獻」闕失，徒令人無法找到確實可靠的依據而已！

　　作為特定詞彙「文獻」的意義如何？宋代朱熹在《論語集注》對「文獻」一詞有如此的說法：

　　　　文，典籍也。獻，賢也。

　　按照朱熹這樣的解釋，「文」與「獻」是有所區別的，也就是說，「文」是指可以翻閱印證的書面典籍材料，而「獻」則是指德高望重的賢者，他們口述見聞軼事，可以成為歷史資料的參考。朱熹並進一步剖析這層意義：

　　　　言二代之禮，我能言之，而二國不足取以為證，以其文獻不足故也。文獻若足，則我能取之，以證君言矣。

---

[2]　朱熹撰：《四書章句集注》，頁63。

這段話根據朱熹的見解統而言之，吾人對「文獻」可以得下如此的概念：書面典籍材料是歷史研究可以取資爲驗證的一部分，而愈是接近現代，當代人留傳下來的「口述歷史」，以其爲親身履歷見聞所得，亦是歷史研究不可忽視的材料來源之一。

某人親身經歷某些重要事件，載入歷史冊集之中，彼既親自所經歷見聞，往後事過境遷，撰寫回憶文字，或由後人以一種口頭相傳的方式，遞相流傳下來，成爲一種「口述歷史」方式。這方面在中國傳統的史家，也有數千年的源流可尋溯追蹤。

另外，宗教儀式上的咒語，口口相傳，代代相衍，只是以一秘密流傳的方式在市井民間上記誦，成爲另外一套系統，這類型很多，要討論則可另外專題研究，則不在此書範圍之中，這是要特別說明的。

二、手稿的意義

凡是作者由手書寫出來的文字，就是手稿。

手稿可以包含的範圍很廣，如文章草稿或初稿、尺牘公文、書信、日記等等。

由於手稿大多是表現作者最原始的思想雛形，顧名思義就是指尚未刊行流通的初始稿本，很多是僅此一家的「孤本」（沒有另留副本的抄本），稍不小心遺佚湮滅了，就永遠消失天壤之間，因此就顯得格外珍貴了。

如梁啓超研究清代學術與思想，寫出了《清代學術概論》與《中國近三百年學術史》，是近代研究清代學術與思想最基本必要參考的名著，但他的原始胚胎形貌，可以在後人留下的初稿中尋覓殘存的蛛絲馬跡，使吾人對其成書經過有個清晰的認識。

中共宣傳抗日戰爭是他們打出來的，自然這是很荒謬的宣傳造假。

根據各個地方檔案館留存的資料顯示，可以發現大量招募壯丁花名冊、逃亡壯丁名冊、戰時國民兵役訓練方案、估拉壯丁與民間陳情卷宗、出征軍人婚姻保障法、陣亡家屬請領撫恤優待的記錄清冊、嚴禁估拉壯丁的訓令、

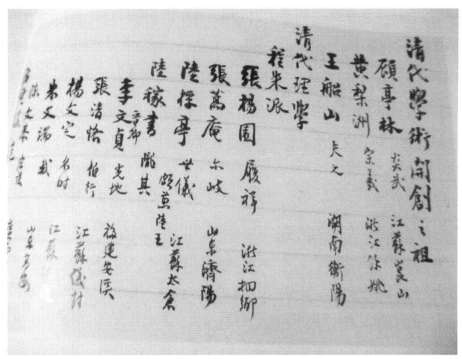

梁任公寫出《中國近三百年學術史》的初稿

被抓壯丁家信的通訊、各地徵兵違法及規避兵役的統計等，統統是由國民黨中央黨部發公文到各支部地方黨部要求嚴格執行辦理，尋覓中共的公文居然不可得，可以用公文檔案來揭穿這個謊言，進一步證明國民黨在第一線抗敵作戰的事實是千真萬確而不可抹煞的！

　　又如在對日抗戰大戰略「攘外安內」基本方針之下，顯示了抗戰時期剿共的「書刊查禁表」，每隔半個月國民黨中央黨部就發出訓令通告各縣市，表明了毛澤東、陳伯達、王明等人的著作受到嚴格查禁通行。由此可以顯示，張學良在1936年12月發動「西安事變」要求蔣介石全面取消剿匪、國共兩黨一致共同抗日協議，都是公開宣傳的門面話，揆究其實，經由檔案可以顯示，在具體落實方面，蔣介石為了國家利益，對共黨的防範與緊迫追擊，仍是繼續追殺，任何一刻是絲毫不放鬆的！

　　書信原件的重要，往往不經意間流露書寫者的內在情感、感受與真實想

法。如章學誠撰寫《湖北通志》，經過艱辛歷程，飽受世態炎涼對待，「中間委曲，一言難盡」，信箋並進一步闡述「楚中官場惡薄，天下所無，而游士習氣亦險詐相傾」。但其書完成之後，體大思沉，為空前絕後大手筆，他是躊躇滿志，具有無比堅定的自信，「其創條發例，不但為一省裁成絕業，亦實為史學蠶叢開山」。這樣的自豪話語，在《章氏遺書》內是看不到的，只有書信原件才會表達得如此赤裸裸露骨直白。（詳見【舉隅一】，頁32）

日記是個人極為隱私的一部分，通常是不輕易示人，以其作為個人身心修養記錄或要事經過的備忘錄，真實的成分就很可觀了（有些人日記是故意寫給後人看的，則另當別論）。如蔣介石對胡適支持雷震《自由中國》半月刊宣揚民主自由與籌組反對黨的態度，表達極度不滿，在 1960 年 9 月 8 日的日記寫下「此人徒有個人而無國家，徒恃外勢而無國法，只有自私而無道義，其人格等於野犬之狂吠」的批評，而在同年 10 月 13 日也有同樣嚴厲的指責：

> 聞胡適定於十六日回來，是其想在雷案未覆判之前要求減刑或釋放之用意甚明，此人實為一個最無品格之文化買辦，無以名之，只可名之曰「狐仙」，乃危害國家、危害民族文化之蠹賊，彼尚不知其已為他人所鄙棄，而仍以民主自由來號召反對革命，破壞反共基地也。

可見其內心之憎惡與鄙視，已是達到了極致。像這樣內在毫無遮攔底斥責話語，真實的情緒流露，在其他文件或集子是很難得悉探究，只有透過日記原件解讀才容易看出端倪，得到確鑿而可靠的依據。（詳見【舉隅十七】，頁205）

貳、手稿的重要性

一、手稿與現行集子互校可見文字疏漏並窺見作者思想演變的軌跡

　　陳獨秀的〈實庵自傳〉原先發表在一九三七年第五十一、五十二、五十三期的《宇宙風》雜誌，往後海峽兩岸學者編輯陳獨秀的集子，分別再重新排印出版，就成為研究其人思想的基本文獻。但只要拿手稿原件分別校對，可發現文字魯魚亥豕與疏漏之外，最明顯是「人家倒了霉，親友鄰舍們，照例總是編排得比實際倒霉要超過幾十倍」之後，都遺漏了「人家有點興旺，他們也要附會得比實際超過幾十倍」的句子，這是手稿原件的價值所在。（詳見【舉隅九】，頁130）

　　梁啓超、蔡鍔師生討伐袁世凱稱帝的護國運動，梁氏寫了一篇情文並茂的〈袁世凱之解剖〉文稿，又做了一篇序言置於前，概呼「袁世凱」其名，顯然是有大爲不屑，內心鄙薄不齒其人品。林志鈞整理之後的《飲冰室文集》，是今人研究梁氏通行的集子，竟把「袁世凱」改爲「袁氏」，意思雖然不變，但予讀者感受卻大大不同了，也不足反映梁氏心情悲憤複雜之跌宕起伏。

　　袁世凱稱帝運動的醜劇，梁氏深惡痛絕，一概毫不留情面痛罵袁世凱的「家奴」，林氏整理後文字，竟將此刪掉，令人遺憾！

　　如現行《飲冰室文集》之三十四的文字：

> 乃嗾使楊□孫□□等六人辦一會以為嘗試，此則復嗾使段□□朱□□梁□□周□□等十餘人著著實行。

對照原稿，應該為：

> 乃嗾使其家奴楊度、孫毓筠等六人辦一會以為嘗試，此則復嗾使第二隊家奴段芝貴、朱啓鈐、梁士詒、周自齊等十餘人著著實行。

另外在「又如施催眠術者，強制受術人使自滅其意識，而以彼之意識為意識，使之作種種罪惡，而施術者自逃責任」句下，緊接著有「又如強污弱女，使他人為之代署婚證而曰彼甘心從我」等激憤語，居然亦被省略刪掉。

這些細膩微妙的差異，只有透過原稿與現行集子校勘，才能體會彼時梁氏情緒波瀾起伏，感情激憤到了沸騰極點，林氏如此處理，將指名道姓文字隱諱或若干字句省略了，相對梁氏文采飛動之效果張力就遜色多多了。（詳見【舉隅五】，頁 83）

由此可見，手稿的價值在此，也說明現代即使不再以書法字體來作為掄才的選項之一，但勤練行草書法，對於辨識解讀手稿原件文字之意思，是非常有必要的基本修養，也是作為第一線學術研究的根基。

二、不同版本互校的重要

前述古代典籍在不同時代、不同地區的雕版印刷，會有版本的不同，因此需要經過校勘方面的對讀，才容易發現文字魯魚亥豕之疏失，並賦予新的時代意義。

清代學者陳澧早年對朱熹極力攻擊詆毀，顯示在漢學陣營氛圍籠罩下的反宋學思想，歷歷可尋。但到了晚年，他的思想已經有了變化，轉向同情宋學，因此就把批評朱熹的文字刪除了。

以〈論語北辰解〉一文為例（《論語》原文作：為政以德，譬如北辰，居其所而眾星拱之。），收在《學海堂三集》內文字，對邵雍、朱熹二人有如下嚴峻的批評：

> 後儒多泥「居其所」三字，其說乃多歧誤。邵康節云「地無石處皆土，天無星處」，朱子云「北辰是中間些子不動處，辰非星，只是中間界分」，夫《爾雅》明明題曰星名，安得以為無星？

可是在後來刊行的《東塾集》仍收錄這篇「少年之作」，文字在刪節之後，有如下的顯示：

> 後儒多泥「居其所」三字，其說乃多歧誤。邵康節云「地無石處皆土，天無星處皆辰」，夫《爾雅》明明題曰星名，安得以為無星？

詳細對照之下，「朱子云『北辰是中間些子不動處，辰非星，只是中間界分』」這小段文字竟然消失了，這點微妙的小小轉變，可以說明晚年他為了尊仰朱子，把早年批評朱子的文字有意識刪除了。（詳見【舉隅二】，頁44）

　　同樣地，閱讀研究資料如近現代的書籍，也會面臨不同版本的問題，怎樣解釋這層意義呢？

　　如連橫撰寫的《臺灣通史》開山專著，是研究臺灣歷史必備的參考經典，但隨興泛泛讀來，不容易看出作者內在苦心孤詣與悲憤情緒。只有透過兩種不同版本發行之比較對讀，則可彰顯出《臺灣通史》一書係在日本殖民統治臺灣期間，只有在臺灣島內通行，其發行範圍並不及於中國大陸內地。連氏為了宣揚臺灣種性之精神，在日本統治之下完竟的開山大作，對滿清政府「仍奉正朔，遙作屏藩，氣脈相通，無異中土」，實在蘊含民族意識在其中。同時，《臺灣通史》首發「僅印行於日本，國人得之非易」，一直要到抗戰即將結束，國人欣喜勝利在望，才由商務印書館「勉力排印」。但是歷經抗戰八年之後，民生凋敝，物力艱危，印刷極為困難，進度緩慢，終於才在民國三十五年一月由重慶梓行出版，次年（民國三十六年）的三月也才在上海出版。

　　仔細比較兩次出版品發行情況，無論是印刷紙張質感與文字清晰程度，

中國大陸出版《臺灣通史》的品質均遠遠不如日據時期的版本，由此可見當時在抗戰時期國力耗損之巨大，民生物質艱難之一斑。（詳見【舉隅十】，頁 133）

三、閱讀手稿原件的必要性

閱讀手稿是很重要的。手稿因係作者本人親筆撰寫，況又經過年代久遠，欲以窺見閱讀，機會眞是可遇而不可求，因此古人常有「某某某經眼讀過」字眼題跋或鈐印閑章，即是眞實情形寫照。

明代大儒王陽明〈答羅整庵少宰書〉[1]，洋洋灑灑二千餘言，反復申說《大學》內容「格物」之意義及其對〈朱子晚年定論〉文章之主旨，書信開頭「某頓首啓」，結尾「秋盡多還，必求一面，以卒所請，千萬終教」。但此信原件幸運流傳至今，仔細校勘，全信內容，除了少數文字略有校對疏失之外，大體上是一致的，但值得注意是開頭「某頓首啓」四字，原信作「大人執事」，而結尾「秋盡多還，必求一面，以卒所請，千萬終教」一語，原信作「秋盡多還，以求一會，以卒所請，千萬終教！泰和舟次守仁再頓首，六月廿日硃」，這些小小差別，卻透露了深刻的意義：此信書寫的時間在夏末（六月廿日），所以「秋盡多還，以求一會」，如此不急之約，才有意義；其次，這封信的書寫地點是王陽明在航行泰和路途之船上所寫的，也可以窺見他無時無刻不拘地點均把握論學的機會，即使是在官宦或兵馬倥傯之際，仍然作息如故。

又如梁啓超主辦《清議報》第十九期刊登有康南海詩作〈游桂林讌某公席間作乙未〉，「某公」是何人也，後人並不知曉，但透過今影印本《南海先生詩集》（門人梁啓超手寫，1966 年 4 月康同環出版發行，頁 21-22，見下圖）作〈丁酉元夕前臺灣總統唐薇卿中丞夜宴觀劇出除夕詩見示即席次韻

---

[1] 吳光、錢明、董平、姚延福編校：《王陽明全集》（上海：上海古籍出版社，2011年 12 月），上冊，頁 84-89。

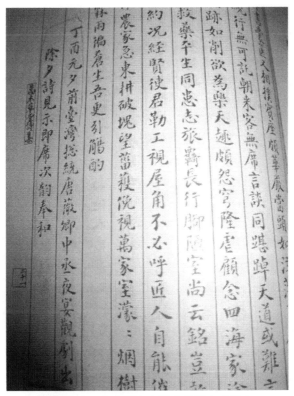

唐薇卿中丞，即臺灣民主國大總統唐景崧也。

奉和〉，可知詩題不同之外，更爲重要者，「某公」即是明指「前臺灣總統唐薇卿中丞」，也就是甲午戰後反對日本殖民統治、宣告中外自立爲臺灣民主國大總統，其後乃潛逃至大陸的唐景崧其人。

　　再如宣統元年七月二十四日梁啓超致其弟啓勳的信，提及他取法曾文正每日練字，書法進步神速，以致其弟竟無法辨識其筆跡，以爲請人捉刀：

　　來片有「孟哥代筆書」一語，可謂奇極，孟哥並不在日本，何從爲兄代筆？且兄致弟之書，亦何至倩人耶？兄三月以來，頗效曾文正每日必學書二紙，宜弟之不復能認吾墨蹟也。……

經過一個多月之後（九月八日），任公繼續有信說明其堅持練字的心得，內
有「已非吳下阿蒙」之豪壯語，並不忘調侃其弟啓勳：

> 弟兩月前有一片來云「孺博代筆之書已到」云云，真可發笑。我寄弟
> 一書，乃起稿後寄往上海，叫孟哥寫好，再寄來付郵耶？吾近日每日
> 必臨右軍二百字，已非吳下阿蒙矣。弟見我近函，又謂何人代筆耶？

梁啓超書信這段所言是否有誇大不實，抑或是事實之陳述呢？幸運地，《南
長街 54 號梁氏檔案》五月廿五日梁啓超的書信（上冊，頁 23-28）與七月
二十四日（上冊，頁 29）以後的書信均保存至今，留下了可供比較的參
照，果然書風判若兩人，任公書法大有脫胎換骨之神速進展，宜其弟會以爲
倩人代筆也。（詳見【舉隅三】，頁66）

　　吳天任在《楊惺吾先生年譜》說「徐總統以十之五六（《圖書館學季
刊》1：1）藏書撥歸松坡圖書館，序稱在己未，即民國八年，而小傳則云七
年冬，亦見歧異」，這個問題的解決，只有靠梁啓超寫給段祺瑞臨時執政的
簽呈〈呈請爲續撥藏書事〉手稿，一方面可知作爲新籌設的松坡圖書館，曾
得到官方公開署名支持，另一方面，楊守敬藏書在民國七年（1918）由國務
院撥一半給松坡圖書館，得到了可靠的證實。（詳見【舉隅七】，頁106）

　　研究貴有新意，以上例子，旨在說明閱讀手稿原件之重要性，經過不同
文字之比較之下，由此也較能夠發現問題，提出與人不同見解，賦予新的意
義，有如前述，實在是非常有趣味的。讀者覽及於此，曷興乎來！

四、書信原件不經意流露真實情感與思想

　　民國四年遠在美國留學的胡適曾在二月三日致信友人梅光迪，討論文學
改良，而陳獨秀在國內提倡新文化運動，以《青年》雜誌作爲宣傳理念的陣
地，胡、陳二人隔海呼應，宛若唱雙簧，白話文學運動就此展開了序幕。經
過民國八年五月四日「外爭主權，內除國賊」火燒趙家樓政治運動後不久，

白話文居然風靡全國，教育部也通令全國小學教材引進白話文學，廢除了閱讀傳統經書。這也是胡適晚年不無得意以為，這是白話文學運動巨大的成就。

可是，另有一波潛匿深潭之伏流，與新文化運動形成抗衡態勢。章炳麟（太炎）是個中的代表性翹楚之一。

章太炎對新文化運動的態度，可以致友人崇奎兄的一封信得知。

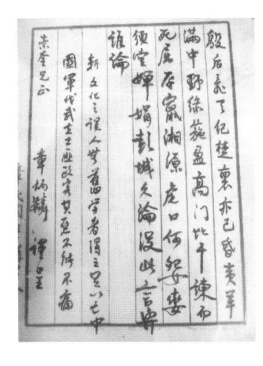

殷后飛天紀　楚懷亦己昏
夷羊滿中野　綠葹盈高門
比干諫而死　屈平竄湘源
虎口何嬖變　※須空嬋娟
彭城久淪沒　此言與誰論
新文化之誤人，無舊學者得之，足以亡中國，軍伐、武夫、土匪、政客，其惡不能不痛！
崇奎兄正　　　　　章炳麟謹呈

這封信以傳統正規八行信箋紙（左方印有「章氏國學講習會」字樣）毛筆書寫，字體典雅，十足流露文人飄然卓爾不群氣息，是很典型的章氏風格。前先引錄李白〈古風五十九首〉之五十一，仔細核對，「殷后亂天紀」，章氏作「殷后飛天紀」，而「須空嬋娟」，章氏漏了一字，全句應作「女媭空嬋娟」。先說時代的荒唐，主政者昏庸無能（殷后飛天紀　楚懷亦己昏），接著罵盡了讒諂盈滿於朝廷居要津得勢（夷羊滿中野　綠葹盈高門），朝中忠良受委屈而死或竄身鄉野，很多古典傳統雖好，可惜沒人能欣賞，遂令其逐漸在頹圮消逝中（虎口何嬖變　女須空嬋娟），眼見關係到民族生機的傳統文化淪喪，心中縱有

滿懷的感慨，更要向誰訴說才好？（彭城久淪沒　此言與誰論）

章氏抄錄這首古風詩作，詩句雅馴，用典貼切，有意與主張「不用典」之白話文運動直接相抗衡。尤其是在詩末的注腳明言「新文化之誤人，無舊學者得之，足以亡中國」，指責相當得嚴厲，絲毫不留任何餘地，並把這類人與「軍伐（銘能按：「軍伐」爲「軍閥」之誤筆）、武夫、土匪、政客」四者相提並論，以爲都是當時國家的禍（惑）亂根源所在，其可惡令人「不能不痛（心疾首）」。

章氏彼時憂心中國文化的發展方向誤入了歧途，代表文化特色的語文竟走向白話通俗化，古典文獻恐怕會受到漠視，乏人問津，更嚴重是國人因而失去了民族文化自信心，以爲唯洋務是從，五千年積累文化有陷入胥替淪亡的危機！

因此，吾人要研究章太炎對新文化運動與中西文化的態度，此信是絕佳的好材料之一。

這樣胸臆滿腔義憤，完全借用這短短八行書宣泄出來，眞不愧國學大師之手筆，今人尊奉章氏爲「最有學問的大革命家」，良有以也！

五、文字校勘不仔細
導致研究「失之毫釐，差之千里」

胡適研究在當今已經成爲顯學，但由現行胡適日記 1921 年 9 月 23 日條，記載胡適「下午三時，到中央公園，赴孟餘談話會」。以臺北遠流本胡適日記手稿與之比對，可知此處「孟餘」乃「孟祿」之誤，一字之差，人物也就變了不同。從中華書局出版《胡適的日記》到安徽教育出版社出版《胡適日記全編》，這個錯誤一直沒有改正過來。可見在利用關鍵材料時，閱讀最初原始材料形態的重要。[2]

還有一種情形，文字標點不同，產生的謬誤是「失之毫釐，差之千

2　感謝中國社會科學院近代史研究所何樹遠博士提供此條資料。

里」。

　　試以以下大家耳熟能詳的例子說明之。

　　　下雨天，留客天，留我？不留？
　　　下雨天留客，天留，我不留。

上述的文字完全相同，但標點符號不同，意思卻是完全走樣。之前的標點，意思是在人家的屋內，雨勢太大了，一時無法回去，想要徵詢主人的意見，是否可以留下等雨停了再走。之後的標點，意思則是主人明白拒絕，想留下來都不可能，毫無商量的餘地。

　　陳獨秀親筆撰寫的〈實庵自傳〉，文字清晰可讀，唯有調閱原件，才知以往學者研究陳氏生平，眾口都以為「此稿寫于一九三七年七月十六至二十五日中」（十六至二十五日中，時間延續了十天），現在原件明白標點「此稿寫于一九三七年七月，十六至廿，五日中」，兩者時間上相差有五天之多，這樣就可以修正過去習焉不察的謬誤，這是最可寶貴的文獻價值。（詳見【舉隅九】，頁 130）

六、先入為主成見（或者是「意識型態」）對研究之干擾

　　有時候研究資料內容是一模一樣的，但對於「歷史解釋」往往產生極大的歧異。可見先入為主的成見（或說意識型態）對研究者形成牢不可破的觀念，已經影響到歷史研究的客觀性，不可不謹慎。

　　如錢穆在其名著《國史大綱》[3]說：「漢末黃巾，乃至黃巢、張獻忠、李自成，全是混亂破壞，只見倒退，無上進」，有以為「近人治史，頗推

---

[3]　錢穆：《國史大綱》（北京：商務印書館，1996 年 6 月修訂第 3 版），〈引論〉，頁 12-13。

洪、楊。夫洪、楊爲近世中國民族革命之先鋒，此固然矣。然洪、楊十餘年擾亂，除與國家社會以莫大之創傷外，成就何在？建設何在？」，史觀是如此，但在張傳璽《中國古代史綱》[4]的筆下，卻把傳統正史所謂漢末黃巾賊、唐代黃巢之禍稱奉爲「黃巾大起義」、「黃巢大起義」，乃至於李自成與張獻忠稱兵抗清統治，在正史不過寥寥幾筆帶過，而張書也以專節稱之爲「明末農民起義」討論。以上兩者史料一致，但觀點卻完全大相徑庭，截然相異。

　　同樣地，關於清代太平天國的歷史，如果順循錢穆的思路，是絕對不會同意胡適的學生羅爾綱的研究結果，以爲太平天國還會有天朝田畝制度、官爵制度、禮制朝儀、科舉制度、建築、戲劇、美術與音樂的種種藝術成就等。（詳見【舉隅十二】，頁 162-163）

　　以上是紙上材料研究歷史極易產生的問題，豈可不慎？！

　　今人在做「口述歷史」訪談，也很容易發生立場偏頗某方而影響到史學研究的客觀性。

　　如中央研究院近代史研究所口述訪談小組在 1992 年出版的《口述歷史 3》、1993 年出版的《口述歷史 4》，以及 1995 年把上述兩本口述歷史訪談記錄編成第二版的《高雄市二二八相關人物訪問記錄》一書發行。經過仔細核對之後，意外發現有幾處不同：

一　是對日本殖民統治臺灣的用詞。《口述歷史 3》與《口述歷史 4》大多用「日據時代」（或「日據時期」、「日本時代」），但《高雄市二二八相關人物訪問記錄》卻均一致改爲「日治時期」；

二　是圖片有了變動，圖片文字說明也有了更動。《口述歷史 3》與《口述歷史 4》文字敘述稍平和，而《高雄市二二八相關人物訪問記錄》則更加強調受難者遭遇的慘痛悲情意識；

三　是《高雄市二二八相關人物訪問記錄》特意強化臺灣人的歷史悲情。在

---

[4]　張傳璽：《中國古代史綱》（北京：北京大學出版社，2004 年 7 月），上冊，頁267；下冊，頁 371-374。

文字有意刻畫修飾下，於是就造成了臺灣與中國／本省與外省截然劃分，大大挑動族群之間的緊張關係與彼此裂痕；

四　是第二版《高雄市二二八相關人物訪問記錄》的口述歷史有誇大造假的痕跡。

上述口述歷史既然兩次出版，文字與圖片說明有如此大的差異，於是就使我反省到以下問題：

1.　兩次的不同口述記錄出版品，讀者到底要相信那一次的版本？怎樣鑒定其間的不實、眞僞？

2.　如果沒有前後兩版文字的校勘，平常的口述歷史出版品，讀者如何能知道是否有人爲因素的刻意介入或爲了偏袒特定目的而做的口述？

3.　口述歷史要如何才能夠得到信任？

4.　訪問者與受訪者之間口述文字要如何表述？應不應該以形容詞強化某方面的情緒？

「日據」與「日治」用語之別，牽涉到一個極爲嚴肅的歷史評價問題：如何評價日本殖民統治臺灣半個世紀的功過得失？（詳見【舉隅十二】，頁163）

七、自由環境對學術研究之重要

學術自由對研究具有舉足輕重的作用。

下列的例子很能說明這層意思。

1994 年由北京中華書局影印出版了含有 394 通書信原稿的《梁啓超未刊書信手跡》（以下簡稱《手跡》），拿來與上世紀 60 年代出版了由丁文江、趙豐田主編的《梁任公先生年譜長編初稿》（以下簡稱《梁譜》）校勘，則有驚人的大發現。由於臺灣在當時還是戒嚴時期，有的文字居然是明顯篡改粉飾。如民國十五年九月二十九日家書，《手跡》原是這樣的：

時局變化極劇，百里所處地位極困難又極重要。他最得力的幾個學生

都在南邊，蔣介石三番四覆拉攏他；而孫傳芳又卑禮厚幣，要仗他做握鵝毛扇的人。孫、蔣間所以久不決裂，都是由他幹旋。但蔣軍侵入江西、逼人太甚（俄國人迫他如此），孫為自衛，不得不決裂。

而《梁譜》卻變為如此：

時局變化極劇，百里所處地位極困難，又極重要，他最得力的幾個學生都在南邊，蔣介石先生三番四覆羅致他，而孫傳芳又卑禮厚幣，要仗他做握鵝毛扇的人。蔣、孫間所以久未決裂，都是由他幹旋。但北伐軍入江西，孫為自衛，不得不決裂。

仔細對照校勘，可以發現把「蔣軍」改成「北伐軍」，把「拉攏」改成「羅致」，把「蔣軍侵入江西，逼人太甚（俄國人迫他如此），孫為自衛，不得不決裂」，改成為「北伐軍入江西，孫為自衛，不得不決裂」，其有意塗抹篡改，也就無所遁形而昭然於世了。

又如民國十六年一月二十六日家書，《手跡》原是這樣的：

萬惡的軍閥，離末日不遠了，不復成多大的問題，而黨人之不能把政治弄好，也是看得見的。其最大致命傷，在不能脫離鮑羅庭、加倫的羈絆——蔣介石及其他一二重要軍人屢思反抗俄國勢力，每發動一次輒失敗一次，結果還是屈服——國民黨早已成過去名辭，黨軍所至之地即是共產黨地盤，所有地痞流氓一入黨，即為最高主權者，盡量的魚肉良善之平民。

而《梁譜》卻變為：

萬惡的軍閥，離末日不遠了，不復成多大的問題，而黨人之能不能把政治弄好，還要看看再說。其最大致命傷，在不能脫離鮑羅庭、加倫

的羈絆，因而黨軍所至之地，即是共產黨地盤，所有地痞流氓一入
黨，即為最高主權者，盡量的魚肉良善之平民。

把「黨人之不能把政治弄好，也是看得見的」，改成「黨人之能不能把政治
弄好，還要看看再說」，意思是有很大的不同。此處卻把「蔣介石及其他一
二重要軍人屢思反抗俄國勢力，每發動一次輒失敗一次，結果還是屈服——
國民黨早已成過去名辭」遺漏刪除掉，並加了連語「因而」，以承接「黨軍
所至之地，即是共產黨地盤」之話，令人覺得絕不是無心的剪裁。

　　也就是說，在一個不自由的環境，統治者對於史料可以隨興粗暴地胡亂
塗抹篡改，學者絲毫沒有學術研究的尊嚴可言，更不必說獨立性了。

　　書信原件的出現，可以將這些有意篡改粉飾的文字，重新改正過來，同
時可覘知識分子的學術良知在黨派控制之下，如何地受到踐踏與玩弄於指掌
間！

　　中國大陸的上海人民出版社於一九八三年八月出版的《梁譜》也是如
此，在〈前言〉竟然說：

> 不少資料對孫中山為首的資產階級革命民主派，以及中國共產黨領導
> 的新民主主義革命，都有許多污蔑之詞，修訂時均保持原貌，未予刪
> 節，藉以反應梁啟超這派人物的歷史面目。

梁氏對於國民黨聯俄容共政策，有許多批評，而對共產黨利用農民革命及工
人罷工手段，造成社會的混亂，亦頗有微詞，因此是否對國、共兩黨「都有
許多污蔑之詞」，本是仁智之見，可以討論，上海版的《梁譜》如此說明，
似乎多此一舉。（詳見【舉隅四】，頁 81-82）

　　過去戒嚴時期，「二二八事件」是個禁忌話題，人人聞之色變，不敢公
開談論，資料更是封鎖而不能公開，因此這段歷史就一直沉冤在荒湮漫草
間，難得見天日。隨著民主化的深入與自由風氣的開放，政治禁忌解嚴了，
過去列為禁忌的議題也逐漸鬆動解禁了，大量史料公布出版，這段歷史的真

相終於得到了澄清。

此處以雷震《自由中國》案的經過為例，說明學術研究與自由環境是息息相關的。（詳見【舉隅十八】，頁 208-227）

還有一種情況，是在一黨專政之下，一切的學術要為政治服務，出版品被篡改也就不足為奇了。

如當今史學研究的大家余英時先生，其著作風行海內外，幾乎是文史研究者人人視以為捧讀的教科書。可是，中國大陸出版發行的版本卻有不同於海外的細微差異。試以廣西師範大學出版社出版余英時著作十卷本之〈怎樣讀中國書〉一文為例，原文是這樣的：

> 我可以負責地說一句：二十世紀以來，中國學人有關中國學術的著作，其最有價值的都是最少以西方觀念做比附的。四十年來，中國大陸的文史哲著作，凡是以馬克思主義的框框套在中國材料上的，都是一無價值的洋八股。如果治中國史者先有外國框框，則勢必不能細心體會中國史籍的「本意」，而是把它當報紙一樣的翻檢，從字面上找自己所需要的東西。（你們千萬不要誤信有些淺人的話，以為「本意」是找不到的，理由在此無法詳說。）

大陸出版的集子，卻變成了如此：

> 我可以負責地說一句：二十世紀以來，中國學人有關中國學術的著作，其最有價值的都是最少以西方觀念做比附的。如果治中國史者先有外國框框，則勢必不能細心體會中國史籍的「本意」，而是把它當報紙一樣的翻檢，從字面上找自己所需要的東西。（你們千萬不要誤信有些淺人的話，以為「本意」是找不到的，理由在此無法詳說。）

詳細比對校勘，一句罵共產黨以馬克思主義為意識型態對學界造成傷害的話被閹割不見了。試再舉一例。如〈美國華僑與中國文化〉一文，原本有段話

是這樣說的：

> 但是一九四九年以後，中國人對于留居美國在觀念上已發生了根本的改變。中國本土不但不再是中國文化的根據地，而且成為銷毀中國文化的煉鑪。不願失去原有生活方式的中國人逐漸把美國的自由社會當作最理想的托庇之所。「逝將去汝，逝彼樂土」。《詩經‧碩鼠》這兩句便是新移民的心理的最好寫照。

大陸出版的集子，卻變成了這樣：

> 但是一九四九年以後，中國人對于留居美國在觀念上已發生了根本的改變。不願失去原有生活方式的中國人逐漸把美國的自由社會當作最理想的托庇之所。「逝將去汝，逝彼樂土」。《詩經‧碩鼠》這兩句便是新移民的心理的最好寫照。

細心的讀者當能觀察到那一句罵得極凶狠話，「中國本土不但不再是中國文化的根據地，而且成為銷毀中國文化的煉鑪」，也被閹割不見了。

　　還有一種情況，是對文句作了某些「技術上」的必要處理，不仔細對照校讀還不容易發現問題。如〈試論中國文化的重建問題〉一文，原來的話是這樣：

> 自康有為的「大同書」以來，各種過激思想一直在不斷地掩脅中國的知識界，最後竟使中國為共產主義的狂潮席捲而去。這一文化悲劇決非任何歷史決定論所能解釋得清楚的。沒有任何客觀的證據可以使我們相信，中國近代社會經濟和政治的發展必然要歸向共產主義。

大陸版的文字，變成了如此：

> 自康有為的《大同書》以來，各種過激思想一直在不斷地影響著中國
> 的知識界，最後竟使中國捲入共產主義的浪潮之中。這絕非任何歷史
> 決定論所能解釋得清楚的。沒有任何客觀的證據可以使我們相信，中
> 國近代社會經濟和政治的發展必然要歸向共產主義。

仔細對讀之下，可知「文化悲劇」一詞被巧妙處理消失了。由此可見，讀者
如要閱讀到余先生作品的「完整原璧」，大陸出版品是看不到的。可見不自
由的環境對學者研究的干擾很大，幾乎是無所不在，連資料上的「動手腳」
也不放過，已經達到令人觸目驚心的地步，這絕非那些御用學者粉飾太平所
能知曉也。（詳見【舉隅十六】，頁 192-199）

　　最恐怖的是在「文化大革命時期」，孔子所代表儒家傳統的價值系統，
基本上已經被完全否定、徹徹底底破壞毀滅了。試以孔子強調德行的條目
「信」為例，說明這個階段的荒謬絕倫，真是中國歷史上的空前浩劫，也是
孔子思想最為消寂黯淡的一頁。

　　《論語・顏淵篇》記載：

> 子貢問政。
> 子曰：「足食，足兵，民信之矣。」
> 子貢曰：「必不得已而去，於斯三者何先？」
> 曰：「去兵。」
> 子貢曰：「必不得已而去，於斯二者何先？」
> 曰：「去食。自古皆有死，民無信不立。」

這段文字的意思，是子貢向孔子請教為政的道理。孔子回答「足食，足兵，
民信之矣」，按照宋代朱熹的看法，「言倉廩實而武備修，然後教化行，而
民信于我，不離叛也」。子貢繼續問，如果「必不得已而去，於斯三者何
先？」孔子的回答是「去兵」。子貢再追問，「必不得已而去，於斯二者何
先？」孔子回答，「去食。自古皆有死，民無信不立」，朱熹的解釋，「民

無食必死，然死者人之所必不免。無信則雖生而無以自立，不若死之爲安。故寧死而不失信於民，使民亦寧死而不失信於我也」。[5]

　　這個意思，淺顯易懂，也不易有太大的爭論。但是，以「文化大革命」爲旗號，藉行絕對權威高壓政治統治時期，孔子主張「無信則雖生而無以自立」、「寧死而不失信於民」的見解，強調「誠信」的重要，竟然被批判爲如此：

> 孔丘這樣安排「食」、「兵」、「信」的關係，表現了儒家「重義輕利」的反動路線。這同新興地主階級重視「耕戰」、「富國強兵」的法家路線是根本對立的。孔丘在這裏向子貢提出三點治國之道，其中最主要的就是所謂「民無信不立」。孔老二在許多地方講到「信」，他講的「信」，是用來維護奴隸主階級統治的一種極端虛僞的反動說教。在階級社會中，剝削者與被剝削者、統治者與被統治者之間，沒有任何共同的利益，他們之間除了你死我活的鬥爭外，根本不存在「信不信」的問題。孔老二鼓吹「信」，其險惡用心就是企圖把奴隸主統治者打扮成注重「信」的正人君子，以此來美化統治者，麻痺人民，同時要人民對統治者講「信」，即讓人民從思想上心甘情願地服從他們的剝削和奴役。他對子貢說的這段話，就正好暴露了他講的「信」的反動性和欺騙性。孔老二說：萬不得已時，寧可去掉軍隊，也不能去掉人民的信任。這純粹是騙人的鬼話。（北京大學哲學系一九七〇級工農兵學員《《論語》批注》，北京，中華書局 1974 年 11 月第 1 版，1975 年 3 月湖南人民出版社重印，內部發行，頁 260-261）

在一切政治化的環境，學術完全沒有任何的自由與獨立性可言，連最普通的倫常道德觀念，也淪落爲僅是政治鬥爭之下的工具，這是令人難以想像與接

5　朱熹撰：《四書章句集注》（臺北：鵝湖出版社，2002 年 3 月），頁 134-135。

受的！

八、研究資料譬如積薪後來居上

為學如逆水行舟，不進則退，而一篇成熟文章之完成，猶如是長途馬拉松賽跑的歷程，萬里長征，行行重行行，一點都不能馬虎或停止。

如胡適撰寫《章實齋年譜》，把章氏《湖北通志》撰作「當成于癸丑、甲寅之間」或以為乾隆五十九年甲寅（1794）「《湖北通志》脫稿」，而姚名達《會稽章實齋先生年譜》對此表示有異議，以為是乾隆五十九年甲寅（1794）才是。他們都沒有機會看到往後出版的《小莽蒼蒼齋藏清代學者法書選集》內收錄一封章學誠手札，因此僅能以推論得到上述的結論。這是資料的限制，也是莫可奈何之事。

筆者幸運能夠讀到這封手札，在 2003 年暑假應淡江大學 11 月 28、29 日舉辦第四屆文獻學學術研討會邀請而寫原題為〈以章實齋致孫淵如書札修正胡適《章實齋先生年譜》的一條舛誤〉，後會議論文結集出版，名為《章學誠研究論叢：第四屆中國文獻學學術研討會論文集》，十年後在四川大學歷史文化學院新開「手稿文獻學」選修課程，以章學誠致孫淵如這通手札作為課堂討論之用，重新再讀這篇文章。當時倉促完稿，不及細覽，我的結論言《湖北通志》應在乾隆六十年乙卯（1795）或以後完成，這是完全錯誤的，確切的說法，應該以始作於乾隆五十七年壬子（1792），完成時間在嘉慶二年丁巳（1797）三月之後。可見研究問題不得匆忙，稍不留意，往往會有錯誤的判斷。（詳見【舉隅一】，頁 31-40）

九、「迷信權威」有礙學者獨立研究

學術研究貴乎深造有得，完全忠實於自己的良知，切忌盲從權威而喪失一己獨立思考的判斷能力。

余英時先生是當今歷史研究泰斗級大學者，曾經獲得美國人文學界最高

榮譽「克魯格獎」，也是臺灣第一屆「唐獎」漢學類得主，如此一位大師級的學者，但他有時也有「智者千慮一失」錯誤，這是不必為之隱諱的。如他在〈郭成棠《陳獨秀與中國共產運動》序——陳獨秀與激進思潮〉一文說：

> 他的晚年著述如《實菴字說》、《小學識字教本》、《文字新詮》等是比較有原創性的學術作品。

但由個人研究陳獨秀閱讀資料的經驗所得，《小學識字教本》當時草紙油印本僅五十本，還保存有三本在中央研究院傅斯年圖書館內，封面有陳獨秀毛筆題簽，並鈐印有「陳獨秀印」陰文與「仲甫」陽文的篆體方章，凝重古樸，神韻猶存。全書以傳統線裝書左右對折一張為一頁（相當於現代書籍的兩頁），上篇有 136 頁，下篇有 53 頁，另有〈小學識字教本勘誤表〉，共計有 3 頁。臺灣曾在 1971 年 12 月由中國語文研究中心核定再版發行，重新另定書名為《文字新詮》，因當時還是戒嚴時期，尚不能公然提及是陳氏的著作，而且刪去了陳獨秀的〈小學識字教本自敘〉一文，由梁實秋另寫了一篇序言代替。大陸也在 1995 年 5 月由巴蜀書社出版劉志成整理《小學識字教本》，直接冠上「陳獨秀遺著」字樣。因此，《小學識字教本》與《文字新詮》，實際上是同樣一本書的兩種不同名稱。余先生恐未及翻檢原書，致有此誤會是兩本不同著作。（詳見【舉隅十六】，頁 198）

　　此處僅在舉例說明研究學術，要儘量努力尋找可能有的資料，不可一味迷信權威而為其所誤。

　　此外，崇洋媚外心理是不可取的。如有學者說「口述歷史」是二十世紀才出現的新方法，往往以為是發軔於美國哥倫比亞大學在 1948 年所做的口述歷史，殊不知在中國歷史傳統之中，已經有長遠的發展淵源，不得不為之辨正。

　　如司馬遷撰寫《史記》，在〈魏世家第十四〉說：

> 吾適故大梁之墟，墟中人曰：「秦之破梁，引河溝而灌大梁，三月城

> 壞，王請降，遂滅梁」，說者皆曰魏以不用信陵君故，國削弱至于
> 亡，余以為不然。

這是司馬遷不盲從口述者之言的卓識，對魏亡於秦乃不用信陵君的說法，提出了異議。

除了重視口述傳說之外，司馬遷又有實地驗證口述傳聞是否可靠的記載。如〈孟嘗君列傳第十五〉說：

> 吾嘗過薛，其俗閭里率多暴桀子弟，與鄒、魯殊。問其故，曰：「孟
> 嘗君招致天下任俠，姦人入薛中蓋六萬餘家矣」，世之傳孟嘗君好客
> 自喜，名不虛矣。

這是司馬遷經過薛地，觀察到其民間子弟多粗暴傲桀不遜，與鄒魯彬彬謙恭之士的風尚迥異。又在〈淮陰侯列傳第三十二〉說：

> 吾如淮陰，淮陰人為余言，韓信雖為布衣時，其志與眾異。其母死，
> 貧無以葬，然乃行營高敞地，令其旁可置萬家。余視其母冢，良然。

韓信母親墳冢地區高敞，其旁可以置萬家，反映了韓信布衣之時已志氣非凡，橫溢當代。這是司馬遷到達淮陰現場考察，當地人告訴他後的具體證明。

這些都是司馬遷親履其地勘察、驗證口述傳聞，瞭解實際狀況，得出的歷史識見，完全超乎書面文獻記載之外，這也是創作《史記》偉大成就之處。

有些口述傳聞顯然是有偏執誤失的，司馬遷也給予糾正澄清。如在〈蘇秦列傳第九〉言：

> 蘇秦兄弟三人，皆遊說諸侯以顯名，其術長於權變。而蘇秦被反間以

死，天下共笑之，諱學其術。世言蘇秦多異，異時事有類之者皆附之蘇秦。夫蘇秦起閭閻，連六國從親，此其智有過人者。吾故列其行事，次其時序，毋令獨蒙惡聲。

能夠不盲從附和眾口，替蘇秦洗刷惡名，充分肯定傳主超乎同時代人的歷史眼光。又在〈刺客列傳第二十六〉也說：

世言荊軻，其稱太子丹之命，「天雨粟，馬生角」也，太過。又言荊軻傷秦王，皆非也。始公孫季功、董生與夏無且游，具知其事，為余道之如是。

夏無且是當時秦始皇的侍醫，荊軻圖謀襲刺秦王，其人在場投擲藥囊阻擋行刺，因此他的話是具有相當權威性，可信度是比較高的。透過與夏無且當時相交往友人口中說出，荊軻刺秦王事件其間的曲直過節究竟如何，也就一清二楚了。（詳見【舉隅十二】，頁155-156）

十、當事人參與其事的歷史紀錄

　　研究臺灣從 1949 年國民黨政權的一黨專政統治，到反對黨可以公開活動以迄 1996 年全民普選總統的進程中，其後經歷過 2000 年民進黨執政八年，接著在 2008 年國民黨再經由選票奪回執政的權力，八年後，民進黨再度贏得選舉，「完全執政」給華人社會追求民主制度更向前邁進了一大步。像這樣和平轉移政權的「寧靜革命」，從中國傳統的歷史上觀之，是非常特殊的一頁，具有里程碑的意義。

　　最近由康寧祥論述、陳政農編撰的《臺灣，打拼：康寧祥回憶錄》[6]一

6　康寧祥論述，陳政農編撰：《臺灣，打拼：康寧祥回憶錄》（臺北：允晨文化實業公司，2013 年 11 月），頁 255。

書，是研究臺灣民主發展史非常重要的一部口述專著。此書是康寧祥一生從政的歷史紀錄，見證了臺灣民主發展歷程高低起伏的種種抗爭運動，也回應了西方學者如哈佛大學費正清、賴世和教授的質疑：中國儒家文化可能接受西方民主嗎？

從實際透過民主選舉方式，以及隨後臺灣政局的發展與演變，在在都使得康先生的信念與樂觀得到了證實。誠然，臺灣的民主制度雖然不是令人滿意，但是比較西方發展二、三百年才有成熟的民主政治體制，臺灣由威權專制統治到保障言論、出版、集會、遊行等自由的民權具體落實，一路走來跌跌撞撞僅有半個世紀之久，但作爲中國本土之外的華人試驗民主體制之實體，尤顯得彌足珍貴。

《臺灣，打拼：康寧祥回憶錄》其中提到 1979 年 12 月 10 日發生震驚海外的「美麗島事件」，康本人在事件前後協調以及扮演的角色，有極爲細緻地描述。[7]康本人在描述這一段歷史經過，頗有爲這個時代留下見證的意義。這就是梁啓超所謂的如五四運動、張勳復辟、洪憲盜國、辛亥革命、戊戌政變、拳匪構難、甲午戰役等等，「躬親其役，或目睹其事之人，猶有存者，采訪而得其口說，此即口碑性質之史料也」。[8]

因爲有的事件在時過境遷之後，如果參與其事的當事人不寫，將來恐怕有失傳之虞。如阮大仁說「在高雄事件已經發生了三十年後的今天，吾人已老，再不寫出來，此事恐將失傳」，[9]因此他把「美麗島事件」發生後海外學者如何聯合簽名呼籲政府寬大處理以及以司法審判的陳情書，請陳若曦女士面見蔣經國先生的經過，巨細靡遺娓娓道來。如此，吾人可以知悉蔣經國先生當時也同意「擴大爭取面，縮小打擊面」之原則。臺灣今日民主化程度的局面，蔣先生晚年處理此事的影響是非常重要的。[10]

7　康寧祥論述，陳政農編撰：《臺灣，打拼：康寧祥回憶錄》，頁 265-300。

8　見梁啓超：《中國歷史研究法》，第四章說史料。

9　阮大仁：《放聲集　第一輯：臺灣民權與人權》（臺北：臺灣學生書局，2010 年 12 月），頁 115。

10　詳見阮大仁：《放聲集　第一輯：臺灣民權與人權》，頁 155-191。

在海峽對岸，歷經大陸文革時期的那一代人都知道其間的痛苦與荒唐，但有誰願意撩起這一段令人心酸而難受的往事？沒有人說起，自然隨著時間流逝而人事凋零，許多往事就令後人而無從明白了。

最近由已經退休曾任北大副校長的郝斌先生以八十歲高齡完成的《流水何曾洗是非：北大「牛棚」一角》一書，就是在說明大陸第一學府北京大學歷史系在文革時期受到的衝擊，以及著名學者受到批鬥的狀況，令人覺得觸目驚心，也留下了這段慘痛歷史的紀錄。

在這些林林總總的歷史書籍之中，或有親歷事件者自身執筆撰寫，或有經過口述回憶整理成文字記錄，我們感到最值得注意的現象，就是中國大陸近代有的檔案沒有公開，因此，作為歷史研究工作者，實在很難判斷是否有誇大失實或隱諱不談之處。這是學者覺得莫可奈何的。為了克服這個困境，以「既有的事實」為基礎，認真從每個細節一一檢驗，只要合乎「既有的事實」之處，就逐步積累形成了無數個「既有事實」，最後一部可以信賴的口述歷史就水到渠成了。

這項工作談起來容易，實際操作可不是輕鬆的活兒。沒有敏銳觀察力是辦不到的。（詳見【舉隅十五】，頁 188-191）

參、實踐舉隅

【舉隅一】

以毛澤東秘書田家英收藏一封信
解決胡適《章實齋先生年譜》的難題

　　毛澤東的秘書田家英（1922-1966）先生，四川成都人，一生只活了 44 歲，但他生前收藏大量的清代學者名流手札，數量可觀，精品極多，兼具學術材料與藝術欣賞之價值，是不可多得的珍品。中國歷史博物館史樹青、陳烈、易蘇昊編選的《小莽蒼蒼齋藏清代學者法書選集》，以及之後的《小莽蒼蒼齋藏清代學者法書續集》出版，可以窺見其中的精品，實在是一大眼福。

　　在這些琳琅滿目對聯與書札精品中，令人目不暇給，愛不釋手，洵是夏日午後最佳消暑妙品。其中有一封章學誠寫給孫星衍（淵如）的信札（見彩色圖版第四十六件），只有短短兩頁 41 行，但其間所揭示的史料價值是相當重要的，不但解決了胡適在八十多年前《章實齋先生年譜》提到章氏《湖北通志》「當成于癸丑、甲寅之間」或乾隆五十九年甲寅（1794）「《湖北通志》脫稿」的疑問，也對姚名達《會稽章實齋先生年譜》以為是乾隆五十九年甲寅（1794）的補正，提出了新的修正，應是非常有價值的一封手札，可惜注意到的學者不多。今將手札全文刊布如次（原件不分段與標點，為便於閱讀，以醒目字體標識並與予分段標點），再進入問題的討論。

　　學誠頓首奉書

淵如觀察大人閣下：

丁未秣冬，長安街上，拱手為別，轉盼十年，雲泥愈遠，則音問愈疏，每望北風，輒深延跂也。前聞分藩克、沂，風清齊、魯，詩書雅化，倡動列城，政理多暇，游心文墨，導率賓從，補苴宇宙間絕大著述，度此後十年內外，壇坫繼武　弇山，使海內人士以為如彼教之傳鐙不斷，豈非一時盛事哉！雖然，不可以不慎也。

吏治民生，薄書案牘，鴻纖委折，必有得其肯綮，使若庖丁游刃而後心有餘閒，乃行遂其千秋之業。鄙嘗推論古今絕大著述，非大學問不足攻之，非大福澤不足勝之，此中甘苦，非真解人，不能知也。

鄙人楚游，前後五載，中間委曲，一言難盡。大約楚中官場惡薄，天下所無，而遊士習氣亦險詐相傾，非　弇山先生定識不搖，則積毀銷骨，區區無生全理矣。

《湖北通志》體大思沉，不愧空前絕後之目（弇山先生云爾），而上自撫藩，下至流外微員、標營、末弁，莫不視為怪物，天下真是真非，誰與辨之？其創條發例，不但為一省裁成絕業，亦實為史學蠶叢開山。如　弇山先生征苗奏凱，仍還武昌，此事尚可申白，否則，惟懇祖方伯（敝同年）鈔一副本寄京，知必有賞音者矣。昔克、沂、曹龔觀察曾以三府合志見示，其意甚善，而書不甚佳，豈椎輪初試，待賢觀察為踵事之華、我輩得與聞討論乎？如何如何，幸熟圖之。《史考》底稿已及八九，自甲寅間　弇山先生移節山東，鄙人方以《湖北通志》之役羈留湖北，幾致楚人之鉗；乙卯，方幸　弇山先生復鎮兩湖，而逆苗擾擾，未得暇及文事，鄙人狼狽歸家，兩年坐食，困不可支，甚于丁未扺都下也。今遣大兒赴都，便道晉謁　鈞閣，幸推屋烏之愛，有以教之，無任感荷！

日內俗冗紛擾，一切不及詳悉，但令兒子面陳，可識數年來筆墨所不盡之懷也。近刻四卷附呈教正，本不自信，未敢輕災梨棗，無如近見名流議論，往往假藉其言，而實失其宗旨，是以先刻一二，恐其輾轉或誤人耳。賢之想拊掌也。

章學誠載拜

三月十八日燈下

章學誠寫給孫淵如這封信，由內容可知兩人自上回丁未年（即乾隆五十二年，1788）臘月在北京長安街上分手，到寫信時間，已有十年之久，即嘉慶二年（1797）丁巳。

接著章學誠說明自己在湖北前後經歷了五年，嘗遍了官場上的爾虞我詐相傾軋之苦，也受盡了各種人世間的難堪之境，實在是「一言難盡」，幸好有畢沅（弇山）的支持，才能夠度過艱難日子。對於《湖北通志》完稿，章學誠是非常有信心的，因為畢沅評價為「體大思沉，不愧空前絕後之目」，自己也有自知之明是創見多多，「不但為一省裁成絕業，亦實為史學蠶叢開山」。信中還回憶畢沅在甲寅（乾隆五十八年）徵調至山東，正好是章學誠為了撰寫《湖北通志》而留在武昌的時刻，受盡了湖北人的悶氣，第二年乙卯（乾隆五十九年）又返回到了兩湖地區，真以為可以慶幸得到畢沅的照應，但萬萬沒想到畢沅忙碌奔波平定苗亂，根本無暇顧及，章學誠只好狼狽返家，生活狀況是「兩年坐食，困不可支，甚于丁未扼都下也」。

因此，這封信應該是章學誠返回家鄉時所寫。

可見，章學誠晚年生活仍過得極為蕭條黯淡，遣派兒子赴京師，不無為了謀求一官半職，順道經過山東，把《湖北通志》先刻四卷呈獻時為山東督糧道的孫淵如讀一讀，並說明個中艱苦原委，當然希望能夠得到賞識。

根據信箋內容，筆者大膽揣測，《湖北通志》此時應該並未完全寫好，他最大的期望，是期盼孫淵如給予經濟上的支援，俾使《湖北通志》早日完稿殺青。

這封信撰寫的大略背景與內容弄清楚了，可以討論胡適《章實齋先生年譜》所遺留下未能解決的問題。

胡適《章實齋先生年譜》在「乾隆五十八年癸丑（一七九三）先生五十六歲」條說：

是年有〈與廣濟黃大尹論修志書〉（據〈內藤目〉，題下有「癸丑錄存」四字）。自壬子以來，先生任《湖北通志》事。（《章實齋先生年譜彙編》，頁 150）

接著，又說：

《通志》（銘能按：以下所言均指《湖北通志》一書）不知起於何年；按先生代畢沅作〈通志序〉，所說年代，甚不分明。初看來，好像《通志》始于乾隆五十四年己酉；但下文又說「凡再逾年而始得卒業」，據此，則又似《通志》始於壬子。先生壬子任《志》事，屢見於《遺書》中（銘能按：指的是後人編纂的《章氏遺書》），如〈李清臣哀辭〉、〈孝義合祠碑記〉等。以「再逾年」之語推之，當成于癸丑、甲寅之間。（《章實齋先生年譜彙編》，頁 151）

按照這條資料，胡適推斷章學誠《湖北通志》應該是開始撰寫於乾隆五十四年己酉（1789），也可能是乾隆五十七年壬子（1792），最終完成在乾隆五十八年癸丑（1793）、五十九年甲寅（1794）之間。這樣閃爍其詞，其間的出入，相差竟可達三年，實在令人遺憾。

胡適在「乾隆五十九年甲寅（一七九四）先生五十七歲」條，居然斬釘截鐵又說：

是年《湖北通志》脫稿。

如此舉棋不定，猜測得毫無底氣，難怪其後引起姚名達的不安，姚氏為此編撰有《會稽章實齋先生年譜》，特別把《湖北通志》的撰寫時間，勘定為乾隆五十七年壬子（1792），而完成時間明確定在乾隆五十九年甲寅（1794）。

其實，胡、姚二人的看法，都錯了。依據今本《湖北通志檢存稿・食貨

考》[1]，也可以證明胡、姚二人的看法是有問題的：

> 方志自來不載物價，茲取各屬市集百貨時價，約分為貴、賤、平三
> 等，以乾隆六十年歲次乙卯為率，將來或至十年，若二、三十年，後
> 人修志，再取彼時價值與今相比次接續而書，庶俾後人得考求焉。

首度把物價寫進方志，以十年為單位之比較研究，可以觀察地方日用經濟活
動的變化軌跡，這是章學誠《湖北通志》的一大創見，怪不得他要信心十
足，躊躇滿志地說出「不但為一省裁成絕業，亦實為史學蠶叢開山」的豪壯
語！

可見乾隆六十年乙卯，章學誠還在撰寫《湖北通志》，胡、姚二人沒有
仔細讀《章氏遺書》，才會有如此荒腔走板的紕漏。然則，讀書又豈能一味
迷信權威而不自己下一番苦工求索披閱典籍！

最有力的直接證據，是根據這封信的內容，時間寫在嘉慶二年丁巳
（1797）三月十八日，《湖北通志》尚未完成，章氏明言「鄙人游楚，前後
五載」，正是為了創作此書，前信內容已大略揭示之。因此，合理的說法，
《湖北通志》應該是始作於乾隆五十七年壬子（1792），完成時間在嘉慶二
年丁巳（1797）三月之後。

至於，畢沅對《湖北通志》評論，「體大思沉，不愧空前絕後之目」，
到底是正確呢？還是僅僅一番鼓勵的話呢？不妨從章學誠方志的理論建構與
其實際創作《湖北通志》的內容來窺探。

章學誠一生窮困，對方志的接觸甚早，據他自己說，「鄙人少長貧困，
筆墨干人，屢應志乘之聘，閱歷志事多矣」（見〈州縣請立志科議〉），按
理說年輕即有社會歷練，為何終其一生還是久處窮蹇不達境地？究其實，應
該是個性敖桀不群所致。據章學誠寫他與學界領袖戴東原在京師見面的情
景，竟是針鋒相對，不歡而散。原來章氏認為方志是國史具體而微的呈現，

---

[1]　收在《章氏遺書》卷第二十四，頁29。

與傳統認爲乃歸屬地理沿革之作，觀念大相徑庭。戴東原讀了章學誠的文章〈和州志例〉之後，甚不謂然，以爲「志以考地理，但悉心于地理沿革，則志事已畢」，這與章平素看法大爲扞格不入，章則主張「方志如古國史，本非地理專門」之作，首重要在於文獻及時搜羅、編次、去取，以免時日久遠，恐有放失難稽、湮沒無聞之憾，如果必不得已而難兩全其美，「毋寧重文獻而輕沿革」。最終是氣氛凝重，戴東原有失風度，竟是「拂衣徑去」，留下不愉快的記憶。[2]

參酌章氏〈修志十議〉、〈答甄秀才論修志第一書〉、〈答甄秀才論修志第二書〉等文字，可以知悉其方志理論要點大略有六：

(一) 分工部門職掌合作，彼此尊重而不相凌越。即提調專司決斷是非，總裁主導筆削文辭，投牒者敘而不議，參閱者議而不斷。

(二) 考核精詳，折衷盡善。所有官方文書史籍以及野乘、私記、文編、稗史、家譜、圖牒之類，皆須徵收，而案牘律令有關政教典故、風土利弊者，概錄出副本送專責之館，以求鉅細靡遺，用召信史。

(三) 體例確立，講究書法。典故作考，重在政教典禮、民風土俗，切忌浮誇形勝、附會景物。

(四) 人物列傳史料取捨，所貴在辨識眞僞。人物作傳，例不爲生人立傳，婦女守節者，則破格錄入。立傳以名宦鄉賢、忠孝節義、儒林卓行爲重，文苑、方技次之。去任官員，苟爲善政，以治績爲重，不妨立傳。

(五) 前志裁制分注。若前志義例不明，文辭乖舛，後志欲續前人記載，當爲雙行小字並作者名姓與刪潤之故，一體附注本文之下；庶幾舊志徵實之文，不盡刊落，而新志謹嚴之體，又不相妨礙。

(六) 議外編。或有歌謠諺語、街談巷說、神仙蹤跡等新奇之傳，雖非史體所重，亦難以遽議刊落，應當於正傳之後，以雜著體零星紀錄。或可名外編，或可名雜記，必先使有門類可歸，以釐清正載之體裁。

以上章氏方志理論最爲精粹要點，尤其是最後五、六兩點，如今讀來，宛如

---

[2] 詳見章學誠〈記與戴東原論修志〉一文，收在《文史通義》內。

空谷傳聲，亦不得不承認其規模宏遠，覃思妙悟，立論精闢，方志至此，可謂臻乎盡美盡善矣！

　　章氏還有最爲人所稱道者，厥爲與方志並行另闢「文徵」一目，也就是不能併入方志而有裨益文獻者，別析細分爲奏議、徵實、論說、詩賦。簡單說來，所謂「奏議」，就是一代的奏牘文字，廣收則史體不類，割愛則文有闕疑，但於正史之外，與實錄、起居注互爲表裏；所謂「徵實」，就是傳狀之文，或有與本志列傳相彷彿，正以詳略互存，以見列傳采擷所本，而筆削善否工拙，悉由後人別擇審定，不敢據以爲私；所謂「論說」，就是秉承先秦諸子遺風，其本意在行事不得而發爲議論者，非爲華美文辭之說；所謂「詩賦」，就是秉承國風遺意，如文丞相詞與祭潔河文，非詩賦而並錄之，有韻之文如銘箴頌誄，皆是古詩之遺。

　　章氏對方志提出理論如此，其早年著作《和州志》（乾隆二十九年撰《和州志》四十二篇）與最後一部著作《湖北通志》，可惜如今只有殘稿留下，僅能由其蛛絲馬跡探究其觀點，筆者歸納出有四項特點如下。

（一）裁篇別出與部目互見

　　章氏在《校讎通義》提出「互著」與「別裁」觀念。前者主張一書可兼收併載，不以重複爲嫌，後者則主張一書得裁其篇章，別出門類，以辨章學術源流。這種「部目互見」與「裁篇別出」的觀念，在《和州志‧藝文書序例》也極力強調：

> 夫篇次可以別出，則學術源流無闕間不全之患也。部目可以互見，則分綱別紀無兩歧牽掣之患也。……然校讎之家苟未能深於學術源流，使之徒事裁篇而別出，斷部而互見，將破碎紛擾，無復規矩章程，斯救弊益以滋弊矣。

（二）表彰甲申、乙亥之際明代文人

　　章氏對明清鼎革之際的史事非常重視，《和州志》卷十八之〈列傳第十戴重〉寄予深沉感嘆：

戴重以亡國一諸生轉徙江湖，謀生不暇，而能號召義旅，縞素出師，雖不自量力，其志固可哀矣。重有詩云「布衣自古無成事，仰哭蒼天吾道窮」，蓋紀實也。明復社殉難諸生如江天一、楊廷樞等著於《明史》者凡數十人，而重獨失載，惜哉！

〈列傳第十二馬如融戴本孝戴移孝〉則更有意識騁力表彰其氣節：

餘譜和州世家，明代人文莫盛于馬氏、戴氏。馬氏以九成從明太祖戰死鄱陽，戴氏以仲禮從取和州，皆賜爵有田宅，為和州始祖，子孫遂為州中一代望族。其後御史馬如蛟卒殉乙亥之難，而戴重亦以頑民抗命甲申之後，絕粒而死，察其所以興衰，與明運若相終始，斯亦奇矣，……至今言望族者推二氏。（中略）乙亥之變，如蛟舉家殉難，事詳義烈傳。

這些在其後乾隆朝修纂《四庫全書》時期（乾隆四十年之後），都是極為大膽言論，也牽涉到滿族入主中原的合法性，章氏《和州志》竟有此文字能流傳，斯亦奇矣。

（三）人物列傳實踐的成熟創見

《湖北通志》之〈序傳〉提出了「詳今略古」、「詳後略前」、「錄褒去貶」、「恕嚴慎公」與正史互為表裏的見解。所謂「詳今略古」，就是「正史未具之人，方志為之傳，是詳今也，正史有傳，則但存其名于表，是略古也」；所謂「詳後略前」，即「宋元至明，史傳難明，史外有書可參，故無傳者補之，傳未盡者或增訂之，是為詳後也。隋唐以前者，史無旁書可參，則止有人物表，而無補定諸傳，是略前也」。所謂「錄褒去貶」，就是對歷史人物褒貶的態度。所謂「恕嚴慎公」，就是史書無傳但留下大量諛墓頌揚失實之辭、酬應泛濫文字，當以古良史為師，「持論不可不恕，立例不可不嚴，采訪不可不慎，商榷不可不公」。（這些觀念，其實在〈修志十議〉、〈答甄秀才論修志第一書〉、〈答甄秀才論修志第二書〉等文已有或

多或少脈絡可尋，《湖北通志》不過將其理論充分發揮罷了。）

　　人物列傳見解主張如此，因此從《湖北通志》殘稿，可見所存列女傳的類型異常豐富，含有節婦、烈女、烈婦、才烈、俠烈、貞女、孝女、賢淑、才慧，名目繁多，充分肯定女子懿行才德。

(四)政略

　　這是說地方政事重在興利除弊，其人雖去職，遺愛在民，苟有一時循良善政，可書入政略，其他則皆在所輕。（值得注意者，《湖北通志》之〈政略四〉前有敘例多抄自《和州志》之〈政略〉，〈永清縣志政略敘例〉然。）

　　從以上筆者閱讀後歸納的特點看來，畢沅對章學誠《湖北通志》評論，「體大思沉，不愧空前絕後之目」，應是有事實根據，絕非是恭維的門面話。「空前」是毫無疑問的，至於「絕後」，則有待今人的爭氣努力了。

文章後記：

　　本文原撰寫在 2003 年暑假，係應同年 11 月 28、29 日淡江大學舉辦第四屆文獻學學術研討會邀請而寫，原題為〈論王湘綺論章實齋〉文章後的〈附論：以章實齋致孫淵如書札修正胡適《章實齋先生年譜》的一條舛誤〉，後會議論文結集出版，名為《章學誠研究論叢：第四屆中國文獻學學術研討會論文集》（臺北：臺灣學生書局，2005 年 2 月），本文收在頁243-280。

　　如今重新再讀這篇文章，當時倉促完稿，不及細覽，我的結論言《湖北通志》應在乾隆六十年乙卯（1795）或以後完成，見原書頁 280，這是完全錯誤的。

　　本學期「手稿文獻學」選修課程以這通章學誠致孫淵如的手札作為課堂討論之用，再重理舊作，頗悔「十年前少作」，因此改寫如此，希讀者鑒察指教。

　　學術貴有創見，非今日制定所謂「核心期刊」而不學無術領導者所能知

也。知我罪我，歷史自有公平論斷。

2013 年 5 月下旬在川大望江校區北門荷塘之畔中興村

閣樓小居以三個半天改寫完稿

【舉隅二】

專明學術以濟天下
——略談陳澧的學術轉變

　　有清一代考據之學極爲興盛，人才輩出，欲以直接恢復兩漢經學的傳統，是一個「漢學」席捲的時代，學界總以「乾嘉學術」作爲清代學術的輝煌時期，研究成果頗爲可觀。可是嘉慶之後，漢學內部也發生了一些微妙的變化，有學者對一生皓首窮經，非累數十年不能通一經的做法，提出了質疑，究竟於國計民生有何用？在錢大昕、戴震、惠士奇、段玉裁、王氏父子等樸學大師去世後，此時面臨一個嚴重的問題，即人才青黃不接、難以爲繼的困境，考據學能不能再維持「乾嘉學術」的門面呢？講求通經微言大義的「宋學」呼聲另一股潛流，在勢頭上已是不能壓抑的力量，正待勢崛起。另一方面，中國內政的問題，尤其是鴉片走私與腐蝕社會人心，[1]迫使清廷官員不得不認眞面對，而西方叩關的勢力此刻也正接踵而來，經過交鋒過招，中國不堪洋人船堅炮利的弱點曝露無遺。陳澧便是生存在這樣的一個動蕩時代，他的學術思想的轉變，也反映了這個激烈變動的局勢下，個人選擇的因應過程。

　　研究陳澧的學術，不能不稍做時期的分疏，否則極容易混淆他的學術思想，看不出其思想變遷的軌跡，尤其是「極二千年未有之變局」的時代，個人思想也隨時在變，沒有明晰周遭的環境與其個人的經歷，難以理解爲何有如此的轉變。

　　陳澧一生的學術蛻變，筆者將之分爲三階段。早年仍舊是固守科舉功名的路子，「乾嘉學術」的風尚仍在學界占主流的位置，所以此一時期根據他

---

[1]　鴉片浮濫到社會底層，學海堂守門條規甚至訂出「堂中不許有鴉片氣，如守堂有食鴉片烟或藏鴉片烟器物者，即要退出」，可見問題的嚴重性。《學海堂志》（影印本，無出版年月），頁44。

自己說的，除了科舉時文習作外，寫的大多是有關考據方面的文章，有名的《切韻考》便是這個階段完成的。道光廿四年，是他第五次參加會試，北上京師，使他思想上產生極大的轉變，主張「袪漢宋門戶之見」，他的著作《漢儒通義》，就是這個階段完成的。由於科舉功名連番失敗的挫折，咸豐元年第六次北京之行以後，自知無望考取，加上年紀也老大不小了，於是他看破了功名利祿，絕意仕進，晚年出版《東塾讀書記》，這才是他的系統之作，也是他一生最重要學術見解的呈現。

明白了這三個階段，就可以方便進入討論。

一

陳澧，字蘭甫，一字蘭浦，讀書處曰東塾，學者稱東塾先生，出生嘉慶十五年（1810）於廣東省城木排里第。其先人本世居紹興，六世祖宦於江寧，祖父再遷廣東，至陳澧籍爲番禺，已有近百年歷史。[2]是年他最好的知交桂文燿（星垣）四歲，楊榮緒（浦香）二歲。[3]陳澧在道光十二年（1832）中鄉試舉人，在此之前他曾就學於羊城書院（道光五年）、粵秀書院（道光七年），觀《粵秀書院志》所列藏籍絕大多是乾嘉時期經學家如江永、惠棟、戴震、段玉裁、孔廣森、阮元、焦循、張惠言等名儒的著作，[4]足徵在早年教育的學術氛圍，仍不脫「乾嘉學術」以訓詁通明經學的漢學傳統。

由學海堂收錄陳澧早年所寫的文章，除了應制時文、詩賦習作外，考據文字占絕大的比例。如〈騋牝三千解〉純就訓詁釋義，且對段玉裁略有批評。〈書江艮庭徵君六書說後〉討論文字學專著《說文》轉注說的歧異，尋

---

[2] 陳澧〈擬江文通閩中草木頌頌粵中草木並序〉有言「僕家番禺之麓，臨珠海之涘，以居以游，今近百年矣」，見《學海堂三集》，卷十八。

[3] 汪宗衍《陳東塾先生年譜》（澳門：于今書屋，1970年增訂本），頁 1-5。以下簡稱《年譜》。

[4] 梁廷枏《粵秀書院志》（南京：江蘇教育出版社），據道光廿七年刻本影印，卷之六。

繹內容，字裏行間不乏與段玉裁、戴震爭勝較勁的氣味。〈黑水入南海解〉、〈論語北辰解〉也是純然考據文字，後者對邵康節、朱熹誤解「北辰」義，提出駁正。〈牂牁江考〉不僅在於地理水運考據嚴密，且有自己獨到的見解，如言「酈氏北朝人，未諳南方水道，故其書於今雲貴、兩廣諸水道多不合」，此項結論與湘綺老人王闓運多次經水道來往湖南、四川兩省，沿途實地考察《水經注》獲得的觀點極為吻合。

陳澧深知要反對考據學獨霸勢力，必須以漢學家所擅長的考據學功底為利器，能夠「入室操戈」，才具有廣大的說服力。翻檢收錄在《東塾集》的文字，除了友朋書札、書刊序跋、碑傳墓志銘外，也有大量的訓詁名物典章的考據文字，這是閱讀之後予人的整體感覺。其中〈廣州音說〉文字篇幅不長，卻極有學術價值，展現作者在音韻學方面扎實深厚的功底，主旨說明在隋唐時期大量中原人口遷入廣州，因此廣州方音合於隋唐韻書切語，為其他地方所不及者有五項特色，其中又以四聲皆分清濁為最善。[5]

這一階段最能代表陳澧在漢學方面造詣的著作，厥為《切韻考》。此書寫於道光十九年，基本上在道光廿二年完成。在此之前，道光十八年好友侯君模英年早逝，沒有及時完成預定的著述計畫，陳澧檢其遺策，多有錄無書，給予他極深的感慨，[6]更加緊著述的步調。《切韻考》序言「惟以考據為準，不以口耳為憑，必使信而有徵，故寧拙勿巧」，今細覽全書，將文字反切之法與雙聲疊韻關係，有條不紊拈明，簡潔扼要，真是一點也不錯。對於漢學盟主紀昀、戴震音韻之學，在《切韻考》中以激切語指責、謾罵，是毫不留一點情面的。[7]

5　〈廣州音說〉，見《東塾集》，卷二，頁 27-29。

6　陳澧〈答梁王臣書〉言：「故知學人當及時撰述，如其陳駒不留，尺波電謝，一抔之土，牧童高歌于其上，鼪鼯啼鼠于其下，誰知柏下之骨，曾飫萬卷哉？澧今年寄居僧舍，自課兄子，亦有學徒來此問學，講業之外，必當成所為書，不負知己。」轉引自《年譜》頁 22。

7　見《切韻考》，卷六通論，另〈書紀文達沈氏四聲考後〉直接點名指摘紀昀對音韻學的疏陋，見《東塾集》，卷二，頁 22-23。

　　揆究陳澧撰作《切韻考》背後的動機，是他不滿當時學風太注重於瑣碎訓詁考索，浪費太多光陰，「或蒼雅甫明，華巔已至，窺堂徙奧，俟之何年」，如此怎能求得通經致用？「夫治經者，將以通其大義，得其實用也」，依陳澧之見，訓詁小學的目的在明白經典的大義，通經要能應時而用，否則著述再多也是枉然。基於這樣的認識，他著作要求事繁文省，視而可識，說而能解，作為研究經籍的先路。[8]

　　以透過版本文字的校勘，也許更能夠考察陳澧學術的轉變。陳澧早年受時學風氣影響，不可避免地有大量訓詁考據文字，這乃是漢學瀰漫風氣之下的時代產物；但到了晚年，學術轉變偏向尊崇朱子，論學也較歸於醇厚淵涵，已不復當年輕狂歲月與人爭勝火氣。試以〈論語北辰解〉一文為例，收在《學海堂三集》與《東塾集》文字就稍有不同，比較明顯的差異，前者在《學海堂三集》對邵雍、朱熹有嚴峻批評的語氣：

　　　　後儒多泥「居其所」三字，其說乃多歧誤。邵康節云「地無石處皆土，天無星處」，朱子云「北辰是中間些子不動處，辰非星，只是中間界分」，夫《爾雅》明明題曰星名，安得以為無星？

《爾雅·釋天》云「星名，北極謂之北辰」，宋儒有以上的誤釋，陳澧毫不客氣指出，這是此時期的學術特色，可是在後來的《東塾集》仍收錄這篇「少年之作」，文字有如下的刪節：

　　　　後儒多泥「居其所」三字，其說乃多歧誤。邵康節云「地無石處皆土，天無星處皆辰」，夫《爾雅》明明題曰星名，安得以為無星？

詳細對照之下，「朱子云『北辰是中間些子不動處，辰非星，只是中間界

---

[8] 〈答楊浦香書〉，轉引自《年譜》，頁 23-24。他的友人溫訓〈東陳蘭甫孝廉二首〉詩句有「著書不適用，眾生何所托，陳子知此意，盛氣復磅礴」，可見他經常與志同道合者相勉，同儕多識之。見《年譜》，頁20。

分』」等字消失了，這點微妙的轉變，可以說明晚年他把早年批評朱子的文字有意刪除，正是反映了尊仰朱子的最佳證明。這一小小細微處，因無人道及，故特爲拈出，謹就教於學界。

二

可是在從事這些文字考據的階段，時局的動亂，使他在顛沛流離中轉徙，他的感受是深刻敏銳的。

道光二十年，英國不滿前一年林則徐將沒收鴉片在虎門銷毀，七月攻陷定海。道光二十一年五月，英軍砲轟廣州，八月攻佔廈門，十月定海、鎮海、寧波相繼失陷。陳澧赴北京會試途中，在道光二十一年正月經杭州，謁見陳鍾麟，聞知英軍因鴉片烟而起戰事，五月返家，才悉全家已避難佛山沙坑村，「夢皇皇於烽火，心搖搖於鼓鼙」，不禁有「百年爲戎之憂，恐在今日」的感慨。[9]

道光二十四年赴北京參加會試（這是第四次，前三次均落第而歸），[10]與李能定（碧舲）同行，這是影響他學術轉變的一次關鍵。在旅途中兩人論學，有激烈的爭辯，歸來對從前爲時學所錮蔽的訓詁音韻之學有所悔悟，由此幡然轉入宋學。[11]

在此之前，方東樹《漢學商兌》在道光十年（1831）已經刊行，高舉鮮明旗幟爲宋學辯護，也攻擊漢學的種種缺失，尤其是《漢學商兌》的第三部分明顯是針對江藩的《國朝漢學師承記》與「國朝經師經義目錄」而發的。[12]不過，方東樹如此旗幟鮮明公開反漢學的色彩，在當時與往後四、五十年

---

[9] 轉引自《年譜》，頁 26-27。

[10] 據陳澧自述「六應會試不中」，筆者考察《年譜》，依序分述如下：道光十三年、道光十五年、道光廿一年、道光廿四年、道光卅年、咸豐元年。

[11] 見《年譜》頁 33。陳、李二人論辯是大關節處，其主題爲何，筆者勉力追索尋覓，惜不克獲得材料，無法究詰實情。

[12] 王汎森《中國近代思想與學術的系譜》（臺北：聯經出版事業公司，2003 年 6 月），頁 11-12。

間頗受到非議，即使服膺顏李學派的健將戴望（1837-1873）在致同儕好友凌霞（子與）的信中，也表達了對方東樹等人力詆乾嘉鉅儒的不滿：

> 近見當塗夏炘、桐城方植之著書力詆乾嘉諸鉅儒，以為咸豐粵賊之禍皆東原、仲子諸先生釀成，可為軒渠嗟手，宗方苞、姚鼐之緒論，不謂其流禍猖狂至此，植也較之陳建、呂留良之詆誹之文，或尤不可堪忍……。[13]

將方東樹對漢學陣營的攻擊，提之與陳建、呂留良詆誹之文相比較，「或尤不可堪忍」，其激憤情緒溢於言表，可見漢學、宋學雙方彼此芥蒂心結之深。戴望這封信說明當時兩派互相攻訐的風氣。

咸豐元年陳澧北上會試，其師張維屏賦詩贈行，表達對他的期勉，有「漢家與宋學，偏執與歧視，君能會其通，百慮實一致」的話，[14]可見在師友眼中，「會通漢宋」已是大家對他的期許，而他自己也抱持這樣的使命。

此時漢學人才的雕零，面臨後繼無人的危機，不僅是他有所感嘆，前述的戴望也表達同樣的看法。他在與友人信件中，不時發出憂慮，認為乾嘉諸大儒花太多的時間講小學，而這類書又令人不得其門而入，這種精深浩博的書，究其實效，反而不如啟蒙之書有用。[15]陳澧有感於這個問題的嚴重性，咸豐四年開始編《漢儒通義》，顯示他轉向「會通漢宋」的階段。

咸豐八年，《漢儒通義》刻成。關於此書的旨趣，陳澧在自序中有謂：「漢儒說經，釋訓詁，明義理，無所偏尚，宋儒譏漢儒講訓詁而不及義理，非也，近儒尊崇漢學，發明訓詁，可謂盛矣，澧以為漢儒義理之說，醇實精博，蓋聖賢之微言大議，往往而在，不可忽也」，[16]這隱隱約約暗示著乾嘉

---

[13] 戴望致子與第十八札，收在中華叢書委員會出版《戴東原戴子高手札真跡》（臺北：臺灣書店，1956 年 8 月），無頁碼。

[14] 轉引自《年譜》，頁 52。

[15] 《年譜》，頁 59-61。

[16] 《漢儒通義》序。

學者在訓詁的工夫下得扎實深入，但相對之下，經典義理闡發得太少；在此參照他給門人黎震伯書札一併觀之，更能清楚表達他的用心：

> 百餘年來說經者極盛，然多解其文字而已，其言曰不解文字何由得其義理，然則解文字者，欲人之得其義理也，若不思得其義理，則又何必紛紛解其文字乎？僕之此書，冀有以藥此病耳。[17]

則此書的目標是在扭轉太偏重文字訓詁的弊病，把文字「訓詁」與經典「義理」的割裂彌縫合一，以「袪門戶偏見」。

《漢儒通義》，顧名思義，全部收錄以漢儒注解的經部之書（三國以後之書不錄，史子集皆不錄，九家《易》不盡漢儒之說不錄），按照陳澧自寫的〈條例〉看來，有幾項特點：

一、取材嚴謹——

將材料來源原原本本說出，如「諸家《論語》注見于何氏《集解》，諸家說《易》見于李氏《集解》，可以依據無疑」，這是對文獻可靠的說明；至於前人研究的成果，不盲從，也花了一番甄別鑒定工夫，如說「近人輯本每有疏舛，今之所錄，必取所出之書，復加審定，或各書並引，文有異同，則擇善而從」。

二、便於讀者檢核——

陳澧對於「說經之文」引書極為重視，這是他在書院講學屢屢對學生強調的，[18]本書條例亦能見到這樣的精神，如說「所錄諸書，今存于世者，每條下注篇目，無篇目者注卷數，以備檢核」。

三、繼承前人精華——

---

[17] 《年譜》，頁 67-68。之前在致趙子韶（齊嬰）有「鄭君之注，義理深醇如此」之嘆，在致王宗涑（偉甫）的信也有《漢儒通義》欲「采兩漢經師義理之說，分類排纂，欲與漢學、宋學兩家共之」的話。以上轉引自《年譜》，頁 57、頁 58。

[18] 〈引書法〉收在《東塾續集》頁 30-32。此文談引書應注意的要點，其嚴謹處，並不下於當今學術著作要求所謂的「合乎論文規範」。

　　作者明言本書專采經說是根據漢代《白虎通》之例，題某家之說是根據宋代《近思錄》，每一類中各條次第以義相屬是仿《初學記》之例。這種坦然態度，與素所主張所謂「前人之書當明引，不當暗襲」，「明引而不暗襲，則足見其心術之篤實，又足徵其見聞之淵博。若暗襲以爲己有，則不足見其淵博，且有傷於篤實之道」，[19]是完全一致的。

　　由上分析，可知他所做的工作完全以考據家無徵不信的漢學當行本色，來闡明經典中的義理，「會通漢宋」的特色在此表露無疑，這是我們必須先掌握的要點。

　　《漢儒通義》取漢儒二十二家之說精要，由初稿凡三千條刪存而成，[20]其內容由目錄逐一列項目說明，可以清楚顯示，卷一包括有天地、陰陽、五行、鬼神、人物，卷二包括有聖賢、經典、儒、士、傳述、學問，卷三包括有道、理、心、性、命、情、仁義理智信、善、德、中和、誠實、正直、恭敬、謹慎、言語、容貌、身體、魂魄精神、氣、欲，卷四包括有君臣、父子、祖孫、兄弟、宗族、夫婦、婦人、師弟、朋友，卷五包括有冠、昏、喪、祭，卷六包括有出處、義利、行事、交游、功過、權變、安危吉凶禍福、生死，卷七包括有治道、政事、任賢、愛民、財用、學校、禮樂、法度、教化、賞罰、訟獄、刑法、軍旅、救災，防亂，合計共七卷六十七小項，皆以漢儒注解的文句，解釋義理，內容包羅萬象，既有天人之際的哲學觀、個人德行修養，也有人倫社會關係、制度等，幾乎整個人生可能面臨的種種問題都可以找到相對應的觀念。可以說，是偏重如何「做人」的涵蓋面向，與當時考據家重視的學問風貌已有很大的差異。

　　讀者也許要問，《漢儒通義》所談的經典義理，如卷三談「道、理、心、性、命、情、善、德、氣、欲」等，與宋儒究竟有什麼不同呢？[21]其

19　同前注。

20　胡錫燕跋《漢儒通義》。

21　有學者提出批評，認為《漢儒通義》引據較為繁複，稍難覓出各條間內在之條貫，亦難自本義由近及遠而釐清發揮意義，不若宋人《近思錄》、《北溪字義》先後各條多能彌補，秩然條明易獲致較嚴整的體系，「闡揚義理，則猶有待也」。見胡楚生〈陳

實，依陳澧的看法，他亦知道宋儒談心性理欲有一套自成系統的觀念，其價值是不容抹煞的，他所以要以漢儒的話來表達經典義理的意思，筆者認爲主要是有當時背景的考量，即從以漢學、宋學如此壁壘分明、互不相服的現實出發，完全照錄漢儒的注解，既可避免漢學家的攻擊，同時也不落入宋學家的口實，而最重要是企圖扭轉當時的風氣，這種方式可以被接受的機會也較有可能。所以就義理的深度而言，《漢儒通義》表現心性理欲的問題，內蘊自然不如宋學家來得豐富廣博，但就策略而言，這種表述的方式，是較爲穩當的做法，吾人不得不承認陳澧眞是用心良苦。

　　《漢儒通義》出版後，學界反應不惡，如戴望在同治十一年主動寫信給陳澧，表達由衷尊仰忻慕，並將其《論語注》呈請指教：

> ……見大著四種，聲律、音韻、地理皆辨析豪芒，而尤有功來世者，為《漢儒通誼》一書，望嘗謂唐以後人之言道者，皆不出河洛、太極之恉，佛、老之說得以汩亂其間，若漢人則有其粹，而無其疵矣。擬輯周、程至王、劉諸君子言之純正，不雜二氏者為諸儒粹言，與先生書相輔而行，息門戶之諍，為聖道作干城，為諸君子作司諫，庶使無知如方東樹輩，不敢復間以讒佞之口，顧唯淺學，未敢操觚，使得如先生之卓識，從而訂正之，則覬幸多矣……。[22]

可見陳澧的表述方式，不但得到了認同，而且受到高度的評價，以爲可作爲「息門戶之諍，爲聖道作干城」，與方東樹同樣倡揚宋學，但學界的看法卻大異其趣。

三

　　當時各地內亂迭起，道光三十年洪秀全在廣西起兵，定國號「太平天

蘭甫「漢儒通義」述評〉，收在氏著《清代學術史研究》（臺北：臺灣學生書局，1993 年 3 月），頁 307-318。

[22] 《年譜》，頁 109。

國」，次年廣東天地會亦趁勢作亂，整個東南半壁江山一片紛擾不安，陳澧
在咸豐四年六月攜家避居蘿崗洞；而外患頻仍，咸豐七年九月，英法聯軍攻
廣東省城，十月，陳澧攜家寓城內梁國珍家，十一月城陷，又避難於橫沙村
水樓，他致桂皓庭信札描述其狼狽生活，有「遷徙奔波，產業被焚，幾無以
糊口，亦豈能不愁思，然手無斧柯，雖有救亂之志，可奈何，至一身一家之
窮餓，此亦無可奈何」句〕，[23]可見時局動亂對生活的影響。

　　咸豐八年，陳澧開始撰寫《東塾讀書記》，他有與黃理崖信，說出他為
何要撰寫此書的動機：

> 讀書三十年，頗有所得，見時事之日非，感憤無聊，既不能出，則將
> 竭其愚才，以著一書，或可有益于世，惟政治得失，未嘗身歷其事，
> 不欲為空論，至於學術衰壞，關係人心風俗，則粗知之矣，筆之於
> 書，名曰《學思錄》。……然天之生才，使出而仕，用也，使之隱而
> 著述，亦用也，但有其栖托之地，陋室可居，脫粟可食，著成此書，
> 生平志業，亦粗畢矣。……[24]

致胡伯薊也說：

> 僕近年為《學思錄》，惟鈔撮群書，不成著述之體，欲待二三年後乃
> 編定之，今內度諸身，外度諸世，不可復緩，然且及今為之，猶恐汗
> 青無日，為一生之遺恨，今以論著之大旨告足下。僕之為此書也，以
> 擬《日知錄》，足下所素知也，《日知錄》上帙經學，中帙治法，下
> 帙博聞，僕之書但論學術而已。僕之才萬不及亭林，且明人學問寡
> 陋，故亭林振之以博聞，近儒則博聞者固已多矣。至於治法亦不敢妄
> 談，非無意於天下也，以為政治由於人才，人才由於學術，吾之書專

---

[23] 《年譜》，頁 66。
[24] 轉引自《年譜》，頁 71-72。

明學術，幸而傳於世，庶幾讀書明理之人多，其出而從政者，必有濟於天下，此其效在數十年之後者也。天下人才敗壞，大半由於舉業，今於此書之末，凡時文、試律詩、小楷字，皆痛陳其弊，其中發明經訓者，如《論語》之四科，《學記》之小成、大成，《孟子》之取狂狷、惡鄉愿，言之尤詳，則吾意之所在也。[25]

筆者所以不避煩冗，照錄書信文字，欲以窺探作者內在真實的情感，把握其著作旨趣。其中「政治由於人才，人才由於學術，吾之書專明學術，幸而傳於世，庶幾讀書明理之人多，其出而從政者，必有濟於天下，此其效在數十年之後者」云云，與《東塾讀書記》引〈學記〉：

君子如欲化民成俗，其必由學乎！「必由」者，言舍此無他術也，即所謂「論政以學為源」也。[26]

合併對讀，正是撰作此書的微意。

　　《東塾讀書記》初名為《學思錄》，撰作於生活顛沛流離中，以顧炎武《日知錄》為取法仿效，反映現實的社會關懷，充滿了淑世救民的理想，他一生最重要的學術見解盡粹於斯。

　　《東塾讀書記》的內容，按照目錄，應該是卷一孝經、卷二論語、卷三孟子、卷四易、卷五尚書、卷六詩、卷七周禮、卷八儀禮、卷九禮記、卷十春秋三傳、卷十一小學、卷十二諸子、卷十三西漢、卷十四東漢、卷十五鄭學、卷十六三國、卷十七晉、卷十八南北朝隋、卷十九唐五代、卷二十宋、卷二十一朱子、卷二十二遼金元、卷二十三明、卷二十四國朝、卷二十五通論，其中卷十三西漢、卷十四東漢、卷十七晉、卷十八南北朝隋、卷十九唐五代、卷二十宋、卷二十二遼金元、卷二十三明、卷二十四國朝、卷二十五

---

[25] 轉引自《年譜》，頁 68-69。

[26] 《東塾讀書記》九禮記，頁 12。

通論均未完成，所以實際上只有十五卷，離陳澧原定的計畫有一段距離。
《東塾讀書記》基本上已脫離漢、宋之爭的藩籬，鎔鑄一己讀書心得，由於
內容很多，此處不能一一細講，僅擇一、二要點言之。

前述已知陳澧《漢儒通義》有意解決漢、宋之爭的矛盾。追溯漢、宋彼
此難以會通的問題，早在乾隆皇帝編纂《四庫全書》期間就已形成。紀昀、
戴震等四庫館臣雖形成漢學家的大本營，但彼此之間學術的爭論始終沒有停
歇間斷，漢學即使占了絕大優勢，宋學的潛流伏在底層仍迂迴不息，到嘉慶
年間表面上風平浪靜，實際上是暗潮洶湧，相互排抵譏諷。陳澧之前，翁方
綱也看到這股明爭暗鬥風氣，曾試圖努力，有意發揮影響，他在〈送盧抱經
南歸序〉中讚美盧在典籍校勘的成就，「然予不惟君之精且博是嘆，而獨嘆
其弗畔于朱子也」，同時也有所感發：

> 凡校讎家之精且博者皆在南宋，而論律如西山，詁字義如北溪，胥於
> 朱門發之，今之學者稍窺漢人崖際，輒薄宋儒為迂腐，甚者且專以攻
> 擊程朱為事。[27]

> 翁方綱對漢、宋學術壁壘，采取兼容並包開放態度，尤注重考訂之學
> 以衷於義理為主。[28]

降及嘉慶、道光之際，阮元是個關鍵的人物，尤其他晚年對朱子的肯
定，其影響是不容低估的。

王陽明寫〈朱子晚年定論〉，對朱子有所批評，陳建以〈學蔀通辨〉回
應，兩者針鋒相對，呈現緊張膠著的關係，甚至影響到正史列傳的評價。這

---

[27] 《復初齋文集》卷第十二，頁 493-495，收在文海出版社「近代中國史料叢刊第四十
三輯」。

[28] 翁方綱寫了這方面的系列文章，〈考訂論〉共有九篇，均反覆說明這個道理。〈與程
魚門平錢戴二君議論舊草〉一文，更以周遭的摯友相勉，不欲如錢載、蔣士銓等人直
斥考據之弊，而流於妒才忌能者之所為。

個在明、清之際理學之爭有重大意義的論題，到了道光年間作爲學海堂諸生
關注的議題，阮元對這個議題也鄭重其事執筆寫了文章，其中值得注意的，
他特別強調王陽明誣「朱子晚年厭棄經疏，忘情禮教，但如禪家之簡靜，不
必煩勞，不必淒黯」的污名，是不符合歷史根據的。依阮元的看法，恰恰相
反，朱子一生拳拳於君國大事、聖賢禮經，到了晚年講禮益精益勤，尤耐繁
難，絕無支離喪志的情形。這是陳建〈學蔀通辨〉與學海堂諸人有心爲朱子
說公道話，但卻沒有說出真正的核心要點，阮元深感茲事體大，於是認真對
此表態。[29]這點很可能影響到陳澧《東塾讀書記》對朱子持肯定的見解。
《東塾讀書記》隨處可見陳澧對阮元學術誠心服膺，如他說「阮文達公詩書
古訓采諸經及諸古書說詩之語，亦朱子集傳之意」、「宗祀明堂之說，朱子
所未及，其以文王之神在天上，則文達之說與朱子同，如文達之講漢學，真
可以爲法」，[30]把阮元作爲清代漢學的典範，以之與朱子相提並論，同時有
融通互遞的聯繫，這個意義是很不尋常的，說明漢學內部已經有了結構性的
變化，不再是圓鑿方枘、扞格不合的樣態。

　　阮元在廣東十年，《經籍纂詁》百十卷，悉古訓之精華，而《皇清經
解》八十家，實藝林之淵岳，皆在廣東開雕，能闡發群經大義，不僅在嶺南
地區刊布，一時洛陽紙貴，也風行海內。[31]阮元影響不僅僅在學術方面，道
光三年設立學海堂之宏遠規模，對於端正風俗人心也不容低估。由林伯桐編
纂、陳澧續編的《學海堂志》光緒九年續刊本，揭示「同治二年以啓秀山房
奉儀徵公神位，榜於門曰阮太傅祠」，學海堂「堂中北墉之東，尊藏儀徵公

29　見阮元〈書東莞陳氏學蔀通辨後〉，收在《學海堂集》，據道光五年啓秀山房刻本影
　　印，卷五，頁 33-34。同題之作，另有吳岳、林伯桐，亦見前揭書卷五，頁 1-32。

30　《東塾讀書記》六詩，頁 17。

31　張維屏〈粵東紳士公請前兩廣總督太傅阮文達公入祀名宦祠啓〉，轉引自《阮元年
　　譜》，頁 272。《皇清經解》一千四百卷的版片存放在學海堂文瀾閣，曾經咸豐七年
　　英軍據粵秀山而缺失大半，見《年譜》頁 65-66，《學海堂志》，頁 28-31，經板
　　條。

小像石刻」，堂中北墉之西，阮元親撰《學海堂集》序文刊石，[32]其中教士綱領節目有「周公尚文，範之以禮，尼山論道，順之以孝，是故約禮之始，必重博文，篤行之先，尚資明辨詩書，垂其彞訓傳記，述其法語，學者奉行，畢生莫罄」，其內容包羅萬象，「或習經傳，尋疏義於宋齊，或解文字，考故訓於倉雅，或析道理，守晦庵之正傳，或討史志，求深寧之家法，或且規矩漢晉，熟精蕭選，師法唐宋，各得詩筆」。[33]陳澧便是在這樣的環境氛圍下完成晚年的著作，而阮元對朱子態度很可能影響到陳澧。[34]

　　朱子晚年答李季章書有謂「《儀禮》一書有助世教，累年欲修《儀禮》一書，釐析章句，而附以傳記，近方了得十許篇，似頗可觀，其餘度亦歲前可了」，[35]答應仁仲書有謂「前賢常患《儀禮》難讀，以今觀之，只是經不分章，記不隨經，而注疏各為一書，故使讀者不能遽曉，今定此本，盡去此諸弊，恨不得令韓文公見之也」，[36]陳澧為了推尊朱子的思想，肯定朱子對《儀禮》研究很有貢獻，采取的策略有嚴密組織，除了延續前述阮元〈書東莞陳氏學蔀通辨後〉一文的觀點之外，《東塾讀書記》卷二十一特立〈朱子書〉專章表彰之，詳細說明朱子學問的特點有注重訓詁之學、深明漢儒之學、推服尊信鄭注，不獨考據《說文》，亦推究《玉篇》與《廣韻》，音讀考據詳博，又講求反切之學，深於禮學，重視杜佑《通典》等，一言以敝之，即是「窮理以致其知，反躬以踐其實，居敬者，所以成始成終也」。尋詣陳澧所以專立篇章寫朱子，除表示一己學術傾向外，亦力闢時人對朱子有

---

[32] 林伯桐編、陳澧續編《學海堂志》，據光緒九年續刊本影印，頁 2。並參《阮元年譜》，頁 146-147。

[33] 阮元《學海堂集》序文，收在《學海堂集》，據道光五年啓秀山房刻本影印，頁 1。

[34] 陳澧在道光廿一年赴京會試，經揚州初見阮元，道光廿四年再出京會試，途經揚州又謁見阮元。見《年譜》頁 26、頁 33。錢穆也認為「東塾之學，淵源似在學海堂」，這應是可以肯定的，見氏著《中國近三百年學術史》（臺北：聯經出版事業公司，1994 年），頁 800。

[35] 郭齊、尹波點校《朱熹集》（成都：四川教育出版社，1996 年 10 月），卷三十八。

[36] 郭齊、尹波點校《朱熹集》，卷五十四。

所誤解之弊。[37]

　　另外，陳澧把《儀禮》研讀法歸納有三大類，一分節，二繪圖，三釋例，這三大類型的清人漢學家著作，依其看法，都是宋人見解的延伸，他所以要把漢學家第一流著作與宋人著作聯繫上不可分割的關係，就是試圖要力闢漢學、宋學水火不容門戶之見的謬誤，此其一。陳澧也非常清楚，清人考據經典係以直接漢人注疏爲據，因此既然清人考據之學與宋學（尤其是朱子）無衝突，只要能夠證明朱子一樣教人重視讀書，也是講究漢人注疏的傳統，宋學在考據學風籠罩風氣之下，不是就能夠站得住腳了嗎？如果對手要再如清初批評宋學空疏浮泛，不是就找不到攻擊的藉口了嗎？此其二。於是我們可看到陳澧說清人禮學的名家如馬宛斯《繹史》所載《儀禮》、張稷若《儀禮鄭注句讀》、吳中林《儀禮章句》，都是用朱子的方法，江愼修《禮書綱目》乃因朱子《儀禮經傳通解》而編訂之，徐建庵《讀禮通考》、秦文恭《五禮通考》也是依據朱子分節的辦法。[38]我們也看到陳澧說朱子《儀禮經傳通解》純是漢、唐注疏之學，不管是補疏、駁疏、校勘、似繪圖者，與近儒經學考訂之書無異，而歸結到近儒經學之考訂，正是遵循朱子家法。[39]

　　但陳澧這種推挹朱子的方法，仔細審視，似有比附之嫌，因爲《四庫全書總目》有言自熙寧年間《儀禮》既廢，治之者稀，宋人不得不摭拾漢唐注疏，而旁徵博引以爲釋，因此陳澧的論證並不能說是圓滿周延的。[40]

　　陳澧所列禮學名著，江藩《漢學師承記》之「國朝經師經義目錄」大多可以找到系譜，雖不必以爲陳澧係專針對《漢學師承記》而發，但時人推挹漢學太過偏頗，陳澧的做法則反映了一種不滿的態度。

---

[37] 在專談朱子這一章，陳澧也藉機批評當時的風氣：「朱子時爲考證之學甚難，今時諸儒考證之書略備，幾于見成物是矣，學者取見成之書而觀之，不甚費力，不至于困矣，至專意于其近者，則尤爲切要之學，而近百年來，爲考證之學者多，專意于近者反少，則風氣之偏也。」

[38] 《東塾讀書記》八儀禮，頁 2。

[39] 《東塾讀書記》八儀禮，頁 12-14。

[40] 此條建議蒙論文審查者惠賜，在此特表感謝。

四

處在一個從古未曾經的瞬息萬變時代，對於西方勢力叩關挑戰，陳澧是抱持怎樣的態度，是值得探究的問題。

由資料顯示，陳澧對西方有相當的認識，而且西學也有一定的素養。如他對數學有濃厚的興趣，早年曾著有《三統術詳說》四卷、《弧三角平視法》一卷，[41]這應是當時廣東地區的風氣使然。陳澧的世界觀究竟如何，《東塾讀書記》有零星資料顯示，他看過最新的外國地圖，[42]他對西方人在器物製作之精良，也有高度的評價，同時認爲《周禮‧考工記》所記載眾百工之事，皆是有用之物，切不可鄙視輕忽。他檢討中國落後的原因，是西方人將算學的原理運用到各項「奇器」，[43]而中國人傳統並不是不懂這些原理，探究緣因，「惟其卑視百工，一任賤工爲之，以致中國之物不如外國，此所關者甚大也」。

此外，從他周遭交游的朋友入手，是另一個觀察的角度。他所交往的對象不乏有相當造詣的專家，這極可能影響到他的世界觀。如鄒伯奇（特夫）是嶺南首屈一指的數學家，[44]陳澧對先秦諸子之《墨子》的見解，大多由他所引發產生的。關於兩人定交經過，陳澧〈鄒特夫學計一得序〉一文有扼要的說明：

---

[41]　《年譜》頁 64-65。

[42]　《東塾讀書記》卷十二諸子，頁 215 云：「此與近時外國所繪地圖相似，但外國所繪者有四、五區，無九區耳，鄒衍冥心懸想，而能知此，亦奇哉。」

[43]　陳澧說：「記以輪爲首有旨哉！古人以輪行地，今外國竟以輪行水，且西洋人《奇器圖說》所載諸器多以輪爲用，算法之割圓亦輪之象也，其理微矣」。見《東塾讀書記》七禮記，頁 13。

[44]　陳璞〈鄒徵君遺書序〉云「近日海內算學日精，吾粵則以鄒特夫徵君爲稱首」，又云「徵君讀書遇名物制度，必窮晝夜探索，務得其確，或案其度數，繪爲圖、造其器而驗之，渙然冰釋而後已，故其解識多前人所未發，又能正舛誤、別是非，皆以算術權衡之。……徵君既歿，粵中明算之士，莫不以徵君爲宗，海內聞其名者，咸慕之」，可見鄒伯奇所受推崇之程度。

昔余未識特夫，見所作〈戈戟考〉，知其精通算術，乃定交焉。相見
之初特夫告余以《墨子》書有算術，且有西法，發書共讀，相對撫
掌，因嘆昔人若有明其說者，則西洋爲遼東豕也。[45]

鄒伯奇著有《學計一得》、《補小爾雅釋度量衡》、《格術補》、《對數尺
表》、《乘方捷術》、《鄒徵君存稿》，陳澧在其身後將其著作編定成《鄒
徵君遺書》通行，並親爲之篆額題簽。鄒伯奇另繪有《皇輿全圖》一冊、
《赤道南北恆星圖》二幅。陳澧領會《墨子》有諸多與西學相通的原理，鄒
伯奇實具有決定性的影響。[46]

　　值得注意的，民族主義意識在當時人身上非常強烈顯眼，鄒伯奇寫了一
篇〈論西法皆古所有〉長文，說明西洋人將學問運用於奇器巧物製作，有數
學，重學（案：即重力學）、視學（案：即光學），乃至於外來的「上帝佛
氏之明因果」，中國人早就懂得，而且傳統典籍如《墨子》都可以找到若相
彷彿的源流。

　　陳澧的觀點，基本上也是依循如此的思路。明白了這點，當時對外貿
易，面臨西方勢力直接叩關挑戰而來，陳澧引用《孔叢子》所謂「誘之以其
所利，而與之通市」，「將以我無用之物，取其有用之物，是故所以弱之之
術」句，提出如此的看法：

　　　自明以來，外夷與中國交市，彼正以無用之物弱我也。古人弱夷狄之
　　術，而今夷狄以之弱中國，悲夫！往者不可諫，來者猶可追，自今以

---

[45] 《年譜》，頁35-36。

[46] 陳澧〈蘇孝山墨子勘誤序〉云「昔吾友鄒特夫告余墨子經上、經下二編有算法，此算
書之最古者，余讀之信然，爲之驚喜。特夫又言備城門以下訛脫不可讀，可惜也，此
語忽忽二十年矣」，可見陳澧對《墨子》的認識，完全是鄒伯奇的啓發。以上引文，
見《東塾集》卷三，頁14。在《東塾讀書記》卷十二諸子，頁206-208，陳澧也特別
強調鄒伯奇的影響之下，西洋人算學與製鏡之巧，與《墨子》有相通之處。梁啓超曾
贊美陳澧「引《幾何原本》相溝會懸證，爲墨子書闢一新途徑，學者益驚茲經所蘊藉
之富」，其實追溯根源，應是鄒伯奇有以致之。

後，勿取其無用之貨，乃中國自強之術也。不取其貨，則彼失其所
利，是即弱夷狄之術也！[47]

從明代海上通商起，中國人並不乏與西方人貿易往來的經驗，但過去中國地
大物博，資源富庶，已能夠享有自給自足的條件，陳澧以爲，何必接受外國
「彼正以無用之物弱我也」？可是對外國人來說，擴大商品貿易交換，尋求
中國這個市場是不可或缺的機會，而且挾著船堅炮利凌波競渡而來，閉關自
守能夠辦得到嗎？陳澧的限制，是他科舉考試的失敗，注定無法擔任外交職
務，更不可能有出洋的機會，所以他的眼界只知道「中國之物不如外國」，
不瞭解當時外國的進步情況並不限於器物之美，相反地，在政治、經濟、教
育、社會文明的進步竟大大超越中國！陳澧會有這種「不取其貨，則彼失其
所利，是即弱夷狄之術」觀念，也許與他早年看到的實際情況，留下的深刻
印象有關：

近又益以阿芙蓉毒螫我萌庶，攘竊我金錢，於是天子震怒，群公僉
謀，遂明罰敕法，閉關斥旅，使海內蕩其瑕穢，百姓得其更始。[48]

阿芙蓉，即鴉片也。每年有大量鴉片進入中國，不僅大批銀子外流，國民健
康也受到嚴重的戕害，更造成社會風氣不良影響，以鴉片作爲「彼正以無用
之物弱我」的證明，正是極爲傳神貼切！

　　對西方有深刻認識的魏源，在鴉片戰爭後寫了《聖武記》、《海國圖
志》，主張「以夷制夷，師夷長技以制夷」。魏源另撰有《夷艘入寇記》
（即《道光洋艘征撫記》），記述鴉片戰爭的全部過程。[49]

　　陳澧對魏源《聖武記》、《海國圖志》等書均認眞讀過，並寫了評論，
魏源其後到廣東，看到其評論文字，依陳澧的話，「魏君大悅，遂定交焉，

---

[47]　《東塾讀書記》卷十二諸子，頁 196。

[48]　陳澧〈補楊孚南裔異物贊並序〉，見《學海堂三集》，卷十八。

[49]　《北京大學圖書館館藏稿本叢書》第十三冊，頁 457-491。

並屢改《海國圖志》之書，其虛心受教，殊不可及也」。[50]陳澧對林則徐到廣州言辦禁烟事，肯定他的政績卓著，不獨內地畏服，即外夷亦甚畏服，但他指出，假使林能夠「不勒繳烟，不勒出結，不令關提督擊夷商之船以取敗，不諱敗為勝以見輕於外夷，但明諭諸夷販烟者與內地民人一律治罪，彼方震於制軍之聲威，即陽奉陰違，不肯不販鴉片，亦斷不敢犯順」；而且陳澧並不同意魏源對此解釋「激變不由繳烟，以逆夷繳烟之後旁皇半年為說」的看法，他所得知的訊息是英軍初始無意輕啓戰端，乃經過半年準備，「歸國起兵」，「其不動者，兵未到耳」。[51]

陳澧雖沒有身居官方要職，但他長久住在廣東，深刻明瞭當地風土民情與對外交涉，他總結中國問題之根源在於內政，「崇廉恥，刑政嚴，明賞罰」，自然可戰可守，外國人就不敢欺凌了。這個見解與洋務派人物郭嵩燾其後在光緒年間出使英國所見所感是不謀而合的。[52]郭嵩燾對陳澧是欣賞的，今見傅斯年圖書館收藏《東塾讀書記》曾經郭嵩燾逐卷一一仔細讀過，並有眉批。

五

清人以為漢代道教與佛教尚未流行，漢人離聖賢的時代較接近，所以有

---

[50] 據《年譜》，頁 43-44，這是道光二十九年間事，有誤，根據李瑚〈魏源事跡繫年〉應該光緒二十七年為是。詳見氏著《魏源研究》（北京：朝華出版社，2002 年），頁 407-408。又據李瑚的研究，《海國圖志》五十卷初刻本出版於道光廿二年，其後又有道光廿四年六十卷本、道光廿七年一百卷本，以及咸豐二年最後定稿重刊本。詳見李瑚《魏源詩文繫年》（北京：中華書局，1979 年），頁 82、頁 93-94、頁 106 及頁 114。後又有光緒二年、光緒廿一年、光緒廿四年刊本，其中道光年間刊本，筆者未找到，不能以與咸豐二年刊本做詳細校勘比對文字，很難清楚知道陳澧對魏源的影響有多大。

[51] 〈書海國圖志後呈張南山先生〉，《東塾集》，卷二，頁 23-26。

[52] 郭嵩燾光緒二年出使英國，歸來將日記發表，即是有名的《使西紀程》，甚稱美西方器物之美與政治、社會、經濟、教育之健全，比陳澧更為全面客觀。可惜《使西紀程》在國內引起一陣波瀾，慘遭毀版查禁命運，王闓運甚至說「殆已中洋毒，無可采者」。

漢人的注解較接近經典原始意義的觀念，[53]清代漢學考據興起，特別注重漢人鄭玄的注解，是當時的一種風氣。陳澧也教人讀注疏，他說：

> 凡漢以來衣冠，讀史者皆難明，而周之冠冕衣裳乃易明，賴有諸經注疏故也。[54]

說明注疏之重要。他也以朱子的例子說明朱子也讀注疏，而今人讀注疏者卻反訾朱子，這是未知朱子之學。[55]

有一股對乾嘉考據學的反動，除了宋學的勢力逐漸抬頭外，有的是漢學內部自身反舊注疏的傾向。乾嘉時期翁方綱曾經代表官方的立場討論正史儒林傳目，確立了必「篤守程朱為定矩」，但對江聲「不用舊注疏一字」，則不無充滿了疑慮：

> 江聲之《尚書注疏》不用舊注疏一字也，直是自己另作注，又於每條下以小字另自為疏。……此人若入儒林傳，將必開嗜異者自撰注疏之漸，即使其中無誕妄不經語，而此風不可長，誠恐使天下學者自外於傳注，漸漸自外於程朱，開無數矜奇嗜博之流弊，不可不防也。[56]

但不讀注疏的形成，除了漢學內部自身的蛻變，我們也不能忽視西學的衝擊，也加速了傳統注疏權威性受到質疑的挑戰。

前面提到的鄒伯奇對算學用心學習，並不純然是興趣使然，照他自己的話說，是要解決經學上的問題。[57]西學可以運用來糾正經典上的錯誤，證明

---

[53] 阮元序《漢學師承記》：「兩漢經學，所以當尊行者，為其去聖賢最近，而二氏之說，尚未起也。」

[54] 《東塾讀書記》八儀禮，頁 5。

[55] 《東塾讀書記》卷二十一朱子。

[56] 翁方綱〈與曹中堂論儒林傳目書〉，見《復初齋文集》卷第十一，頁 3-4。

[57] 鄒伯奇《學計一得》，自序：「余自童年九數之學，及稟承庭訓，稍長讀諸經義疏，

古人未必全然正確時，則古之聖人對經典詮釋的正確性則起了可以合理懷疑的境地：

> ……則所謂大九州，特地球四分之一，當今亞細亞、利未亞、歐邏巴之地耳。此地之外皆汪洋大海，非古人所身歷，故即以為天地之際而約其地為中國之八十一倍。又考《管子‧地數篇》桓公曰地數可得而聞乎？管子曰地之東西二萬八千里，南北二萬六千里，《山海經》中〈山經〉、《周髀算經》、《呂氏春秋》、《淮南子‧地形訓》數並相同，按已縱橫相乘為方千里者七百二十八，正與騶衍所稱中國于天下八十一相近，然則其說所傳古矣！漢後儒者不知地球之大，而但目為迂誕，何哉？[58]

道光、咸豐之際，經典注疏的傳統受到了質疑，王闓運《春秋公羊疏箋》不遵循傳統注疏，郭嵩燾《禮記質疑》打破漢、宋門戶之見，旨在發抒疑義與餘義，閎而析之，尤其面對鴉片戰爭後的變局，充滿求變的思想，[59]陳澧為郭嵩燾《禮記質疑》寫序，特點明此書「有易注者，有易疏者，有與注疏兼存者」，顯示對他的贊賞，[60]降及同治、光緒年間，積累內憂外患不斷地加劇，晚清廖平、康有為緣經術以自飾其政治主張，乾嘉以降漢學、宋學之爭，至此已失去了聚焦的光環，隨著科舉制度廢除與新式學堂大量引進西學之後，經學的論爭終告成為歷史名詞。

　　陳澧的時代恰好是在這個劇烈變動的過渡時代，所以他的經學見解，早年《切韻考》有乾嘉漢學的斧鑿痕跡，中年也有融通漢、宋之爭的《漢儒通

見其於算術未能簡要，又往往舛誤，甄鸞五經算術既多疏略，王伯厚六經天文編博引傳注家言，亦無辨正，嘗欲會通中西之法，盡取而釋之，以為治經之助。」

[58] 見鄒伯奇〈王制九州周禮九畿禹貢五服辨〉一文，收在《學計一得》。

[59] 汪榮祖《走向世界的挫折：郭嵩燾與道咸同光時代》（臺北：東大圖書公司，1993年），頁185-187。

[60] 〈禮記質疑序〉，見《東塾集》卷三，頁11。

義》，晚年完成《東塾讀書記》做爲總結清代學術的見解，盡棄訓詁考據之學，強調經學當以微言大義是尙，揭示治學方法的門徑，更隱約有雜揉西學以治經學嘗試的曙光，在在都說明了漢學內部傳統的蛻變與時局動盪交相迫及之下個人抉擇之縮影。

附記：本文係參與中央研究院中國文哲研究所經學組執行「晚清經學之研究」計畫的部分研究成果，原提交文哲所於 2004 年 6 月 29 日主辦「廣東學者的經學研究第一次學術研討會」宣讀，承蒙林慶彰、鍾彩鈞、楊晉龍、蔣秋華、陳廖安、車行健諸位先生討論商榷，提出很有啓發性的指正意見，其後又獲得史語所王汎森院士修改建議，在此表示誠摯感謝！

2004 年 6 月 17 日初稿於中研院文哲所、

2006 年 3 月 24 日修改於四川大學華西村

2009 年 4 月 15 日定稿

【舉隅三】

曾國藩對梁啟超的影響（修訂版）

　　梁啟超（任公）先生早年求學過程中，接受其師康有爲的思想啓迪頗大，使他眼界更加開拓，他的許多畏友，如譚嗣同（復生）、夏穗卿（曾佑）、黃遵憲（公度）、湯覺頓（睿）、嚴復（幾道）等人，對他也有諸多砥礪相勉，此爲中外學界多所論斷，而且世人皆知之事實，可無庸舊話重提；然而，曾國藩（文正）對梁任公一生之中的影響，尤其在旅日期間到最後病逝於北京，起了極具關鍵性的作用。換言之，康梁亡命海外，分道揚鑣之後，曾國藩在德性修養方面的克己愼獨工夫，長隨伴任公左右，也因此使任公在幾次重大挫折與情感的激憤中，能很快地恢復平靜沉著，就此而論，曾國藩對梁任公的影響實甚於其師康有爲。此點鮮有人注意，迄今也尚未見任何專文討論，本文就此詳密考察，對於任公在克己困勉的修養，理解上不無小補，希勿等閑忽略之。

　　根據任公致師友信函及其家書，屢次提到曾國藩（文正）並以之作爲取法思賢之對象，最早可見於光緒二十六年，是年任公爲二十八歲，而在宣統年間及以後，仍有資料透露任公自言以曾文正之修養方法來自我鍛煉，最晚在一九二八年，是年任公五十六歲，距離其逝世於一九二九年一月十九日，僅有半年多而已，可見在後半生的歲月之中，梁任公有意識地極力取法曾文正，曾文正的克己修養工夫已時時刻刻融入任公的日常生活之中，而形成任公的精神支柱！

　　光緒二十六年春、夏間，任公旅居美洲檀香山，籌辦保皇會勤王事，在三月二十四日致其師康有爲信函，提到讀曾文正公家書之感想與內觀自省之愧疚：

　　弟子日間偶讀曾文正公家書，猛然自省，覺得不如彼處甚多，覺得近

年以來學識雖稍進，而道心則日淺，似此斷不足以任大事，因追省去
年十月、十一月間上先生各書，種種愆戾，無地自容，因內觀自省，
覺妄念穢念，充積方寸，究其極，總自不誠不敬生來。……[1]

在同年四月二十一日寫信給友人葉湘南、麥孺博等，也提到以曾文正為自己
修養之圭範，並有意矢之終身：

弟日來頗自克厲，因偶讀《曾文正家書》，猛然自省，覺得非學道之
人，不足以任大事。自顧數年以來，外學頗進，而去道日遠，隨處與
曾文正比較，覺不如遠甚！今之少年，喜謗前輩，覺得自己偌大本
領，其實全是虛偽，不適於用，真可大懼。養心立身之道，斷斷不可
不講，去年長者來書，責以不敬，誠切中其病，而弟不惟不自責，乃
至並不受規，有悻悻之詞色，至今回思，誠以狗彘不如，慚汗無極。
其大病又在不能慎獨戒欺，不能制氣質之累也。故弟近日以五事自
課：一曰克己、二曰誠意、三曰主敬、四曰習勞、五曰有恆，蓋此五
者，皆與弟性質針對者也。時時刻刻以之自省，行之現已五日，欲矢
之終身，未知能否？然習染已深，今力洗之，覺大費力。甚矣！弟近
年之薄竊時名，眾皆悅之，自以為是而不知其墮落，乃至如是之甚！
近設日記，以曾文正之法，凡身過、口過、意過皆記之。[2]

1　丁文江、趙豐田編《梁任公先生年譜長編初稿》（臺北：世界書局，1972 年 8 月再
版），頁 122-123 引。

2　丁文江、趙豐田編，歐陽哲生整理，《梁任公先生年譜長編》（初稿）（北京：中華
書局，2010 年 4 月），頁 111-112。在三月二十一日〈致知新同人書〉亦有類似之
言，照錄如下：「長者責其病源在不敬，誠然！誠然！久不聞良師友之箴規，外學稍
進，我慢隨起，日放日佚而不自覺，真乃可懼。近痛自改悔，每日以五事自課：一曰
克己（專用懸崖勒馬手段，以心制物）、二曰誠意（專求毋自欺，蕩滌意惡，每一發
念記之于日記）、三曰主敬、四曰習勞、五曰有恆，時時刻刻皆以自省。蓋此五者，

任公少年即享大名，而竟有「薄竊時名」、「墮落」的愧疚之言，誠屬不易。可惜，任公仿效曾文正的克己修持工夫，並沒有持續太長時日即失敗。光緒二十八年八月廿二日，友人黃公度有信給任公，對此提出規諫：

> 所商日課，公未能依行，謂叩門無時，難以謝客，我亦無以相難。今再為公酌一課程：除晨起閱報，晚間治學，日日不輟外，就寢遲則起必遲，見光少則熱亦少，而身弱矣；于月、火、水、木四曜日草文，于金曜作函，于土曜見客（見學生尤便，彼亦得半日間也，且偕見比獨見不特師逸而功倍，亦使仁人之言，其利更溥也。公自榜於門曰某日見客，此固泰西賢勞之通例也。過客不在此限亦可），於日曜遊息。此實為養生保身之第一善法，萬望公勉強而行之，久則習慣矣。若興居無節，至于不克支持，不幸而生疾，棄時失業為尤多，及近于自暴自棄矣，烏得以自治力薄推諉哉？殺君馬者路旁兒，戒之。[3]

光緒二十九年十二月任公患寒疾數日，各地噩耗紛至沓來，在致蔣觀雲先生的信中，頗寄其感慨，並提及素所從事「治心之學」的荒疏：「不如意事紛遝並接，心如轆轤，並文字亦不能成一稱意者，治心之學真荒落，奈何！奈何！」[4]

　　光緒三十一年乙巳十一月，任公完成了《德育鑒》一書，觀此書之目錄分為辨術第一、立志第二、知本第三、存養第四，省克第五以及應用第六，是知此書性質專言德性之陶冶熔鑄，誠如任公在例言中所說：「惟有志之士，欲從事修養以成偉大之人格者，日置座右，可以當一良友」。尤可注意者，當是此書引曾文正之言頗多，而以曾氏之〈原才篇〉殿末，任公並加按

皆切中弟之病根也。行年將三十，事業無所成，德業且日退，閱世日深，則去道日遠，真可大懼。故今欲廓清前此之垢膩，重新奮發，再學為人，果能有恆與否，未敢自信，然欲以自勵矣。」

[3]　丁文江、趙豐田編，歐陽哲生整理，《梁任公先生年譜長編》（初稿），頁148。

[4]　丁文江、趙豐田編，歐陽哲生整理，《梁任公先生年譜長編》（初稿），頁172。

語稱美道：

> 即曾文正生雍、乾後，舉國風習之壞，幾達極點，而與羅羅山諸子，
> 獨能講舉世不講之學，以道自任，卒乃排萬險冒萬難以成功名，而其
> 澤且至今未斬，今日數踽踽敦篤之士，必首屈指三湘，則曾、羅諸先
> 輩之感化力，安可誣也！由是言之，則曾文正所謂轉移習俗而陶鑄一
> 世之人者，必非不可至之業，雖當舉世混亂之極點，而其效未始不可
> 睹，抑正惟舉世混濁之極，而志士之立于此漩渦中者，其卓立而湔拔
> 之，乃益不可已也。[5]

其忻慕景仰曾文正之心，溢於言表，殆非偶然尋常之筆也。

到了宣統年間，任公效法曾文正修養鍛煉之方法，由許多書信中，即已
見端倪，任公受益良多。如在宣統元年七月二十四日致其弟啓勳的信件，提
及他取法曾文正每日練字，書法進步神速，以致其弟竟無法辨識其筆跡，以
為請人捉刀。其書曰：

> 來片有「孟哥代筆書」一語，可謂奇極，孟哥並不在日本，何從為兄
> 代筆？且兄致弟之書，亦何至倩人耶？兄三月以來，頗效曾文正每日
> 必學書二紙，宜弟之不復能認吾墨蹟也。[6]

一個多月之後（九月八日），任公有信繼續說明其堅持練字的心得，大有進
步，內有「已非吳下阿蒙」之語，並不忘調侃其弟：

> 弟兩月前有一片來云「孺博代筆之書已到」云云，真可發笑。我寄弟

5　梁啓超《德育鑒》（臺北：臺灣中華書局，1979 年 8 月），頁 102。
6　見中華書局編輯部、北京匡時國際拍賣公司編《南長街 54 號梁氏檔案》（北京：中
　華書局，2012 年 10 月），上冊，頁 30。

一書，乃起稿後寄往上海，叫孟哥寫好，再寄來付郵耶？吾近日每日必臨右軍二百字，已非吳下阿蒙矣。弟見我近函，又謂何人代筆耶？[7]

如今，比較書信原件筆跡前後之不同，果然可見書風判若兩人，任公書法大有長進，宜其弟會以為倩人代筆也。

宣統二年二月晦致友人徐佛蘇先生的信中，則透露出生活在極端困頓之下，猶能心境不受拂逆干擾，常保舒泰平和，實是拜曾文正的修養鍛鍊方法之賜，任公之精神能與之相契冥合，於此概見。足徵曾氏之影響實非淺薄也。其書曰：

> 今每日平均作文五千言內外，殊不以為苦，文大率以夜間作，其日間一定之功課，則臨帖一點鐘、讀佛經一點鐘、讀日文書一點半鐘、課小女一點鐘，此則自去年七月初一日至今未嘗歇者也（原注：從是日起每日用日記，誓持以毅力，幸至今未間斷），心境常泰，雖屢遇拂逆（原注：弟生平於事雖盡力謀所以應之，然力已盡而無如何者，則惟聽之，若以憂傷生，弟斷不肯為此愚舉），未嘗以攖吾胸，精神尤充足，過於前此（原注：湘鄉言，精神愈用則愈出，此誠名言，弟體驗而益信之），吾兄勿為我多慮矣。[8]

具體言之，任公每日有定課，且能持之以恆，一直維持到晚年，仍然力行不輟，由宣統三年他復信給臺灣名士林獻堂先生，論及學詩與治學方法：

> 為公之計，宜將此有限之晷刻，用其三之二於他學，學詩則最多毋過

---

[7] 見中華書局編輯部、北京匡時國際拍賣公司編《南長街 54 號梁氏檔案》，上冊，頁 33。

[8] 丁文江、趙豐田編，歐陽哲生整理，《梁任公先生年譜長編》（初稿），頁 264。

三之一。治學宜分專精、涉獵二途，非有所專精，則不能實有之於己，非有所涉獵，則無以博達而旁通也。涉獵固無事指定，專精之書則宜先以四史、通鑑，乃及孟、荀、莊、列、管、韓諸子，謂宜先熟精《漢書》，次《後漢》，次《三國》，次《史記》，次《通鑑》，當研朱點之，字字勿放過，此其所需時日已不少矣。讀書必須窗明几淨，神志清澈，宜有定課，勿作輟，宜常用筆記，公宜在萊園潔一室，每日以定時入此室，既入，則百事勿問也，必所定之課既畢，乃出焉，每日能得四點鐘以上則大善矣。[9]

所謂每日定時定課，當是任公躬自實踐，深造有得的經驗之言。另外，有一位曾聽過任公在南京講學的學生回憶道：

他治學勤懇，連星期天也有一定日課（工作計畫），不稍休息。他精

---

[9]　見許俊雅編注《梁啓超與林獻堂往來書札》（臺北：萬卷樓圖書公司，2007 年 9 月），頁 50。

神飽滿到令人吃驚的程度——右手寫文章，左手卻扇不停揮，有時一面在寫，一面又在答復同學的問題。當他寫完一張，敲一下床面，讓他的助手取到另室，一篇華文打字機印稿還未打完，第二篇稿又擺在桌面了，無怪梁啓超是一個多產作家。其實還不止此，他每天必得看完《京滬日報》和一本與《新青年》等齊厚的雜誌，還得摘錄必要材料。每天固定要讀日文和中文書籍，縱在百忙中也全不偷懶。[10]

這段回憶，是值得采信的。我們可以再找一段材料，說明任公「縱在百忙中也全不偷懶」的自我修養工夫。一九一五年底，任公與其弟子蔡鍔（松坡）由天津南下從事倒袁運動，密謀發動護國之役，由滬赴港轉桂，在諸多不便之下，乃於一九一六年三月十六日抵達海防，疑為偷渡之舉，歷盡煎迫與險峻之境，他致其女兒的家書中，屢屢可見「每日讀書作文甚多」，[11]茲引一九一六年二月八日的家書云：「每日約以三、四時見客治事，以三、四時著述，餘晷則以學書（近專臨帖，不復摹矣），終日孜孜，而無勞倦，斯亦憂患之賜也。」[12]

　　因此，吾人可總結曾文正給予任公的一個重大影響，是克己克勤，無論每日在極度忙碌之中，仍不忘讀書寫文。

---

[10] 見黃伯易〈憶東南大學講學時期的梁啓超〉一文，收在《文史資料選輯》第九十四輯。另梁任公有五官並用的本領，可以做到手不停筆，耳聽旁人說電話與讀信的內容，腦子思考回復的事情，甚至早餐的安排，而眼看紙上的字體。詳見姜亮夫〈憶清華國學研究院〉一文，收在《學術集林》（上海：上海遠東出版社，1994 年 8 月）卷一，頁 241-242。

[11] 如《梁啓超未刊書信手跡》（北京：中華書局，1994 年 11 月），頁 402、403 以及409，皆有類似的話。

[12] 《梁啓超未刊書信手跡》，頁 412。另外，梁啓勳題跋梁任公臨孔宙碑、孔子廟碑合訂墨跡本，提供了一段絕好材料：「洪憲之役，蔡松坡以孤軍苦戰于川南，久不得進展，伯兄冒萬難，間道由滇南入桂，起桂軍以作聲援，迨南粵獨立，袁氏之亡，兄乃急流勇退，以示無何爭，陽曆五月廿四日由粵北遂行至上海，聞父喪，亦閉門謝客，日臨漢碑以自遣，此當日之書錄，亦伯兄學隸之始業也。十八年七月二十三日啓勳記」，以上見《中國嘉德 95 春季拍賣會目錄》之古籍善本第 474 圖。

　　曾文正給予任公另一重大影響，是以身作則，建立良好風氣，以爲後世之典範。以宣統二年發表的《諫近事感言》云：

> 湘鄉曾子曰「風氣也者，起於一二人心術之微，而極夫不可禁者也」，可謂知言。此次全臺一致爛然開千古未有之名譽，五十八人舉皆朝陽鳴鳳，固不俟論，然度其動機，亦未始不發于少數最賢者若江侍御，則盡人所能知矣。……是以聲氣所感，如鄉斯應，不期然而然，於暗無天日之京師宦海中，乃能放此大光明，而雷霆所昭蘇，且將及於全國，一二人之心力，不可謂不偉也，吾是以知君子之道，在知其不可而爲之，爲之不已，將有可時，若其不爲，則天下事固無一可也，夫豈必御史臺能獨爲君子哉？[13]

以及〈說國風〉一文明《國風報》所以命名之意，屢引曾文正之言以申己意，是任公有踵武曾文正一往無反顧之氣概：

> 吾聞諸曾文正公之言矣，曰「先王之治天下，使賢者皆當路在勢，其風民也皆以義，故道一而俗同，世教既衰，所謂一二人者不盡在位，彼其心之所向，勢不能不騰爲口說而播爲聲氣，而眾人者勢不能聽命而蒸爲習尚，於是手徒黨蔚起，而一時之人才出焉」。吾又徵諸史而有以明其然也，昔五季之俗至敗壞也，而宋振之，元之俗至敗壞也，而明振之，宋、明之君未聞有能師光武者也，而其所以振之者，則文正所謂不在位之一二人者播爲聲氣，而眾人蒸爲習尚也。夫眾人之往往聽命於一二人者，蓋有之矣，而文正獨謂其勢不能不聽者，何也？夫君子道長，則小人必不見容而無以自存，雖欲不勉爲君子焉，而不可得也；小人道長，則君子亦必不見容而無以自存，雖欲不比諸小人，而不可得也。此如冠帶之國有不衣褌而處者，人必望而卻走，被

---

[13]　《飲冰室文集》之二十五上，頁90。

黻冕而入裸國，其相驚以異物，亦猶是也，是乃所謂勢也，而勢之消長，其機則在乎此一二人者心力之強弱，此一二人者如在高位，則其勢最順而其效最捷，此一二人者而不在高位，則其收效雖艱，而其勢亦未始不可以成。[14]

一九一八年一月十二日，張君勱致信任公，談到要發起松社，並以曾文正與羅羅山講學轉移風氣期許於任公，希望有為者亦當如是，由此可推知任公平素服膺曾文正之舉，其摯友多能知悉甚詳，並以之相期：

別又數日，良念。晨間唐規嚴來談松社發起事，以讀書、養性、敦品、勵行為宗旨，規嚴之意，欲以此社為講學之業，而以羅羅山、曾文正之業責先生也。聞百里前在津曾亦為先生道及此舉，今日提倡風氣舍吾黨外，更有何人？蓋政治固不可為，社會事業亦謂為不可為，可也？苟疑吾自身亦為不可為，則吾身已失其存在，復何他事可言？[15]

同年五月十日致友人蹇季常書信提及起居生活的規律，可見晚年任公仍自律不稍鬆懈，若無光緒年間效法曾文正克己工夫，豈能如此呢？其書曰：

弟頃早起已成新習慣，每日起居規則極嚴，惟晚飯之酒，亦隨而成習，頗自知其不可，未自克也，所著書日必成二千言以上，比已褒然巨帙，公來時可供數日消遣也。字課則大減矣。[16]

同年十二月十日致其女兒的信，有「吾入京半月，一昨方歸，檢點行裝，且

---

[14] 《飲冰室文集》之二十五下，頁 10。

[15] 丁文江、趙豐田編，歐陽哲生整理，《梁任公先生年譜長編》（初稿），頁 446-447。

[16] 丁文江、趙豐田編，歐陽哲生整理，《梁任公先生年譜長編》（初稿），頁 449。

須趕作多數文字，無寸晷暇，昨夜已通宵不寐，一年中養成之良習慣，忽遂破壞，可嘆也」的話，[17]再對照配合前封致霍季常的信，更能顯示任公刻苦自持，效法曾文正的心情，以四十六歲盛年，養成之習慣忽遭破壞，內心是極為介意的！

任公晚年，學識與智慧已臻於成熟圓融，在給其孩子們的書信中，談到做學問的進境，很客觀靜氣地說他一生受到曾文正的助益非淺：「我生平最服膺曾文正兩句話，『莫問收穫，但問耕耘』，將來成就如何，現在想他則甚，著急他則甚？一面不可驕盈自慢，一面又不可性弱自餒，盡自己能力做去，做到那裏是那裏，如此則可以無入而不自得，而於社會亦總有多少貢獻。我一生學問得力專在此一點，我盼你們都能。」

一九二七年夏，任公偕清華國學研究院學生為北海之游，講了一段很長的話，談到他對學生的期望及如何改造社會風氣的豪情，頗有以曾文正自況：

現在時事糟到這樣，難道是缺乏智識才能的緣故麼？老實說，甚麼壞事不是智識才能分子做出來的。現在一般人根本就不相信道德的存在，而且想把他留下的殘餘根本去鏟除。

我們一回頭看數十年前曾文正公那般人的修養，他們看見當時的社會也壞極了，他們一面自己嚴屬的約束自己，不跟惡社會跑，而同時就以這一點來朋友間互相勉勵，天天這樣琢磨著。可以從他們往來的書札中考見，一見面一動筆，所用以切磋觀摩規勸者，老是這麼樣堅忍，這麼樣忠實，這麼樣吃苦有恆負責任，……這一些話，看起來是很普通的，而他們就只用這些普通話來訓練自己，不怕難，不偷巧，最先從自己做起，立個標準，擴充下去，漸次聲應氣求，擴充到一般朋友，久而久之便造成一種風氣，到時局不可收拾的時候，就只好讓他們這班人出來收拾了。所以曾、胡、江、羅一般書呆子，居然被他

---

[17]　丁文江、趙豐田編，歐陽哲生整理，《梁任公先生年譜長編》（初稿），頁456。

們做了這偉大的事業，而後來成豐以後風氣居然被他們改變了，造成了他們做書呆子時候的理想道德社會了。……我們讀曾氏的〈原才〉，便可見了，風氣雖壞，自己先改造自己，以次改造我的朋友，以及朋友的朋友，找到一個是一個，這樣繼續不斷的努力下去，必然有相當的成功。假定曾文正、胡文忠遲死數十年，也許他們的成功是永久的。……我對於諸同學很抱希望，希望什麼？希望同學以改造社會風氣為各人自己的責任。[18]

這段話，除了明白揭示以曾文正改造社會風氣同學生相勉之外，有一點值得注意者，乃是再度提到曾文正的〈原才〉一文，吾人再以省察任公在光緒三十一年發表的《德育鑒》也是以曾氏此文殿末為總結，可以更清楚顯示中間二十多年的光陰，曾氏人格修養的影響及轉移社會風氣的作為，實際上已深深烙印在任公的腦海中。同年八月二十九日的家書，可以證明如此看法：

我國古來先哲教人做學問的方法，最重「優遊涵飫，使自得之」，這句話以我幾十年之經驗結果，越看越覺得這話親切有味。凡做學問總要「猛火熬」和「慢火燉」兩種工作，循環交互著用去，在慢火燉的時候，才能令所熬的起消化作用，融洽而實有諸己。[19]

這與曾文正所謂的「先須用猛火煮，然後用慢火溫」，幾乎是翻印而來。由此可見，任公效法踵武曾氏非僅是德性修養方面，即以做學問的方法而言，亦是達到亦步亦趨、形神畢肖的境界！在此後（一九二八年五月十三日）致其女兒的信，其中談到在德性修養方面的成功，則已經是與曾文正結合為一了：

---

[18] 丁文江、趙豐田編，歐陽哲生整理，《梁任公先生年譜長編》（初稿），頁 608-610。

[19] 丁文江、趙豐田編，歐陽哲生整理，《梁任公先生年譜長編》（初稿），頁 616。

我關於德性涵養的工夫，自中年來很經些鍛煉，現在越發成熟，近于
純任自然了，我有極通達、極健強、極偉大的人生觀，無論何種境
遇，常常是快樂的，何況家庭環境，件件都令我十二分愉快，你們弟
兄姊妹個個都爭氣，我有什麼憂慮呢？家計雖不寬裕，也並不算窘
迫，我又有什麼憂慮呢？[20]

梁氏自言中年以來，德性涵養鍛煉，透過前列諸條材料，則益發呈顯曾文正
對其產生巨大影響，當無疑也。

銘能按：本文十六年前發表在臺灣《鵝湖》月刊（1997 年 5 月）第 263
期，原題爲文篇名〈困勉志大人之學——曾文正對梁任公的影響〉，2000
年元月卅一日修訂完成，後結集收在拙作《梁啓超研究叢稿》（臺灣學生書
局，2001 年）第一章〈梁任公的學術淵源與轉變〉內之第四節，文章改名
爲「曾國藩的影響——一個易被忽略的重要因素」，詳見原著頁 27-39。如
今，在新史料出土情況下，過去資料限制之下所寫的文字，不夠宏闊、成
熟，增補乃「箭在弦上，不得不發」，勢在必行也。

　　欣然改寫完畢，我爲之四顧，爲之躊躇滿志，幾不自知而手舞之、足蹈
之！在痛飲狂歌之餘，也不得不感慨：乙篇成熟學術文章，須要耗費幾多心
血與機遇，絕不是當今以量化評職稱作爲唯一標準者所能知也。然則，知人
論世，豈容易哉！

　　論文抄襲嚴重已經到達無孔不入的境地，我這篇小文，只要從「百度
網」輸入關鍵詞檢索，就可以知道有不下於數十人抄我的，說明我的文章有
新意，能見人所未見，我一則以喜，一則以憂；喜者，十六年前觀點，迄今
仍不斷被傳誦、抄襲、剪貼，明示我的「梁啓超研究」要在學界名列前茅，
當之無愧，這是令人欣喜的快事！憂者，這些初出毛頭的「小咖」，不肯坐

---

[20] 丁文江、趙豐田編，歐陽哲生整理，《梁任公先生年譜長編》（初稿），頁 630。

冷板凳十年，專走終南捷徑，是最最沒有出息的，也就是孟子所謂不屑而教誨之，亦教誨也，[21]令人浩歎！

---

21 戰國時代大思想家孟子說：教亦多術矣，予不屑之教誨也者，是亦教誨之而已矣（見〈告子篇〉下）。孟子又說：君子之所以教者五，有如時雨化之者，有成德者，有達才者，有答問者，有私淑艾者，此五者，君子之所以教也（見〈盡心篇〉上）。這就說明教育方法多元，二千年前中國人老早就知道了，何以今日專講教學創新者動輒以電腦製作PPT就以為是創新「先進」，豈不誤人誤己，荒謬絕倫！

【舉隅四】

梁啟超《年譜》被動了手腳

近幾年來，近代名人日記或書信陸續的出版，使得過去撲朔迷離、恍惚混沌的事件，起了一些的澄清與新解，對於學術研究者而言，確是一個福音；然而肯以原件手稿影印出版，不惜耗費大量資金者卻不多見，最近北京中華書局出版了《梁啟超未刊書信手跡》，無論是紙張與印刷，均臻於一流，堪稱大手筆，其對於學術界提供了梁啟超研究之一絕好材料。

這是一部值得細細精讀的書，由北京中華書局出版（1994 年 11 月第 1版），全帙共精裝成兩大巨冊，計有 948 頁，收入梁啟超親筆書信共 394通，其中家信占絕大部分（計有 377 通）。由於係照原跡影印出版，而「許多書信均用精美信箋書寫，書法俊逸清秀，堪稱佳品，亦具有很高的文物價值和欣賞價值」（原書影印說明）。

在談這部書之前，有必要重新回顧一段歷史。

其實臺灣早在 1958 年，胡適為《梁任公先生年譜長編初稿》（以下簡稱《梁譜》）的出版作序，對於《梁譜》成書經過有詳細的說明：

> 梁先生死後，許多朋友都盼望丁在君肯擔任寫任公傳記的事。在君自己也有決心寫一部新式的「梁啟超傳記」。為了搜集這部大傳記的資料，在君替梁氏家屬計畫向任公先生的朋友徵求任公一生的書札。這個徵求書札的計畫的大旨是請任公的朋友把它的書札真蹟借給梁家鈔副本，或照相片送給梁家。當時徵求到的任公先生遺札，加上他的家信，總計大概有近一萬封之多。……這部「長編初稿」的主編人是丁文江，編纂助理人是趙豐田。全部書有一致的編纂體例。除了最早幾年之外，每年先有一段本年的大事綱領，然後依照各事的先後，分節敘述。凡引用文件，各注明原件的來源。

現在《梁啓超未刊書信手跡》（以下簡稱《手跡》）的出版，恰可用來與《梁譜》校讀，在校讀的過程中，吾人赫然發現《梁譜》保存了許多家信的原始文字風貌，而《手跡》因有《梁譜》的存在而得知佚失的部分文字內容，如《手跡》第三六五號係一九二七年八月廿九日給孩子們的家信，現在仍然殘缺前九頁，正好《梁譜》很完整地保留著此殘缺的部分，而更有趣的是，此信之後三頁及部分文字，《梁譜》缺錄，《手跡》卻安然無缺，於是《手跡》與《梁譜》合併互相補充所缺之部分，形成「珠聯璧合」，此封殘缺不全的家信，就能重新恢復初始首尾內容齊全的樣子，《梁譜》也因有《手跡》影印本而知所遺漏部分或錯別字，可說是收得相輔相成之效也。

胡適序文又說《梁譜》是一部「沒有經過刪削的長編初稿，所以是最可寶貴的史料，最值得保存，最值得印行」，大致是不錯的，但說是「沒有經過刪削」，則可知胡適寫成序言，似未細查年譜出版後內容的全貌，如今在真跡史料的影印本對照之下，其有意塗抹篡改處是極明顯的，可能也是胡適始料不及的，對「有幾分證據，說幾分話」的胡適而言，毋寧是一大的諷刺？（其例證詳後討論）

在《手跡》與《梁譜》的對校閱讀之下，吾人可以很清楚地統計出《手跡》實際上已被《梁譜》引錄了有一百六十一通之多（約占百分之四十），也就是說「未刊」之名是有語病的，因此未看過《梁譜》的讀者，可能會以為《手跡》所有書信是第一次公開發表的史料，蓋以其書名為《梁啓超未刊書信手跡》也。

《梁譜》引錄一百六十一通書信中，有照錄原件全文者，有節錄原件部分文字者；大體上，照錄原件全文者，核對《手跡》，有部分錯別字或句讀有誤者，所幸仍不至於對原義造成影響，而節錄原件部分文字者，也能明顯看出當時丁文江編撰《梁譜》確能取其大，一些無關緊要的家庭生活瑣事就不免割愛了；然而，時移境遷，在今天想對梁任公先生的生活有全貌地深入瞭解，這一些看似「無關緊要的家庭生活瑣事」，就尤顯得無比珍貴，《手跡》影印的價值在斯，此其一也。

前述丁文江編撰《梁譜》確能取其大，把一些無關緊要的家庭瑣事之文

字刪除掉，的確是剪裁頗具匠心，然而有的文字卻明顯地篡改粉飾，則令人遺憾！如民國十五年九月二十七日家書，《手跡》原是這樣的：

> 時局變化極劇，百里所處地位極困難又極重要。他最得力的幾個學生都在南邊，蔣介石三番四覆拉攏他；而孫傳芳又卑禮厚幣，要仗他做握鵝毛扇的人。孫、蔣間所以久不決裂，都是由他斡旋。但蔣軍侵入江西、逼人太甚（俄國人迫他如此），孫為自衛，不得不決裂。

而《梁譜》卻變為：

> 時局變化極劇，百里所處地位極困難，又極重要，他最得力的幾個學生都在南邊，蔣介石先生三番四覆羅致他，而孫傳芳又卑禮厚幣，要仗他做握鵝毛扇的人。蔣、孫間所以久未決裂，都是由他斡旋。但北伐軍入江西，孫為自衛，不得不決裂。

梁啓超家書大多數是用毛筆書寫（只有第一七一號，第一八四號及第二四六號用鋼筆書寫，另第三七八號由其子思永以鋼筆代寫），不加現在使用的標點符號，《梁譜》收錄家書文字，正如胡適所言「句讀標點不免偶有小錯誤」，是合乎實情的。但是把「蔣軍」改成「北伐軍」，把「拉攏」改成「羅致」，把「蔣軍侵入江西，逼人太甚（俄國人迫他如此），孫為自衛，不得不決裂」，改成為「北伐軍入江西，孫為自衛，不得不決裂」，就絕對不能說「句讀標點不免偶有小錯誤」，也絕對不能說「沒有經過刪削」，更不是偶然疏失或誤植文字可以解釋得通的，其有意塗抹篡改，在對照校讀之下，也就無所遁形而昭然於世了。

又如民國十六年一月二十五日家書，《手跡》原是這樣的：

> 萬惡的軍閥，離末日不遠了，不復成多大的問題，而黨人之不能把政治弄好，也是看得見的。其最大致命傷，在不能脫離鮑羅庭、加倫的

羈絆——蔣介石及其他一二重要軍人屢思反抗俄國勢力，每發動一次
輒失敗一次，結果還是屈服——國民黨早已成過去名辭，黨軍所至之
地即是共產黨地盤，所有地痞流氓一入黨，即為最高主權者，盡量的
魚肉良善之平民。

而《梁譜》卻變為：

萬惡的軍閥，離末日不遠了，不復成多大的問題，而黨人之能不能把
政治弄好，還要看看再說。其最大致命傷，在不能脫離鮑羅庭、加倫
的羈絆，因而黨軍所至之地，即是共產黨地盤，所有地痞流氓一入
黨，即為最高主權者，盡量的魚肉良善之平民。

把「黨人之不能把政治弄好，也是看得見的」，改成「黨人之能不能把政治
弄好，還要看看再說」，意思是有很大的不同。《梁譜》編纂引用家書，仔
細核對，固然有許多刪除，其通例是一大頁或連續數行，乃至十餘行不等，
在此處卻把「蔣介石及其他一二重要軍人屢思反抗俄國勢力，每發動一次輒
失敗一次，結果還是屈服——國民黨早已成過去名辭」遺漏掉，並加了連語
「因而」，以承接「黨軍所至之地，即是共產黨地盤」之話，也令人覺得絕
不是無心的剪裁。
　　書信原件的出現，可以將這些有意篡改粉飾的文字，重新改正過來，同
時可覘知識分子的學術良知在黨派控制之下，如何地受到踐踏！中國近現代
學術的發展，遭到政治因素的無情壓迫，竟是如此地不堪、軟弱與退怯，亦
見到了一個縮影，《手跡》影印出版的價值在斯，此其二也。
　　《手跡》固然可以校勘《梁譜》一部分文字錯誤，同時也使吾人知道
《梁譜》因政治因素而「削足適履」的荒誕與可悲可嘆，事例已略如前述，
而《手跡》的編輯也有許多美中不足之處，如一九一五年（民國四年）八月
十九日家書（《手跡》編為第一七九號），原件明是寫給「仲弟」的，編者
未察，卻標明是寫給梁思順的，《梁譜》也是如此，皆誤也。更嚴重者，有

幾封信考訂寫作的時間，是有問題的：

一、民國四年底，梁任公與蔡松坡等人南下從事倒袁運動，密謀發動護國之役，由滬赴港轉桂，在諸多不便之下，乃於民國五年三月十六日抵達海防，擬爲偷渡之舉，在海防停留了十日，生活極爲艱苦，《手跡》第二五三號及第二五四號，即是反應當際歷盡險巇困厄之狀況，《梁譜》亦皆錄，可以作爲直接對照。除此二封外，《手跡》第二〇六及第二〇七號，也是同一段時期的實錄，但《手跡》編者卻考訂第二五三號及第二五四號家信寫作時間爲一九二一年，顯然是錯誤的，應皆爲一九一六年才是。

二、承前史事，梁任公在初始南下倒袁籌劃活動中，最困擾者，爲三餐飲食問題，直到王姨等傭人來，才算得到解決（見《手跡》第一八五、一八六、一八八及一八九號），但有一二位傭人頗驕蹇無禮，令任公極憤怒，打算此事告竣即遣去（見《手跡》第一九五、一九七、一九八、一九九及二〇一號），《手跡》第二一七號亦有類似的話，根據信件內容及文句語氣，當同爲此時（民國五年二月）所寫無疑，而編者卻將此（第二一七號）家信誤植爲七月所寫。

三、民國十五年春間，美國耶魯大學擬贈梁任公名譽博士學位，是時先後梁任公已迭次進出醫院療疾，故無法親自前往領取證書，《梁譜》照錄了二封信，其一爲四月十八日致袁守和，其二爲四月十九日致其女梁思順，談論此事如何處理云云，《手跡》編者卻將四月十九日的信（其編序爲第三五二號），考訂爲一九二七年（即民國十六年），這是不對的。

四、《手跡》第二六九號編次日期爲一九二三年一月二十四日，本來不會對此發生疑問，偏偏《梁譜》也完整收錄此信，卻標明爲「民國十二年二月二十四日與思順書」，日期相差一個月，而原件影印梁氏親筆只書日期「廿四，不易確定孰是？細讀此信內容，其中提到舊曆新年「初五日，你姑丈偕曼宣、孝高來，一連打了三日三夜的牌，他們今晨回京去，我足足睡了一天，過年以來一件正經事未作，就只談天玩耍」，則

可推知，梁任公先生寫此家信當爲舊曆新年初九，查閱《近世中西史日對照表》（鄭鶴聲編，北京中華書局，一九八一年十月第一版），此日正好爲陽曆二月二十四日，如果按照《手跡》編者定爲陽曆一月二十四日，則查出陰曆爲十二月初八日，時間不可能符合家信所言的狀況，因此《手跡》編次日期爲一九二三年一月二十四日，是錯的，應從《梁譜》爲二月二十四日才是。

要強調說明的，這部《梁啓超未刊書信手跡》出版是非常不容易的，因爲在「六十年代初，中華書局因編輯梁啓超集之需，經吳晗先生商得任公哲嗣梁思成教授同意，得以借到一批梁啓超書信手跡，準備收入文集。不久，文革肇端，梁啓超集的編輯工作因此中輟。所幸這批書信三十多年來一直保存完好」（見原書影印說明），如今吳晗、梁思成諸先生墓木已拱，未及見完整的梁啓超全集問世，固是件憾事，而書信仍安然無恙，可說是歷經「浩劫」後的精品，實是不幸中的一大幸事，因此尤顯得彌足珍貴了。

在撰寫本文時，我所用的《梁譜》係爲臺北世界書局一九七二年八月出版的，其後我找到了上海人民出版社一九八三年八月出版的《梁譜》，仔細核對，後者是在前者的基礎上，增列了梁任公生前許多好友及親屬的批注意見與後來發現的相關信札，因此後者較前者材料更爲豐富，同時校對也較仔細，但兩部《梁譜》皆相同引錄《梁啓超未刊書信手跡》中的一百六十一通書信，所以並不影響本文的統計說明與觀點。上海版的《梁譜》在前言說：

> 不少資料對孫中山爲首的資產階級革命民主派，以及中國共產黨領導的新民主主義革命，都有許多污蔑之詞，修訂時均保持原貌，未予刪節，藉以反應梁啓超這派人物的歷史面目。

梁氏本不見容於國民黨與共產黨，對於國民黨聯俄容共政策，有許多批評，而對共產黨利用農民革命及工人罷工手段，造成社會的混亂，亦頗有微詞，無法認同，因此是否對國、共兩黨「都有許多污蔑之詞」，本是仁智之見，可以討論，上海版的《梁譜》編者說明，可以看出其政治傾向，但畢竟確實

做到了「保持原貌，未予刪節」，而臺北版的《梁譜》，對於批評國民黨的部分，做了許多篡改塗抹，不惜扭曲史料，卻是吾人所無法苟同的，因此在文中頗費筆墨討論，希讀者鑒察。

原載《北京大學學報》（哲學社會科學版）第 33 卷第 3 期，

總第 175 期，1996 年 5 月出版

2000 年 1 月 20 日修訂完成

跋文：

此文發表之後，影響深遠，臺北世界書局的梁譜沒人再買，2010 年 4 月由北京大學歷史系歐陽哲生教授整理重新點校出版的《梁任公先生年譜長編（初稿）》，明言我的貢獻。可惜，他將我的書名與出版年份弄錯了，文字校勘也慘不忍睹，令人遺憾！

2013 年 4 月 26 日雅安大地震後第六天在成都

【舉隅五】

梁啓超〈袁世凱之解剖〉手稿原件的價值
及其相關問題討論

緣起

　　由梁啓勳（梁啓超之弟）後人收藏一批梁啓超親筆書信、手稿與藏書，難得重現天日，2012 年 10 月 24 日由北京匡時國際拍賣公司與中華書局、清華大學國學院共同合辦了「梁啓超與現代中國」學術研討會，次日並舉辦了書信、手稿與藏書的展覽會，筆者有幸承蒙清華國學研究院劉東院長邀請出席，並拜讀了全部收藏書信、手稿，深感不虛此行，收穫良多。

〈袁世凱之解剖〉手稿原件的價值

　　現在先談梁啓超〈袁世凱之解剖〉手稿原件的價值，其餘的書信與手稿特點及其可能開發出新穎相關學術議題，則留待另日再談。

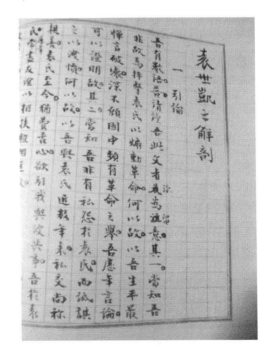

　　〈袁世凱之解剖〉手稿原件係以毛筆直式書寫在有紅色邊欄格宣紙上，每頁有十二行，每行二十字，以流暢楷行字體書之，全局謀篇起承轉合有序，文筆優美，淋漓酣暢，顯然是梁氏得意手筆，當無疑問。

　　筆者花了整整兩日從早到晚

拜讀，細細琢磨品味字裏行間的遣詞用字，並與現行收錄在林志鈞先生主編的《飲冰室文集》之三十四內文章逐字逐句校讀，其中頗有潤飾痕跡，斑斑可見，當是梁氏匠心獨運巨構，不可忽視。

可惜，這篇文章的重要性，學者大多忽略，而為梁氏另一長篇文字〈異哉所謂國體問題者〉光芒所掩，於是談護國運動者，大多誇誇而談彼篇文章的重要性，反而鮮少提到此，殊為可惜。其實梁啓超另一篇大手筆〈袁政府偽造民意密電書後〉文章（英文名為 THE SO-CALLED PEOPLE'S WILL: A Comment on the Secret Telegrams of the Yuan Government, by LIANG CHI-CHAO, SHANGHAI, 1916）印成中英文對照的宣傳小冊子當時已經在上海這個國際大都會廣為發送流通，足徵梁啓超、蔡鍔師生聯手向世界公開宣戰、推翻袁世凱政府之決心，是非常堅定而且志在必成，不成功，便成仁。（這本總共才 32 頁青綠色封皮小冊，外界不易看到，現收藏在胡佛檔案館 HOOVER INSTITUTION ARCHIVES, Collection title: STANLEY. K. HORNBECK, Box number: 115, Folder ID: CHINA, YUAN'S TELEGRAMS，欲研究護國運動問題學者，此篇文章不能不讀。）

有深刻意義地，梁啓超在此文中，以「袁政府偽造民意密電」為題，頗具畫龍點睛之妙，而且以靈動飛揚健筆發文，巧妙地將本國之國內政治事件，擴大為國際上、乃至人類文明史上聳動矚目的重大問題，其目的當然要喚起國內輿論的支持以及國際上寄予同情，這樣才能夠對抗袁世凱舊有盤根錯節的勢力。由此可見，梁氏預先的設想之周全，是常人難以達到的高度。其後史實發展也證明梁氏的文章起了不可磨滅的作用。袁世凱稱帝政權短時間被推翻，不到三個月竟應聲而斃命，梁氏居功厥偉，這是不能不提到的歷史功績。

然則，歷史研究講求史識之別出心裁，豈是容易哉！梁啓超〈袁世凱之解剖〉手稿原件的價值文字，或許提供另一角度參考，於學術不為無助一得，讀者切勿以為立異為幸。

關於此文寫作的時間，先引據梁啓勳稿前有段跋語，其語曰：

此稿作於滇黔軍興之後、袁世凱未死之先，當在丙辰春夏之間。全稿似未成，即已成者恐亦不止此數。此二十一紙不知何時入於余之筍底也，檢付裝潢，以作永寶。

十八年七月一日　啓勳記

考梁啓超在民國五年陰曆三月四日由上海赴香港，再轉進桂林，與蔡松坡密謀策劃反對袁世凱帝制運動，功在民國，當可不朽。

以敢言而得罪國民黨當權派的「中華民國老人」章太炎評論此段歷史，曾經有挽聯如下，「進退上下，或躍在淵，以師長責言，匡復深心姑屈己；恢詭譎怪，道通為一，逮梟雄僭制，共和再造賴斯人」，上聯是說梁氏曾經入閣袁世凱政府之下，浮沉宦海，對袁曾經有幻想，以為是可以輔佐之人，因而暫時不得已委屈自己，乃是想要對國家有一番的作為，下聯說袁世凱稱帝違反彼時民主共和潮流體制，梁氏不惜舊情而與之公開決裂，推翻了帝制政權，表面上與過去袁政府合作似乎有相違矛盾，但是就救國的終極目標看來，兩者道通為一，並無任何的不同。這是真能說出梁氏的內在心聲，應該是較為客觀中肯的評價。

在此羈旅客途期間，完成了《國民淺訓》一書，以梁氏無時無刻沒有不做學問熾烈欲望的熱情，依照梁啓勳跋語，〈袁世凱之解剖〉應該是在此時完成的，當無疑問也。

不過，梁啓勳所謂「全稿似未成，即已成者恐亦不止此數」云云，則有未諦。筆者願再進一解。

由現行《飲冰室文集》之三十四收錄〈袁世凱之解剖〉文字，取來與原稿對校閱讀，則知超過百分之九十五以上篇幅是相同的（其相異處，詳下一段之後討論），原稿所缺的只有短短不超過五百字，而文集收錄〈袁世凱之解剖〉文章是首尾完整的文字，一氣呵成，筆鋒帶有濃郁情感，其間文句排比有序，段落分明，邏輯性極強，使人思想不得不跟著凌空馳騁、游走千里之外，乃正是梁氏為文之當行本色；因此，吾人實在有理由確信，原稿已經完成，殆無疑問也。梁啓勳所以會有如此認定「全稿似未成」，一是沒有工

夫核對校勘已經出版的《飲冰室文集》，二是有大量的書信、手札在《梁任公先生年譜長編（初稿）》均未收錄，極容易認定所有收藏都是未刊稿子，此乃人之常情，不足以爲病。

歷史講求證據，有多少證據說多少話，梁先生似乎太過於矜愼了，說如此話，本沒有太大問題，但對於具有歷史眞相的考據，吾人絕對不能含糊放過，因此筆者要費如此筆墨詳談，亦是不得已也。孟子所謂「予豈好辯哉？余不得已也」，敬祈讀者諒詧焉。

本文既已確定完璧無缺，現在可以進入本篇文稿相關議題的討論了。

翻檢現行《飲冰室文集》之三十四，收錄有〈袁世凱之解剖〉一文，取其與手稿原件核校，除了有少些標點符號不同，因對大問題關鍵理解無有任何影響，可以不予討論，而比較値得注意者，則至少有以下四點：

一、〈袁世凱之解剖〉文字原稿，梁氏特別揭露袁世凱稱帝運動的種種經過與醜態，指名道姓是哪些人參與了這幕滑稽醜劇的演出。但據現行梁啓超文字，在梁氏生前已經絕大部分在全國各地發行出版了，筆者引用文本乃是在梁氏身後由林志鈞先生主編，其中對此略有所隱諱，蓋以其時參與帝制諸人尚還健在，林氏不欲傷及顏面，故僅列姓氏，而名字則以□□示之。（在四川大學「儒藏第 86 講」的公開討論會上，有研究生提出，〈袁世凱之解剖〉文字在梁氏生前應該已經全國皆知，梁氏當時發文應該是毫不猶豫指名道姓，林志鈞先生作爲梁氏之摯友，實在沒有任何理由刪改或更動梁氏的文字，何況如果更改了，難道讀者會不知道嗎？因此，有研究生以爲，應該盡可能把所有梁氏文字的版本，一一找出來，如此可看出其軌跡變化；此外，更重要者，如果〈袁世凱之解剖〉文章在梁氏生前即已經如此刊布了，則「隱姓埋名」當是彼時梁任公所默許者。若然，林志鈞先生可以不必「背此黑鍋」，則筆者考據似有待加強搜尋更完整材料，方爲盡善而至臻美矣。筆者不敏，遍尋川大文科圖書館及其他相關圖書機構，竟未能如願。）

如「而楊□孫□□等數人，何以敢在京師公然召集徒黨，開會煽動」句，對照原稿，楊□即楊度，孫□□即孫毓筠也。這二人姓名還算是容易猜得出來，蓋洪憲帝制擁立袁世凱亟亟有名者，六人在列，此爲近代史常識，

可以不論。

又「袁氏親派朱□□等主持其事，日日預備登極」句，對照原稿，朱□□即朱啓鈐也。

再如「乃嗾使楊□孫□□等六人辦一會以爲嘗試，此則復嗾使段□□朱□□梁□□周□□等十餘人著著實行」句，對照原稿，楊□即楊度，孫□□即孫毓筠，段□□即段芝貴，朱□□即朱啓鈐，梁□□即梁士詒，周□□即周自齊。

凡此種種，皆可見梁氏對於策動袁世凱帝制人物洞悉如舉柴引火，瞭若指掌，林氏有意隱去名字，保留姓氏，徒增後世猜測之困擾，不但不符合梁氏在《中國歷史研究法（附補編）》素所主張「當代人當爲後代子孫撰寫當代史」的史學精神，當然也不是編纂文集應有的忠實態度。

二、關於袁世凱稱帝運動的醜劇，梁氏深惡痛絕，一概毫不留情痛罵爲袁世凱的「家奴」，林氏整理後文字，竟將此刪掉，令人遺憾！

如現行《飲冰室文集》之三十四的文字：

> 乃嗾使楊□孫□□等六人辦一會以為嘗試，此則復嗾使段□□朱□□梁□□周□□等十餘人著著實行。

對照原稿，應該爲：

> 乃嗾使其家奴楊度孫毓筠等六人辦一會以為嘗試，此則復嗾使第二隊家奴段芝貴、朱啓鈐、梁士詒、周自齊等十餘人著著實行。

更可怪者，在「又如施催眠術者，強制受術人使自滅其意識，而以彼之意識爲意識，使之作種種罪惡，而施術者自逃責任」句下，緊接著有「又如強污弱女，使他人爲之代署婚證而曰彼甘心從我」等激憤語，居然亦被完完全全不留痕跡省略刪除掉了。

凡此種種，均可見梁氏彼時撰寫此文情思豐沛，豪蕩感激，林氏大可不

必爲之潤色、刪減而降低了此文的情緒語言。蓋此,才是梁啓超「文采飛動」的特色,如此一來,反而弄巧成拙了,殊爲可惜。

　　三、梁氏原先有的文字,寫得較爲繁冗,同樣意思的句子,不如前述〈袁政府僞造民意密電書後〉中英文宣傳小冊子來得簡潔乾淨,這是不容否認的事實;不過〈袁政府僞造民意密電書後〉小冊子其對像是中外一般讀者,無須寫得文縐縐而一絲不苟,尚是情有可原,不必過度吹毛求疵。然而,〈袁世凱之解剖〉文字原稿讀者對象不是一般讀者,應是稍有文化水準的群體,當然亦是梁氏一己研究心得的抒發,同時彼時撰寫環境是在九死一生中出生入死,隨身不可能攜帶大量稿子情況下,同樣意思表達,能夠簡練經濟文字,自然極妙,何必長篇大論如婦女裹腳布,囉唆累贅得又臭又長!

　　林氏任憑己意私自爲之簡略修飾,其結果卻有些許意思出入,令人大感意外。如現行《飲冰室文集》之三十四的文字如此:

> 又如演傀儡戲,袁氏自牽總線,各參政、各省長官、乃至所謂國民代表者,相次隨之以動,若悉供製造傀儡之原料也。

對照梁氏原件手稿:

> 又如演傀儡戲,袁氏自牽總線,其徒黨十餘人蠕蠕而動,其徒黨牽第二線,參政院及各省長蠕蠕而動,彼等復牽第三線,而所謂國民代表者蠕蠕而動,若四萬萬人則以供製造傀儡之原料也。

仔細對讀,語氣與意思均略有些許不同,尤其是「而所謂國民代表者蠕蠕而動,若四萬萬人則以供製造傀儡之原料也」句云云,熟悉「新民叢報體」文字之讀者,當不難窺知乃梁氏文字當行風格,林氏不必如此多事,徒增篡改史料惡名之口實也。

　　四、〈袁世凱之解剖〉文字原稿完成後,梁氏做了一篇序言置於前,概呼「袁世凱」其名,顯然是大爲不屑口吻,不齒其人品,躍然可見,但林氏

整理之後，竟改為「袁氏」，意思雖然不變，但讀來予讀者感受心弦撥動、語氣卻大大不同了，也不足反映梁氏心情悲憤複雜之跌宕起伏。

這些細膩微妙的差異，透過原稿，吾人才能體會梁氏寫此文的情緒波瀾湧動，感情激憤到了沸騰極點，文字已經到了箭在弦上，不得不發的地步，而且一發場面不可收拾，不久袁世凱竟暴斃命喪，林氏如此處理，相對其效果張力就遜色多啦。

可見後人在編纂文集時，應該忠實對待原稿，不必任憑己意刪改或者變動若干文字，反而失去了原本所欲表達的精確意思了，也徒增後世考證瑣碎或難定是非之困擾。然則，編纂文集，又豈是容易哉！

2012 年 10 月下旬北京旅次速稿、

11 月 6 日校改在美國史丹福大學之聖荷西慎齋小窗旁

2013 年 4 月 29 日清晨完稿於四川大學望江校區中興村漆黑

狹窄樓道內閣樓東側

2016 年 12 月 10 日於臺北校稿完竟

後記：

梁啓超親筆題簽文章〈袁政府偽造民意密電書後〉的宣傳小冊子，現藏胡佛檔案館內，拿來與現行《盾鼻集》內收錄同一篇名的文字相校勘，少數文字略有不同，茲舉例如下。

《盾鼻集》內收錄〈袁政府偽造民意密電書後〉文字，凡遇人名，僅用其姓，不書完整其名。如「第三請問段□□、朱□□、梁□□、周□□、張□□、袁□□等十餘人是否袁氏爪牙心腹，國民會議事務局是否袁氏機關，（堂密）（華密）等電碼是否袁氏獨有之秘密符號」句，對照胡佛檔案館內〈袁政府偽造民意密電書後〉的宣傳小冊子文字，段□□、朱□□、梁□□、周□□、張□□、袁□□等人，梁啓超原先的文字並沒有隱諱其名，而是完整指名道姓為段芝貴、朱啓鈐、梁士詒、周自齊、張鎮芳、袁乃寬，現

今的《盾鼻集》內收錄文字，則將所有提到與袁世凱相關的人，概以段□□例之，這是極大的不同。

其次，文字也有若干的參差與遺漏。

《盾鼻集》內收錄〈袁政府僞造民意密電書後〉文字，「吾恨有一法不能試演，若能召集全國民於外國領土內，使爲無記名投票」句，胡佛檔案館內文字作「吾恨有一法不能試演，若能召集全國民於袁氏勢力不及之地，使爲無記名投票」。

《盾鼻集》內收錄文字，「諸君若肯將此十五通密電，細讀細思，自能得確切不磨之反證」句，其中「此十五通密電」，胡佛檔案館內文字作「此等密電」。

《盾鼻集》內收錄文字，「實際上四萬萬人無一人不反對，而彼仍強指爲四萬萬人無一人不贊成，此全體國民被袁氏蹂躪人格之明證也。今次各省軍巡長官之反抗袁氏，乃表明我不甘爲催眠劇之受術者，不甘爲機器之輪，一般人民之反抗袁氏，乃表明我不能承認他人代我署名之確證，蔡將軍所謂爲國民爭回人格者，此其義二也」句，有大量文字疏漏，對校之下，胡佛檔案館內文字作「實際上四萬萬人幾無一人不反對，而彼乃強指爲四萬萬人無一人不贊成，譬諸強姦一弱女，使旁人代之署婚證，挾以爲據，謂此女情甘從我，天下冤憤，其孰過此？此全體國民被袁氏蹂躪人格之明證也。今次各省軍巡長官之反抗袁氏，乃表明我不甘爲催眠劇之受術者，不甘爲機器之輪軸，一般人民之反抗袁氏，乃表明我不甘受強姦，不能承認他人代我署名之婚證，蔡將軍所謂爲國民爭回人格者，此其義二也」，這才是原始完整的文字。

《盾鼻集》內收錄文字，「若我友邦以平昔與袁氏有私人交誼故，不忍於哀鳴籲懇，而或貸助以金錢，或代彼迫害其敵，此固各友邦之自由？抑亦尋常國際上習見之成例？惟吾欲請我友邦公正賢達之士，稍放遠眼光，一觀我國形勢，各友邦若執扶袁之態度，爲能脫我國於危亂耶？」句，亦有疏漏文字，對照閱讀之下，完整文字，應爲「若我友邦以平昔與袁氏有私人交誼故，不忍於哀鳴籲懇，而或貸助以金錢，或代彼迫害其敵，此固各友邦之自

由？抑亦尋常國際上習見之成例？吾國民固絕不敢有所怨懟。惟吾欲請我友邦公正賢達之士，稍放遠眼光，一觀我國形勢，各友邦若執扶袁之態度，爲能脫我國於危亂耶？抑益陷我國於危亂耶？」

由此可見，《盾鼻集》內收錄〈袁政府僞造民意密電書後〉這篇文章，是已經經過了刪改，不是原本的風貌。讀者如欲知道文章的原始風格，還是要以胡佛檔案館內收藏梁啓超親筆題簽文章〈袁政府僞造民意密電書後〉的宣傳小冊子文字爲準。

本文原爲 2012 年 10 月 23 至 24 日北京清華大學與中華書局合辦「梁啓超與現代中國」學術研討會，誠蒙北京匡時國際拍賣公司提供往返機票與旅店費用，並給予 5000 元人民幣作爲本文稿費，禮遇尊重學者，謹表達十分感謝！

【舉隅六】

歷史翻案、文獻與論證
——張耀杰《懸案百年：宋教仁案與國民黨》書後

宋教仁被暗殺，一般以爲是袁世凱派人所幹下的滔天大罪，而且也寫入了近代史教材內，似乎已經成爲定論，毫無疑問。

不過，歷史的趣味就在於可以有不同的見解，關鍵是如何依據證據來說話。

最近張耀杰寫了一部專著《懸案百年：宋教仁案與國民黨》[1]（以下簡稱《懸案》），就是要重新檢討這樁影響深遠的暗殺案子。而令人眼睛一亮的，就是將舊案提出新說：兇手不是袁世凱派人幹的！

此書有著名學者袁偉時推薦說：「不管人們是否同意他的結論，都不能不承認這部書不愧是 20 世紀中國研究的新收穫」，語氣對翻案結論充滿了保留，但仍肯定是「研究的新收穫」。另一著名學者楊奎松也推薦：「如果宋教仁眞是死於革命派自己的手下，我們過去得出的有些結論，恐怕就得重新考慮了」，語氣也是同樣有所保留，但他引用了于右任在宋教仁墓碑上的題詞「爲直筆乎？直筆人戮。爲曲筆乎？曲筆天誅」，一再強調「爲老友冤死又不能直言的錐心之痛」。顯然案情絕對不是如此簡單。

筆者仔細讀了本書之後，覺得作者處理史料的功底太過於粗疏，以致於把這麼一個好題目的翻案文章寫壞了，殊爲可惜！試先以〈作爲前車之鑒的陶成章案〉節爲例作爲討論起點：

　　1910 年 2 月，陶成章聯合章太炎、李燮和等人在日本東京重新成立

---

[1] 張耀杰：《懸案百年：宋教仁案與國民黨》（臺北：秀威資訊，2010 年 12 月初版）。

光復會總部，由章太炎任會長，陶成章任副會長。1911 年 11 月 4 日的上海光復，是光復會方面的李燮和、同盟會方面的陳其美以及當地軍政要人、商團會黨共同努力的結果。11 月 6 日，陳其美以恐怖暴力手段搶奪地方政權，成立滬軍都督府並自任都督。光復會有人主張逮捕陳其美，治以違令起事、竊取名義之罪。光復軍總司令李燮和考慮再三，以為武昌起義不久，上海剛剛光復，全國形勢尚未穩定，如果兄弟鬩牆，不但引人恥笑，而且要貽誤革命全局。於是，李燮和率部由上海市區的江南製造局轉移到吳淞，在中國公學院內成立吳淞軍政分府，公開宣布只承認蘇軍都督程德全的蘇州軍政府，所有上海地方民政、外交等事，均歸蘇州軍政府處理。[2]

這一段文字內容頗為粗糙，而且關鍵要點也模糊含混，唯恐以訛傳訛，值得提出檢討指正。

章炳麟在〈中華民國開國前革命史序〉一文說：「知當時實事者已少，誇誕之士乃欲一切攏為己有」，這話已經點明章太炎不滿分裂後的國民黨把推翻滿清、建立中華民國所有功勞一股腦兒兜攬為己有。於是接著又說「自徐錫麟死，光復會未有達者，李燮和乃流寓爪哇一教員耳，而能復振其業，返歸滬海，與湘軍東伐者相結。江南製造局之役，事敗氣餒，乃以數百人宵突其門而舉下。上海一下，江浙次第反正，則李燮和為之也」，很顯然地，依章炳麟的看法，上海光復的功勞要以李燮和為主力，其他的人員都是陪襯而已。

原來 1895 年的興中會，到 1905 年起的同盟會時期，嚴格說來，興中會本身的實力並不是如國民黨宣傳得那麼神勇。老革命黨人馮自由在〈記中國同盟會〉就自承：「吾國革命黨人之提倡逐滿建國，始於興中會。然興中會自庚子秋惠州革命軍之敗挫，及廣州史堅如之謀炸撫署二役以後，黨中健將如楊衢雲、史堅如、鄭士良、黃福諸人先後斧喪，元氣實力為之大傷。故自

2　張耀杰：《懸案百年：宋教仁案與國民黨》，頁 49-50。

庚子秋以至乙巳夏之五年間，興中會實無如何之軍事動作可言」[3]，也就是說，從庚子（1899 年）秋天到乙巳（1905 年）夏天，時間整整有五年之久，「興中會實無如何之軍事動作可言」。馮自由一生忠心於黨國，耿耿情操躍然如見，配合之前章氏看法，其說法當可確定無疑。

我們再看 1905 年的同盟會組織，有橫濱鄭貫一、王寵惠、馮自由、馮斯欒等的廣東獨立協會（辛丑，即 1900 年），東京章炳麟、秦力山等的支那亡國紀念會（壬寅，即 1902 年），秦毓鎏、董鴻禕、周宏業等的青年會（壬寅，即 1902 年），上海蔡元培、章炳麟、吳敬恆等的中國教育會（壬寅，即 1902 年），東京葉瀾、秦毓鎏、程家檉等的軍國民教育會（癸卯，即 1903 年），上海蔡元培、章炳麟、吳敬恆等的愛國學社（癸卯，即 1903 年），雲南臨安周雲祥等的保滇會（癸卯，即 1903 年），武昌胡蘭亭、黃華亭、劉靜庵等的日知會（甲辰，即 1904 年），長沙黃軫（即黃興）、馬福益、劉揆一等的華興會與同仇會（甲辰，即 1904 年），上海龔寶銓、蔡元培、陶成章等的光復會（甲辰，即 1904 年），這些革命勢力團體所聯合組成的同盟會，聲勢浩大，各個山頭林立，絕非興中會所能一手獨攬的。宋教仁〈程家檉革命事略〉也說程家檉當時到日本訪探孫中山，原先以爲「孫文革命首魁，所黨必眾」，萬萬沒想到興中會以康有爲之煽惑，率已脫入保皇黨，孫文惟偕張能之、溫秉臣、廖翼朋者數人，設中和堂於橫濱，其勢甚微。可見興中會轉型而合併各個革命團體，成爲同盟會，實乃情勢所迫，不得不然的措舉。

瞭解這個背景，則光復會會長章炳麟所以撰文不滿「知當時實事者已少，誇誕之士乃欲一切攏爲己有」的深切意旨，則可以思過半矣。

另外值得一提的，孫中山就任同盟會總理乃並非眾望所歸，而且還因拿了日本人一萬五千元的餽金，被同志抓到了把柄，引起一場印象惡劣的風波。綜合各種資料，當以《國父年譜》（增訂本）〈一九○七年〉條說得最清楚：

3　詳見《大風半月刊》第 60、61 期。分登載 1940 年 1 月 20 日及 2 月 5 日。

先生接受日政府饋金，因未經眾議，故離開日本未久，同盟會員章炳麟、張繼、宋教仁、譚人鳳、田桐、白逾桓、日人平山周等即大起非議，而炳麟尤為憤激，竟將民報社所懸先生像除下。及潮、惠、欽、廉軍事相繼失利，反對者眾，章炳麟等復建議免去先生總理職，而以黃興繼任。獨庶務幹事劉揆一力排眾議，因與張繼互毆。其後劉光漢復提議改組本部，日人北輝次郎、和田三郎等主張尤力，亦以揆一反對而止。揆一以黨內糾紛日甚，乃移書馮自由、胡漢民，就近勸先生，向東京本部引咎罪己，以平眾憤，引「萬方有罪，在予一人」之古語為譬。

這股反孫風潮，一直延續到 1909 年，更為激烈。9 月，陶成章等發布七省同盟會的意見，宣布「孫文罪狀」，舉其犖犖而大者，有假借革命獵取名位、殘賊同志、蒙蔽同志、敗壞全體名譽，要求同盟會總部將其開除，另外改選總理。因黃興極力抵制，陶乃將「孫文罪狀」在中外各報公開披露，聲明與孫「已不兩立」。於是，1910 年元月，陶成章在東京成立了光復會總會，己任副會長，尊奉章炳麟為會長，自此遂更決絕與孫、黃等同盟會黨人分道揚鑣。（以上轉引自李敖《蔣介石研究續集》，頁 57）

章炳麟《太炎先生自定年譜》在〈一九○七年〉條也說：

是歲山陰徐錫麟伯蓀刺殺清安徽巡撫恩銘。伯蓀性陰鷙，志在光復，而鄙逸仙為人，余在獄時，嘗一過省，未能盡言也；後以道員主安徽巡警學堂，得間遂誅恩銘，為虜所殺。其黨會稽陶成章煥卿時在日本，與余善，煥卿亦不熹逸仙。而李柱中以萍鄉之敗，亡命爪哇，煥卿旋南行，深結柱中，遂與逸仙分勢矣。

至於李燮和（柱中）與陳其美鬧翻的始末，宜以章炳麟《太炎先生自定年譜》在〈一九一一年〉條記載為準，因其來龍去脈較為彰明：

上海都督陳其美者，字英士，歸安人。初英士與李柱中謀襲江南製造局，柱中不許，英士先率部黨突入，被獲。其黨叩首請柱中往援，柱中以湘軍從之，製造局長官散走，餘卒盡降。柱中日夜撫慰降人，疲極。英士乘其倦臥，集部黨舉己為上海都督。柱中覺，大怒，欲攻之，懼為清虜笑，乃率眾直走吳淞，亦稱都督。陳、李交惡。余至，宿柱中軍府，念江蘇有五都督，而上海、吳淞尤相逼反，教柱中去督號，稱總司令，奉程德全為江蘇全省都督。

這段文字得先解釋：李燮和本不同意陳其美襲取江南製造局，但陳英士一意孤行而被清軍所虜獲，其黨人「叩首」請李燮和救援，李才率以湘軍打下江南製造局。而在李燮和「日夜撫慰降人」之際，身心疲憊，陳其美居然趁機「集部黨舉己為上海都督」！當李燮和覺醒，大怒，要翻臉，但又「懼為清虜笑，乃率眾直走吳淞，亦稱都督」，後經章炳麟勸慰，才改稱總司令，尊奉程德全為江蘇全省都督。也就是說，陳其美為上海都督是得位不正，趁機盜取，李燮和是不屑與之為伍的。

回到正題。作者說上海光復「是光復會方面的李燮和、同盟會方面的陳其美以及當地軍政要人、商團會黨共同努力的結果」，把陳其美地位抬舉如此之高，這是沿襲當時國民黨「誇誕之士乃欲一切攏為己有」的看法，當然是不符合歷史真相，不可采信。

關於蔣介石暗殺陶成章的經過，作者說：

1912 年 1 月 12 日下午，滬軍都督陳其美的結拜兄弟、滬軍第五團團長蔣介石（志清），通過陶成章的親信張偉文、曹錫爵，在光復會的機關見到陶成章。兩個人的會談非常融洽，陶成章應蔣介石的要求，當場寫下了自己在廣慈醫院的住址。

1 月 14 日凌晨，35 歲的陶成章在上海法租界廣慈醫院被蔣介石夥同內奸王竹卿持槍暗殺。

接著作者引錄了當時《字林西報》與《民立報》的報導（原書頁51）：

由外國人主辦的上海《字林西報》於當天發行特大號外，以〈廣慈醫院發生暗殺大案　陶成章被刺身亡〉的黑色大字標題報導說：

革命鉅子陶成章養病於本部法租界廣慈醫院，今晨二點許，突然有穿西裝兩人，推門入房，趁陶臥床，以短槍擊斃之，破腦裂腹，慘不忍睹，兇手迄未抓獲，可惜一代英豪，天不予壽，太可哀矣！

1月15日，上海《民立報》以〈陶先生死不瞑目〉為標題發表社論，其中報導說：會稽陶煥卿先生成章，盡瘁革命事業，歷有年所。此次浙省光復，功績在人耳目。最近浙湯都督改任交通總長，浙督頗有與公者，而公推讓不退，其謙德尤可欽佩。昨晚二時許，公在廣慈醫院醫室靜宿；忽有二人呼陶先生，公寤而外視，二人即出手槍，擊中公太陽部。

這些文字的說法，與鄧文儀在事後寫《蔣主席》一書的記載，稍有出入：

這時候，有個假冒革命、陰謀奪取浙江都督的陶成章，因為陰謀不能成功，準備暗殺陳英士先生。主席知道了這件事後，心想：假使陶成章的陰謀成功，那麼江浙再入混亂狀態，勢將影響到革命基礎的動搖。經過公私利害的慎重考慮以後，便決心先除陶成章。那時候陶成章匿居上海租界某醫院裏面，主席便到醫院去找他，先用嚴辭責問他，那曉得陶成章不但是恬不知恥，反而侃侃而談。主席怒不可過，便掏出手槍，一槍把他打死。打死陶成章以後，主席並不掩飾這件事，反向黨中表明心跡，自承其罪。黨中自然沒有加以深究，只有感覺到他的識見的宏遠。

主席槍殺陶成章，關係武昌起義的革命大局是至深且巨的。

比較當時《字林西報》、《民立報》報導與《蔣主席》一書記載，《字林西報》、《民立報》分別說，「今晨二點許，突然有穿西裝兩人，推門入房，趁陶臥床，以短槍擊斃之，破腦裂腹，慘不忍睹」、「昨晚二時許，公在廣慈醫院醫室靜宿；忽有二人呼陶先生，公寤而外視，二人即出手槍，擊中公太陽部」，明顯與「主席便到醫院去找他，先用嚴辭責問他，那曉得陶成章不但是恬不知恥，反而侃侃而談。主席怒不可遏，便掏出手槍，一槍把他打死」，說法差異極大，儘管結果都是陶成章被暗殺。作者寧可相信二報的看法，以本文作為宋教仁案的前導文字，主旨要說明陳其美的暗殺手段，並不是一個孤例，而是經常為之的一貫伎倆。但面對種種不同說法，作者應該有所辨析論證，提出令人信服的解釋。可是，筆者遍讀全書，卻看不到取捨的理由何在。作為宋案翻案文章，如果沒有從基本文獻辨析著手，要想得到學界的認同，恐怕不易站得住腳。

李敖的看法，[4]就比較能夠說明這個思路的重要性：

> 鄧文儀是天子門生，並且是最早期的，早在一九二五年四月二十三日的蔣介石的文章中就提到過他，並且說要跟他「對泣」的。……簡單說來，鄧文儀曾是蔣介石的政工頭子和特工頭子，他跟蔣介石的關係，極深且密，他寫「槍殺陶成章」的種種細節，自然是得知於蔣介石的親授，雖然蔣介石自己，一輩子也未親筆提到陶成章。由此可見，《蔣主席》一書是此馬來頭大的。何況它的出版，還是由蔣介石的師保吳敬恆（吳稚暉）謹題的。內有蔣介石大將湯恩伯的題字，最後還由潘公展背書主編者，潘公展是勝立出版社的創辦人，這出版社是黨營企業。潘公展本人又有國民黨中央宣傳部副部長、中央日報總主筆的前科，這是一本什麼書，有心人自可思過半矣。

蔣介石是槍殺陶成章的凶手，至此，得到了可以相信的依據。

4　見李敖：《蔣介石研究續集》。

　　過去老北大聞宥教授讀文章，必先看注解有否新材料，然後留意注解是否詳盡，才會進一步閱讀文章的正文內容。[5]依照前輩學者的意見，來檢驗這部翻案文字的著作，大致可以得悉其學術價值如何。

　　縱觀整本書內容，除了推薦序文、目錄之外，全書正文387頁，共分爲九章，大多是二手、三手甚至多方輾轉引用的資料，幾乎沒有親自看到原件檔案，因此其翻案文章的公信度就不足。這是明顯的學術硬傷。

　　根據筆者不完全統計，第一章篇幅44頁的注解36個、第二章篇幅46頁的注解12個、第三章篇幅40頁的注解22個、第四章篇幅42頁的注解17個、第五章篇幅44頁的注解30個、第六章篇幅50頁的注解57個、第七章篇幅45頁的注解31個、第八章篇幅43頁的注解42個、第九章篇幅31頁的注解20個，所以合計全書正文387頁，注解共267個，一本書的注解數量遠遠比正文的頁數少了一百多個，而且還要做爲翻案文章，其孰能信服？

　　作者引用梁啓超的說法，只列了《梁任公年譜長編初稿》的三條家書資料（原書頁92）：

> 1913年3月25日，立憲派方面的民主黨的精神領袖梁啓超，在寫給女兒梁思順（令嫻）的家信仲介紹說：「宋氏之死，敵黨總疑是政敵之所爲，聲言必報復，其所指目之人第一爲袁，第二則我云。此間傾加派員警，保護極周，將來入京後更加嚴密，吾亦倍自攝衛，可勿遠念。」
>
> 3月27日，梁啓超又在與嫻兒書中寫道：「宋氏之亡，促吾加慎，……刺宋之人（真主使者陳其美也），臚列多人，我即其第二候補者，今將彼宣告文剪寄，應某謀北來刺我，二十日前蛻丈已電告矣。」

5　北大校友、已故四川大學歷史文化學院趙清教授2006年秋天某日在其府上爲筆者言其業師聞宥教授做學問的方法。

　　梁啓超所說的「宣告文」指的是應夔丞於 3 月 23 日寄給北京國務院的〈監督議院政府神聖裁判機關簡明宣告文〉，「蛻丈」指的是定居上海的麥孟華字孺博，他是廣東順德人，在康有為的眾弟子中與梁啓超齊名。直到 5 月 2 日，梁啓超還在另一封家信中強調「宋案確與政府無關」，「係同盟會人自屠」。

展讀《梁任公年譜長編初稿》，明明說「先生在給梁令嫻女士的信札裏論到宋案的地方還很多，這裏不再多錄」（《梁譜》頁 346-347），而作者沒有以此為線索再去找其他的書信，就不瞭解這件事在政敵梁啓超心目中的看法了。其實不難在《梁啓超未刊書信手跡》[6]一書中發現，關於宋案的種種有完整披露，茲先錄之如次：

(一) 3 月 25 日家書言：宋氏之死，敵黨總疑是政敵之所為，聲言必報復，其所指目之人第一為袁，第二則我云。此間傾加派員警，保護極周，將來入京後更加嚴密，吾亦倍自攝衛，可勿遠念。

(二) 3 月 26 日家書言：宋教仁案已破，係同盟會人自屠，大局當不至十分牽動，數日前彼黨所指目者，項城第一，吾則第二也，彼報復之念激昂已甚，今水落石出，乃由彼自戕，此後彼黨必分裂，事亦較前易辦。然國中全部分人腐敗皆達極點，終無能救之望也，愈深入其中，則悲觀愈增，此真無可如何也。

(三) 3 月 27 日家書言：宋氏之亡，促吾加慎，孔子曰：天生德於

梁啓超（原照片藏胡佛研究院圖書館）

6　《梁啓超未刊書信手跡》（北京：中華書局，1994 年 11 月），頁 216-230。

予，桓媚其如予何？吾生平皆履險如夷……刺宋之人（眞主使者陳其美也），臚列多人，我即其第二候補者，今將彼宣告文剪寄。應某謀北來刺我，二十日前蛻丈已電告矣。

(四) 3 月 29 日家書言：宋案發後，同人益不主住京也（在應某室中搜得吾造像數張，其蓄意謀我，不虛也）。

(五) 3 月 30 日家書言：報紙剪寄，國中事無一不蜩唐沸羹，吾更爲小人所最疾忌（若宋案不破，吾或嬰其難，今日稍可即安也），亦只得居易伺命耳。

(六) 4 月 2 日家書言：今日已安抵京師，勿念！此次之來，較前次尤爲鄭重，黨中以自動車來接，政府派馬隊二十人護衛，又派有憲兵隨時保護，又別派探訪隊密護，蓋經宋案後，極爲愼重也。

(七) 4 月 5 日家書言：項城相倚之心甚且切，然仍不敢遽加入黨（前本已定，因宋案遂暫緩）。

(八) 5 月 2 日家書言：宋案確與政府無關。

對照作者與筆者引述的資料，接著可以討論其間的問題了。作者言：

> 直到 5 月 2 日，梁啓超還在另一封家信中強調「宋案確與政府無關」，「係同盟會人自屠」。

由筆者以上引述家書可知，作者弄混了，5 月 2 日家書確言「宋案確與政府無關」，而「係同盟會人自屠」語乃出自於 3 月 26 日家書，但梁氏原話完整說出「宋教仁案已破，係同盟會人自屠」。可見作者輾轉抄錄他人的文字，沒有在文獻上花功夫。然則，做翻案文章，豈是容易哉！

任公（3 月 26 日家書）所言「數日前彼黨所指目者，項城第一，吾則第二也，彼報復之念激昂已甚」云云，正是同盟會人自屠而嫁禍於人的伎倆。

（3 月 27 日家書）原件書信直式一氣呵成，「眞主使者陳其美也」語，附注在「刺宋之人」右旁，尤堪注意。因爲寫到「今將彼宣告文剪寄」

告一段落,則知道報紙文字的宣告文,與事實是有出入的,因此補上「眞主使者陳其美也」一筆,則眞相已大白矣。

翻案文章很難寫,資料可遇不可求。僅根據過去的資料重新解釋,也不是不可以,但歷史講求證據的充分,在沒有新的事證情況下,要翻案就不容易了。就像法官斷訟案一樣,初審、再審即使確定,高等法院要翻案也有可能,但還不能列爲定讞,因爲最高法院再來個翻案大逆轉,在現實中也是存在的。

總之,《懸案》一書處理史料的論證能力太過於薄弱,以前述〈作爲前車之鑒的陶成章案〉節(原書頁 49-54)與梁啓超家書提到宋案的意見(原書頁 92)爲例,則可說明這是一本論證很不嚴謹的著作,以之作爲閒書閱讀則可,列爲學術著作之林則仍有待進一步充實。

2011 年 3 月下旬初稿於四川成都外雙楠廣廈小區,
8 月 30 日修訂完稿於臺北中央研究院文哲所圖書館
原載《國文天地》第 27 卷第 5 期(總 317 期),2011 年 10 月

【舉隅七】

梁啟超親筆蔡松坡史事二三事文稿

　　北京大學收藏梁啟超親筆文稿不少，其中關於蔡松坡史料有〈呈爲請續撥藏書事〉等，透過這些零星文稿的解讀，解決了吳天任《楊惺吾先生年譜》所謂楊守敬觀海堂藏書，「徐總統以一小部分藏書撥歸松坡圖書館，序稱在己未，即民國八年，而小傳則云七年冬，亦見歧異」之疑問；同時蔡松坡激於義憤，反袁稱帝，「爲全國人人格而戰」之志氣，與松坡圖書館之緣起，亦得到了原始佐證。

　　吾既發表〈北京大學收藏《梁啟超給蹇季常等書信》書後——兼談書信的文獻價值〉一文，蒙日本京都大學狹間直樹教授來函，指示蹇季常相關資料，[1]頃近清理舊藏，有一些關於蔡松坡文件史料，爰董理如下。

　　我們對蹇季常所知不多，僅知道陳叔通〈季常墓志銘〉和林宰平〈墓表〉均有簡單記載，綜合這兩篇短文，大略可知蹇氏生平是這樣的：

> 遵義蹇念益，字季常，世世爲貴州望族。少隨父官四川，父歿，以喪歸，諸兄弟于役在外，家事區畫，咸有條理。
> 清光緒庚子、辛丑間，入日本早稻田大學習法政。新會梁啟超居日本，以立憲詔國人，有所述作，兩人持見不謀而合，相契蓋自此時。歸國後，游奉天、湖北，皆未能行其志，性介潔，無所干于人。
> 河南巡撫林紹年薦于朝，授七品小京官，後出爲河南副財政監理官，革弊興利，治績卓著。辛亥八月，川鄂發難，全國震動，袁世凱秉政，任命爲統計局副局長，力辭不就；民國建立，被選爲眾議院議

1　以下關於蹇季常資料，參見黃濬《花隨人聖盦摭憶》（上海：上海書店出版社，1998年8月），頁488-492，係由狹間直樹教授提示，不敢掠美，特別聲明。

員。梁啓超自日歸國，蹇氏默察大勢，愈益沮喪，力尼梁氏勿預政，國會解散，任肅政史，不就，偕梁氏避居天津。無何，有洪憲之役，皆如蹇氏先前所料。蔡鍔等人密計走滇、黔，與梁氏籌劃，蹇氏咨決，往來津、滬策應。袁世凱病亡，梁氏等謝政，蹇亦旋辭議員，蓋又知國難不以袁世凱死而遂已也。

蹇氏常託於酒，日未晡而飲，飲輒大醉，率以為常，蓋以國事既不可為，而世又莫能用，沉湎耽杯，其又奈何！

與梁啓超相交深契，時為梁氏謀策最忠。[2]

民國十九年九月八日服藥自盡，先草遺囑，後書「從容談笑而去」六字，享年五十有四歲。

梁啓超曾有集宋人詞句聯寫蹇氏：

> 最有味，是無能，但醉來還醒，醒來還醉。
>
> 本不住，怎生去，笑歸處如客，客處如歸。

識者以為真能描摹其人情狀，入木三分。[3]

由上述小傳可知，梁、蹇二人留日即相識，以後成為莫逆之交，宜乎北大收藏梁給蹇書信會有達二百通上下。梁、蹇彼此情感依賴頗深，因此蔣復璁說蹇季常是梁啓超的靈魂，[4]一點也不誇張。梁啓超、蔡鍔師生等聯手討伐袁世凱，為民國再造共和，成為近代史美談。[5]不幸，蔡鍔舊疾發作，短命而

---

2 我在〈北京大學收藏《梁啓超給蹇季常等書信》書後——兼談書信的文獻價值〉（《書目季刊》第三十四卷第一期，2000 年 6 月），曾有謂梁啓超撰寫文稿，常要請好友蹇季常先過目，現在這篇小傳，可以看出二人關係非比尋常的淵源已早。

3 梁啓超自言：「此聯若是季常的朋友看見，我想無論何人，都要拍案叫絕，說能把他的情緒全盤描出」。林宰平對此聯評為「匹仗天成，自為上構。……季常久客王城，一旦解脫，下聯數語，豈亦微見識兆耶？」

4 黃克武《蔣復璁口述回憶錄》（臺北：中央研究院近代史研究所，2000 年 5 月），頁 104。承黃克武先生惠贈本書，印證蹇、梁二人莫逆交誼，特此致謝。

5 梁啓超逝世後，章太炎致書梁思成有言：「所致挽聯，雖無奇特，然以能寫尊公心跡，亦鄙人與尊公相知之素也」，其中挽聯下屏有「恢詭譎怪，道通為一，逮梟雄僭

逝。梁啓超悲慟之餘，曾有〈祭蔡松坡文〉、〈公祭蔡松坡文〉、〈邵陽蔡公略傳〉文章（以上文字均見《飲冰室文集》），對松坡生平與雲南護國之役有明白記錄，可不贅敘，然有一紙草稿，收在北京大學收藏《梁啓超給蹇季常等書信》裝訂冊中，稿末有蹇氏批注云：「此任公作松坡略傳論文未用，此其稿也　季志。」翻檢梁氏〈邵陽蔡公略傳〉一文，果然未見引用，是知此稿未曾公布，彌足珍貴。今抄錄全文如次：

> 論曰：袁世凱之稱帝也，以威偪利誘天下，天下之頌功德勸進者踵相屬，耿介之士疾首扼腕，而無所憑藉，以攄其義憤，鄰邦竊睨而笑謂國無人焉；蔡公之誓師也，曰吾明知力非袁敵，吾為全國人人格而戰而已！嗚呼！比年以來，無歲不戰，所為何來？蔡公志業不竟，寧獨蔡公一人之不幸云爾！

這短短百餘言，將蔡鍔激於義憤，「為全國人人格而戰」之志氣，宣泄無遺，不愧為名家大手筆，同時亦對國事干戈迭起，寄托無限感慨！[6]
　　蔡鍔過世之後，為了紀念其人格感召，次月，梁啓超先有創設松坡圖書館於上海的計畫，可惜未能踐履。[7]由現今可見資料，則知當時國事杌隉，

制，共和再造賴斯人」句，可為蓋棺論定。以上據姚奠中、董國炎《章太炎學術年譜》（太原：山西古籍出版社，1996年8月），頁412。

[6] 其實，梁啓超在〈公祭蔡松坡文〉就隱隱約約透露出討伐袁世凱是為國人人格而戰的決心，其言有云「公曰吾蓋深恫極慟于內境之不祥，吾誠不得已之所為，倘人格之蕩墮，寧國命之予遺？」在〈護國之役回顧談〉（民國十一年十二月二十五日為南京學界公開演講）也說「我們明知力量有限，未必抗他得過，但為四萬萬人爭人格起見，非拼著命去幹這一回不可」，另在〈松坡圖書館勸捐啓〉（作于民國十四年四月）起首則有「當袁世凱之僭帝號也，蔡松坡將軍鍔為人格而戰，不得已而有護國之役，將軍將起義，微服由京入滇，瀕行與啓超以二語相約曰成功不爭地位，失敗不逃外國，蓋將以激勵一世之廉恥，為軍人示範，以挽國之浩劫，不僅為一時計也」云，這些都是極重要參考資料，與此處文稿原件揭示之意相近。

[7] 梁啓超以籌辦主任人為名，共聯合有四十五位政學工商名流在上海《申報》（1916年12月18日）發起「創設松坡圖書館公啓」，其文內容詳見周秋光編《熊希齡集》

時局不靖，經費籌措不易，松坡圖書館一直愆延至民國十二年十一月四日才在北海快雪堂正式成立，[8]而往後梁啓超甚至有鬻字籌款之舉。[9]由此可見，當時創館困難之一斑。松坡圖書館收藏圖書，有一部分來源是得自楊守敬的藏書，關於此段歷史，現在北大保留一封梁啓超草擬的文稿，在年譜與全集均未見引述，可以作爲直接的說明：

> 呈爲請續撥藏書事
> 竊啓超等于民國五年冬間創設松坡圖書館，爲故將軍蔡鍔紀念，曾荷
> 我
> 執政署名發起提倡。七年春間，我
> 執政在國務總理任內又特撥國務院所儲故紳楊守敬藏書交館存貯，啓超等祗領之下，感激莫名。年來繼續經營，在北海快雪堂設立第一館，專藏中國舊籍，在西城石虎胡同設立第二館，廣購各國新書；第二館自去年六月開放閱覽，每日閱書人數甚形行踴躍，於獎勵學風，不爲無補，惟是經費有限，不能多購書籍，深以爲歉！伏查七年春，政府撥給楊氏藏書時，有一部分度置他處，院員偶爾失檢，未及全數領取，近數年來，啓超等雖知此情節，頗以當局非人，不欲干請，今欣逢我
> 執政匡濟時艱，重新國命，用敢據實瀝陳，伏乞飭下府秘書廳將國務院前批撥松坡圖書館之楊氏藏書，其未撥之部，查照前案，全數撥

（長沙：湖南出版社，1996年11月）中冊，頁1026-1028。

8　民國十二年四月，梁啓超撰有〈松坡圖書館勸捐啓〉云：「今在京師設立兩館，藏書及管理法，規模粗具，閱覽者亦日起有功，惟才力綿薄，所集基金，不足以資維持擴充之用，深懼基礎不牢，有負委托，用敢將現在辦理情形及將來計畫，撮舉涯略，敬告邦人諸友，庶仗群力，共襄厥成」，同年六月二十日又有〈松坡圖書館記〉云：「顧以時事多故，集資不易，久而未成，僅在上海置松社，以時搜購圖籍作先備，十二年春，所儲中外書既逾十萬卷，大總統黃陂黎公命撥北海快雪堂爲館址」。可見財力不足，是松坡圖書館主要問題。

9　見年譜頁661，民國13年7月2日條，頁711，民國15年10月10條。

給，俾得竟

鈞座始終成全之意，而館中得此祕笈，其于獎勵學業，亦更收風行草

偃之效！若蒙

俞允，俟奉

批後，當飭館員前往祇領，敬謹儲藏，不勝感激待命之至！謹呈

臨時執政

　　　　　　　　　　　　松坡圖書館館長梁啟超

　　　　　　　　　　　　中華民國十四年三月　　日

由這份梁啟超寫給段祺瑞臨時執政的簽呈，一方面可知作為新籌設的松坡圖
書館，曾得到官方公開署名支持，另一方面，楊守敬藏書在民國七年
（1918）由國務院撥一半給松坡圖書館，這裏得到了可靠的證實。因此，吳
天任《楊惺吾先生年譜》所謂「徐總統以一小部分藏書撥歸松坡圖書館，序
稱在己未，即民國八年，而小傳則云七年冬，亦見歧異」之疑問，[10]以及趙
飛鵬《觀海堂藏書研究》同樣的疑問，[11]當可渙然冰釋矣。

　　至於「國務院前批撥松坡圖書館之楊氏藏書，其未撥之部」，究竟儲存
於何處？吳天任《楊惺吾先生年譜》〈中華民國八年先生卒後四年〉條說出
了線索：「先生之觀海堂藏書，以傅沅叔介鬻諸政府。本年總統徐菊人世昌
以部分藏書撥交松坡圖書館，其餘儲於集靈囿，後又撥歸故宮博物院圖書
館，公開閱覽」。

　　我們關心的，梁氏上這分簽呈的效果，究竟能否如願「全數領取」？趙
飛鵬的研究告訴了我們真相：「此後，故宮所藏的觀海堂舊籍，一直與故宮
文物同行止，直至大陸淪陷，渡海來臺，至今仍妥善保存于故宮的善本書庫
中。」[12]

　　楊守敬藏書係於 1915 年由北洋政府以七萬餘元購得，1918 年以約十分

10　吳天任《楊惺吾先生年譜》（臺北：藝文印書館，1974 年），頁 168。

11　趙飛鵬《觀海堂藏書研究》（臺北：漢美圖書公司，1991 年），頁 75。

12　同注 11，頁 76。

之五六撥給松坡圖書館。[13]松坡圖書館能獲贈當代著名學者楊守敬（1840-1915）[14]的圖書收藏，是幸運的，蓋楊氏藏書豐富，光從日本搜購回國的古籍珍本就達三萬餘冊，[15]這對新成立圖書館而言，是一項難得的收藏契機。至於，楊守敬的收藏數量倒底有多少呢？趙飛鵬根據周駿富、莊文亞、那志良、吳哲夫以及臺北故宮庫房趙先生的資料顯示，藏於故宮的楊氏之書，約近一千六百部，計有一萬五千五百冊上下；[16]又引蔣復璁的說法，以為「大部分舊抄本撥交故宮，刊本則分給松坡圖書館」。[17]1929 年 1 月，梁啟超在北京逝世，以後松坡圖書館就沉寂了。1949 年春，松坡圖書館合併到國立北平圖書館，同年 8 月 31 日，北平市軍事管制委員會、文化接管委員會接松坡圖書館並悅心殿，將其改為北平圖書館分館，並於 9 月 1 日開館，公開

---

[13] 參見鄔華享、施金炎編《中國近現代圖書館事業大事記》（長沙：湖南人民出版社，1988 年 12 月），頁 28，1918 年條。

[14] 謝承仁〈楊守敬先生辨正〉一文依據《鄰蘇老人鄉試硃卷》原稿，斷定楊守敬生年為清道光二十年庚子四月十五日丑時（即西元 1840 年 5 月 16 日午夜後一至三時），卒年為民國三年甲寅十一月二十四日寅時（即西元 1915 年 1 月 9 日夜三至五時），享年七十六歲，而各種工具書多沿襲楊守敬自撰年譜或陳三立撰墓誌銘之說，以致生卒年月有參差，頗不一致，謝文矜慎嚴謹，指出傳統致誤之由，可為確論，是最大貢獻。該文現收入謝承仁主編《楊守敬集》（武漢：湖北人民出版社、湖北教育出版社，1997 年 6 月）第十三冊。

[15] 謝承仁在《楊守敬集》（武漢：湖北人民出版社，1988 年 4 月）第一冊總序指出的統計，引用楊守敬給友人黃蕘的信，說他的藏書有「幾十萬卷，其中秘本幾萬卷」，有不少為唐、宋、元古鈔本和不見各家著目的宋、元舊版醫書等。另梁啟超題跋清光緒二十七年宜都楊氏刻本不分卷《留真譜初編》有言：「楊君收藏稱當代第一，其遺籍今在國務院，久恐為大力者負之以趨，惜不見續編也，戊午六月初六日」（據《梁氏飲冰室藏書目錄》，《飲冰室文集》所引文字略有出入），按此跋文，戊午六月初六日為民國七年七月十三日，與本簽呈言「七年春間，國務院所儲故紳楊守敬藏書交館存貯」，時間接近，頗疑應在題跋《留真譜初編》之後，梁氏此處，言「七年春間」，或有誤記季節耶？此段跋文亦可見梁啟超對楊守敬藏書的重視。

[16] 同注 11，頁 77。趙飛鵬自推斷總數應為二千九百二十四部，但他又無大把握，以為仍須調查清理才能為準。

[17] 這是轉錄阿部隆一《中華民國國立故宮博物院藏楊氏觀海堂善本解題》自序，見同注 10，頁 85。

閱覽。[18]設在北京的松坡圖書館也就銷聲斂跡，成爲歷史名詞了。

　　另外在 1942 年，蔡鍔將軍的家鄉湖南邵陽各界知名人士、海外僑胞
150 人募捐贈書，創辦松坡圖書館，[19]但論規模與收藏，均不如梁啓超在北
京時的影響；於是在 1986 年 11 月 8 日，邵陽市各界人士 1500 多人舉行蔡
松坡逝世 70 周年紀念會暨松坡圖書館復館儀式。[20]

　　最後，要再提供一紙資料，作爲本文的結束。

　　　示悉。簡章十三條嗣約五條全部同意。　　敬復
　　松坡圖書館籌處諸公
　　　　　　　　　　　　　　　　　　　　　　　啓超　一日

　　這封簡易回函沒有詳細日期，只書「一日」，年月已經無法考查確知，
由內容則知是梁啓超給松坡圖書館籌備處委員們草擬簡章的同意答覆，可惜
設在北海的松坡圖書館已消失，簡章十三條等詳細內容在今日就不易找到
了。

---

[18]　同注 13，頁 99，1949 年 8 月 31 日條。
[19]　同注 13，頁 84，1942 年條。
[20]　同注 13，頁 430，1986 年 11 月 8 日條。

【舉隅八】

梁啟超駁斥日本人謊言而撰擬《順天時報》啟事

　　北京大學圖書館善本室收藏名人書札、日記、文稿，數量豐富，且多數未曾發表，史料價值自不待言，過去天津古籍出版社曾出版發行過一部分，但老實說，不過是鼎中一臠而已，未足以反映其精萃。

　　筆者在北大善本室讀到一篇梁啓超所寫的文稿，由於是梁氏的親筆手跡，而且未見於現存《飲冰室合集》，顯然未曾公布發表，透過這一篇文字的整理與解讀，使吾人更明白其人名滿天下，稱譽有之，謠喙亦隨之的一個縮影，同時也反映了民國政局的多變詭異、光怪陸離之現象，以及他個人私生活的一個側面，因此這篇文稿的史料價值也就很顯然了。

　　原稿題目爲〈梁啓超對于順天時報啓事〉，現在原文引錄並釋介如下（粗黑楷體，爲梁氏文稿原文）：

　　我不知因什麼事得罪了日本人所開的《順天時報》，無端接二連三跟我開起玩笑來！
　　最可恨是他咒我的夫人死了！我的夫人自正月以來患重病，我正在憂關得很。但該報說我在南京講學時夫人已死。我在南京講學，是兩年前事，那時我夫人正從外國回來和我在寧、滬一帶同游哩。該報早不說晚不說，偏在他病重時來咒我，真不知道他什麼心肝！

案：《順天時報》是 1901 年 10 月間在北京由日本人所創辦的報紙，也是北京政權袁世凱公餘專看的報紙，[1]可見此報在北京政界具有一定的影響力。據丁文江、趙豐田所編《梁任公先生年譜長編初稿》（以下簡稱《梁

---

[1]　千家駒《千家駒讀史筆記》（美國：八方文化，1992 年 3 月初版），頁 189。

譜》），梁啓超自民國十一年八月起至南京、上海、蘇州等地講學，迄於民
國十二年元月中旬因病始返津寓所，前後共約有半年之久，「我在南京講
學，是兩年前事」一語，當是指這個時期；由此可知，此篇〈啓事〉自當寫
於民國十三年，至於在哪月，詳後考證。另梁夫人患重病時，梁啓超曾將學
校講學及摯友稿約一律都暫停，[2]這對於有著述狂熱的梁氏而言，是件極重
大的決定，可見他內心的哀痛了。所以，他說「我的夫人自正月以來患重
病，我正在憂關得很」，可是實然寫照。而「該報早不說晚不說，偏在她重
病時來咒我，真不知道他什麼黑心肝！」一語，梁氏之憤怒在此溢於言表，
也就可以理解了。

> 該報又說我和什麼女人有關係。我本來不是什麼道學先生，並不是
> 「生平不二色」。最可怪者，他所說那女人的名字，我就根本不知道
> 世間上有這個人！

案：梁氏本是情感豐沛的人，由他在夏威夷與華僑女子何惠珍相戀之浪漫情
懷及納王桂荃爲妾，[3]即可知他並不諱言其鍾愛女子的情愫，所以他說他
「並不是生平不二色」。至於《順天時報》到底說什麼緋聞，令梁啓超如此
憤怒呢？前既認定此〈啓事〉當寫於民國十三年，循此線索，筆者不憚其煩
找到當年八月三日的《順天時報》，在第七版有篇攻擊梁啓超的報導，詳讀
其文，正是指此事，其標題曰〈梁啓超也實驗自由戀愛〉，爲使讀者明瞭其

2　如民國十三年八月十八日給蹇季常的信說「內子病頗劇，醫有難色，心緒惡劣之至，
　日內或再入京，校課擬暫停矣」，《梁譜》未收錄此信，原件現藏北京大學圖書館善
　本室。同年九月五日給張元濟及高夢旦的信也有如此的話：「內子病瀕危，心緒不
　寧，不能執筆爲館效力」，見《梁譜》頁662引。

3　梁啓超與何惠珍女士相戀及納妾事，詳見近人張朋園〈梁啓超的家庭生活〉（收入
　《近代中國歷史人物論文集》，臺北，中央研究院近代史研究所，1993年6月出
　版），第二節婚姻生活。另梁思寧〈梁啓超的夫人——懷念生母王桂荃〉一文對於王
　桂荃女士如何進入梁家的經過及在梁家所扮演之角色，有詳實的描述，見《名人學者
　憶母親》（北京，中國人民大學出版社，1991年4月第1版），頁77-85。

攻擊梁氏之具體內容，有必要將此日的報導別書〈附錄一〉於文末，以供參閱。至此，吾人可以進一步明確啓事當寫於民國十三年八月。

> 我向來是不看《順天時報》的。我的朋友看見了，氣急了，存來寄給我，說非起訴不可。我聽見了伸一伸舌頭，說道，「挂洋牌的報館，尚且沒有人敢惹了，何況貨真價實的洋大人生意，我們敢向太歲頭上動土嗎？算了罷。況且天下同姓名的人盡有。記得去年還有一位『梁啓超』在《黃報》上投了幾萬字的稿暢談時務，我寫信去止也止不來，只得在《晨報》上登廣告說不是我這個梁啓超做的罷了。」

案：既已確認啓事寫於民國十三年八月，此言去年《黃報》及《晨報》事，時間當時民國十二年，筆者仍嘗試查閱當年之《晨報》，果然在五月五日《晨報》第二版有一則〈梁啓超啓事〉，其文曰：

> 方才聽說這幾天《黃報》登有一篇研究直奉關係的文字署名梁啓超的，真是詫異極了！也許《黃報》的記者竟是奇巧的與我同姓同名，但在現今這樣無奇不有的社會裏，什麼事都發現，所以我想對于那篇署名梁啓超的大文，應得有個聲明：
> > 要聲明的是我——廣東新會的梁啓超——絕對不是那篇文字的作者；我近年不做研究現實政局的文字；
> > 我從來未曾有投稿《黃報》的榮幸。
> 我也已有信給《黃報》的主筆，請聲明那篇文字的來源，若然是有人故意借用我的名字，我只有請《黃報》的主筆對我完全負責。五月三日[4]

至於在《黃報》上署名梁啓超暢談時事，我也查出係為民國十二年四月廿九

---

[4]　見《晨報》縮印本，1923 年 4 至 6 月合訂本，北京大學圖書館期刊室收藏。

日起，迄於五月三日止，一連五天在第三版所登的〈觀察各方面對于戰事上之趨勢並處置時局之私議一則〉之長文，[5]梁啓超所謂「寫信去止也止不來」之意，當是《黃報》正將長文登載中，梁啓超有信去聲明絕非他本人所寫，但《黃報》仍然將冒稱梁啓超者之文登完；而梁啓超在《晨報》上所登廣告「已有信給《黃報》的主筆，請聲明那篇文字的來源，若然是有人故意借用我的名字，我只有請《黃報》的主筆對我完全負責」云云，我也查出確在民國十二年五月五日，《黃報》以〈來函照登〉方式處理之，茲抄錄於後：

> 《黃報》記者先生
>
> 　啓超在西山休養，友來報以曾見貴輯載有梁啓超論奉直文相問，頗發駭笑。啓超年來不言政，不作政評，更無論投稿貴報，焉得有此？若謂貴館作者適有與啓超同名者，則啓超不敢纂其著述之美，敬勞記者先生惠印此函，並另作聲明，以釋誤會。然如有藉托情事，則貴館應負相當責任，考澈來源，以杜絕作偽之嘗試。廣東新會梁啓超

緊接著，有一段記者的說明附後：

> 　按本報日前來件欄內登載〈觀察各方面對於戰事上之趨勢等處置時局之私議一則〉，[6]投稿者確係署名梁啓超，並另附一函，要求本報將此稿刊登亦用梁啓超名，此君究竟是否為新會之梁任公，本報實無從證明，茲據新會梁啓超君來函聲辯，則前稿當另為一人所作，不過此函所蓋之私章（印文為梁啓超印四字），頗類臨時雕刻之木戳，究竟是否為梁任公之親手筆，本報無從證明

5　這篇連載五天的長文，筆者查出《黃報》確是署名「梁啓超」，因文章很長，不必一一引錄，有興趣自可查閱當時報紙。《黃報》在北京大學圖書館亦有收藏。

6　此處「按本報日前來件欄內登載〈觀察各方面對於戰事上之趨勢等處置時局之私議一則〉」之「等」字，應為「並」字之誤，想係當日報紙校對不仔細所致。

也。

《順天時報》登了那段怪話之後，過兩天，他卻自動的更正起來了。說是有人恨我，造我謠言。但他又有新的新聞了。說我要做政治活動，在中外同歡社大請其客，大推其牌九，車馬盈門，有某某長官在座！

案：《順天時報》在八月三日登了〈梁啓超也實驗愛情〉（原文見〈附錄一〉），次日（即八月四日）又登出了〈梁啓超被報紙攻擊之眞相〉（原文見〈附錄二〉），即是梁氏所說「過兩天，他卻自動的更正起來了」，但梁氏說「過兩天」顯然是誤記，應是「次日」才是。至此，吾人已能確定〈啓事〉文稿應當寫於民國十三年八月四日以後。

哈哈！到底洋大人手下的嘍囉不弱，消息真靈通！果然我幾日前是在中外同歡社請客。但可惜他沒有打聽客單。原來那日我請的客是德國的林達博士，因為在歐戰時候，他保護中國留學生最盡力，我游歷德國時，他又很招呼我。他這回來華，我雖然碰著家裏有病人，也不能不請他一請。急忙忙只請得兩位陪客，都是從歐洲新回來的青年朋友。可惜該報訪事認錯人了。

案：梁啓超遊歷德國共歷一個月，自民國八年十二月十日起（見《梁譜》頁554），亦是其人以個人資格歐遊計畫的一部分。考梁啓超遊歐自民國七年十二月廿八日啓程，抵英國，赴法國，歷比利時、荷蘭、瑞士、意大利後，復返巴黎，再出發遊德國等，迄於民國九年一月下旬搭船返國。所以，此處言「我遊歷德國時，他又很招呼我」一語，當是指民國八年十二月十日起遊德國時。梁啓超遊歐歸返後，曾著有《歐遊心影錄》一書，但可惜此著作未完全寫完，所以林達博士如何在德國招待梁氏，只在這裏留下一個名號而已。

我這位「不道學」的人最愛頑，五塊錢一底的麻雀，每禮拜總要打一兩場。（但我的窮朋友打不起，近來已改為兩塊錢一底了）至於牌九怎樣打法，可惜我學問淺，還沒有懂得。

案：梁啓超愛打牌，是他休閑生活極重要的一部分。前述梁啓超自民國十一年八月赴南京、上海各地巡迴講學，迄於民國十二年元月因過勞累而返津休養，他給女兒的信有幾個月戒講演，「打算專門寫字和打牌」的話，[7]往後幾年，他經常與好友蹇季常、黃溯初等人打牌，所以此處言「每禮拜總要打一兩場的牌」，應是事實。[8]

做政治活動，並不是什麼見不得人的事。但該報說我在這時候做政治活動，而且以請總長推牌九叫做做政治活動。別的話無可說，我只有抄吳稚暉一句成語「簡直拿人不當人」。我一年到頭受這類「無奇不有」的謠言，也不知幾多次。本來懶得理他。因為近來天天在病榻旁邊，不能做正當功課，寫幾句散散心罷。

案：原稿到此為止，係用標準紅欄框信箋以毛筆寫成，計有五頁，加上蹇季常的批語，共計六頁，文句段落分明，條理暢達，已如前述。由文稿末尾蹇氏的批語：

此稿無聊之極，我扣留未登報，亦保全其名譽之一，若家子弟知之否？季。

則知，此稿從未發表，由語意可推知梁氏寫完此稿，擬在報紙公開登載，先送交好友蹇季常過目，但蹇氏認為不妥，以為「無聊之極」，故「扣留未登

7　見《梁譜》頁 634 引民國十二年一月十五日與思順書。

8　關於梁啓超打牌之興致與如何邀約朋友相聚之種種，可參閱本書《歷史的另一角落：檔案文獻與歷史研究》內〈你所不知道的梁啓超〉一文。

報」，所以後人也就不知梁氏曾爲《順天時報》事而操筆闢謠了。

　　這篇〈梁啓超對于順天時報啓事〉寫於民國十三年八月四日以後（距八月四日應不會太久），經歷過軍閥割據戰端、七七對日抗戰與國共內戰，以及十年文革動亂的浩劫，如今在八十二年後的今天（2006 年），竟仍墨色光亮煥然，完好如新，我經眼摩挲多日，深有所感，在欣喜之餘，將之注釋公布，以爲治近代史學者參考云，並志何其有幸飽此眼福！

　　原載《北京大學學報》（哲學社會科學版）第 33 卷第 2 期，1996 年 3 月。現收在吳銘能《歷史的另一角落：檔案文獻與歷史研究》（北京：商務印書館，2010 年 6 月），頁 29-37。

【舉隅九】

臺靜農先生珍藏陳獨秀書札讀後記

自中央研究院中國文哲研究所一九九六年六月公布出版臺靜農珍藏陳獨秀書札迄今，倏忽六年已過，學界對此豐富材料，竟未能充分利用於學術研究，[1]遂至這批史料閒置一旁，殊為可惜。為了不使這些留存不易的史料閒置無聞，筆者先有〈臺靜農先生珍藏陳獨秀手札的文獻價值〉之作，其後本想續寫〈臺靜農與陳獨秀〉文章，以明二人非比尋常交誼，正擬提筆撰寫之際，夏明釗先生先寫出同題之作發表，已完整說出臺、陳二人關係，因此此題可以不寫，只有對夏文不足之處，提出商榷，寫成〈關於陳獨秀自傳寫作時日辨正〉短文。[2]最近完成《臺靜農先生珍藏書札（一）》（以下簡稱《書札（一）》）試讀的注解工作，有必要在此略談一己心得，並澄清其日期編序的疑問與學界研究陳獨秀的疏失，以對這些留存不易史料起著研究引玉之作用。

關於幾封時間待斟酌的書信

細讀這些歷史材料，可知《書札（一）》的編輯小組很用心，除了依序將陳獨秀留下的一百餘封信件按年月日順序完整排列，有信封亦不放過照錄刊登，先引〈編後記〉的一段文字：

---

[1]　迄今所知，只有大陸學者鍾揚與夏明釗使用這些材料寫成文章，臺灣學者無人注意這批文獻的重要性。參見拙作〈臺靜農先生珍藏陳獨秀手札的文獻價值〉，《古今論衡》第 8 期（2002 年 8 月），頁 19。本文校稿期間，2002 年 9 月初，接獲安徽大學歷史系沈寂教授來函提示，靳樹鵬對《書札（一）》其中的信和詩有所介紹，而香港學者陳萬雄在 1997 年 12 月 6 日的《文匯讀書周報》上發表〈臺靜農與晚年的陳獨秀——讀《臺靜農先生珍藏書札（一）》〉。對於沈寂教授提供訊息，不敢掠美，特申謝意。

[2]　吳銘能：〈關於陳獨秀自傳寫作時日辨正〉（臺北：歷史月刊，2002 年 8 月）。

唯原件所署，有月日而無年次，其中雖半數有先生所編號碼，卻僅屬
流水號，並無先後次序，幸信封雖與信函分開放置，而大多完好，編
輯小組乃據信封上所署之日期、郵戳、地址及信札內容逐一核對，以
編次年月，除少數有信封而無信函，或有信函而無信封者外，絕大部
分皆能按日期編次。其不能確定者五封，則附於後。

除書札之外，又有詩文一卷，乃先生將陳氏歷次寄贈之詩文黏貼而成
者，又有陳氏為先生所書「一曲書屋」橫額一幅、贈先生及其尊翁之
中堂、對聯各二幅，以及陳氏贈與先生之自傳手稿，一併附此刊出。

這段說明很重要，不但扼要介紹編序信函所花下的心血，同時對陳獨秀留下
至今的史料種類，也可略知其梗概。現在針對信函「其不能確定者五封」，
嘗試提出個人淺見，就教於高明。

第一封信函（《書札（一）》頁 248），僅書九月四日，由信件內容，
找不出可資確據線索，無從繫年。

第二封信函（《書札（一）》頁 250），展讀內容，其中有「聞西南聯
大已有一部分遷至白沙」一語，今查《國立西南聯合大學校史》1940 年 11
月第 161 次常委會決議條云「成立敍永分校，請楊振聲任分校主任」，則知
此信當寫於民國廿九年十一月之後；又審視內容，其中提及「陳館長已有回
信來，謂拙稿不日即寄上海商務印書館付印；望二兄撥冗加速校正完竣，以
便其早日寄去，是為至禱」等語，對照民國廿九年十一月十六日信函（《書
札（一）》頁 67），有文字云「拙稿何日始能寄出付印，寄滬抑寄港，均
求即速賜知」，正好可與此信銜接，因此書寫日期當在民國廿九年十一月十
六日之後不久。

第三封信函（《書札（一）》頁 251），先看民國廿九年十一月廿三日
陳氏致臺氏書信，其中有言「拙稿經建功兄校正，有所修改或加注，為益實
多，惟後半尚未見有疑問示下，想尚未校竟，甚望能早日校竟，以便早日交
陳館長寄出付印」（《書札（一）》，頁 73），再看此信亦云「農兄五日
手示及拙稿二冊，均已由仲純兄轉來，陳館長已有回信云稿寄上海付印，農

兄來示謂寄香港印，不知究竟在何處印？前建功兄所問各條，均已答復寄上，不知收到否？象人行動以下，建功兄尚無問題寄來，已無問題耶，抑尚未校正完竣也？弟極盼此稿能早日交陳館長寄出付印，如何，尚希示知」，正是指同一件事而言，由此可見，這封信當寫於接近民國廿九年十一月廿三日前後不久。又此信言「陳館長已有回信云稿寄上海付印，農兄來示謂寄香港印，不知究竟在何處印」等語，與上（頁 250）言「陳館長已有回信來，謂拙稿不日即寄上海商務印書館付印」云云，內容多銜接相關，亦足證實為同一時期。

　　第四封信函（《書札（一）》頁 252），內容僅有兩條《小學識字教本》稿的修改意見，似難以斷定書寫日期。可是，也不是全無線索，原來民國二十九年十月十九日的書信（《書札（一）》頁 65）有《小學識字教本》稿丰字條修改意見：

> 解說之末請加如下一段：「《說文》封字，籀文從丰作𡎐，金文亦
> 從丰，古言封豕（見《左傳》）、封狐（見《離騷》）、封牛（《爾
> 雅》作邦牛，《漢書・西域傳》作封牛，師古曰：封牛項上隆起者
> 也），義皆為大，丰盛義之引申也。今語浙江呼大豬曰幫豬，即《左
> 傳》之封豕；蜀語謂甚重、甚硬、甚臭，曰幫重、幫硬、幫臭，字皆
> 為封，亦即丰也。古無輕脣，封讀如邦，東、冬、鍾韻字，古多讀如
> 江、唐韻；故從丰之邦在江韻，從封之幫在唐韻」。

將這封信丰字條修改意見置於上封信之後：

> 「蜀語謂甚重、甚硬、甚臭，曰幫重、幫硬、幫臭」之下，加「吳語
> 亦云幫硬，粵語曰硬幫幫」十二字。

正好接得上意思，由此明顯這封信是寫於民國二十九年十月十九日之後無

疑。[3]

第五封信函（《書札（一）》頁 253），原件係以粗草紙書寫，有揉成一團再攤開壓平痕跡，中間有破洞，文字多漫漶殘缺，尤其是首尾不見文字，不能卒讀完整意思，尤增辨識困難。試尋線索，有《小學識字教本》稿丽字條修改意見：

> 「皆取義於丽……亦由此引申」，改為「麗離皆丽之同音假借，象門窗刻穿花紋，美觀而透明也，用麗為華麗、美麗字，即由此引申」。
> （原小字注：此條即前已寫上，亦望照此文校一下。）

在民國三十一年三月六日（《書札（一）》頁 208）亦有《小學識字教本》稿丽字條修改意見云：

> 「麗廔或作離婁、離樓，皆取義於丽、离與婁之有空處透明也」，改為「麗廔或作離婁、離樓，丽、离皆丝之同音假借，丝象門窗刻穿花紋，美觀而透明也」。

兩相對照，再舉現今完整的《小學識字教本》麗字條參考，其部分文字為：

---

[3] 承論文審查人指教，以為民國二十九年十一月廿日（《書札（一）》，頁 70）亦有《小學識字教本》稿丰字條修改意見云：

(1) 丰字條　前所加之下即「從封之幫在唐韻」之下，再加如下一段：丰又孳乳為蚌、為胖（肥胖字篆應從丰作𦤀，即《玉篇》訓脹之◎，不應從半，《說文》胖訓半體肉，〈內則〉注云：胖謂脅側薄肉；不應有肥大之義。），變易為弸，《說文》訓弓彊貌。

因此，論文審查人主張《書札（一）》頁 252 的日期當置於民國二十九年十月十九日至民國二十九年十一月廿日之間云。筆者以為，《書札（一）》頁 70 與頁 252 兩封書信日期固然皆置於頁 65 書信日期之後，但沒有證據判斷兩者日期孰先孰後，故仍持保留態度。

麗廔或作離婁、離樓，麗、離皆𢆶之同音假借，𢆶象門窗刻穿花紋，
美觀而透明也，用麗為華麗、美麗字，即由此引申。[4]

顯然以此信與今本《小學識字教本》文字相同者較多，但民國三十一年三月
六日的修改意見亦多文字相同者，似乎兩信寫作時間相差不遠？而幸運地，
在此信麗字條修改意見下有寫雙行小字注云「此條即前已寫上，亦望照此文
校一下」，這就說明此信寫在民國三十一年三月六日之後不久，因此小字注
云「此條即前已寫上，亦望照此文校一下」，才有著落，而且兩信修改意見
是如此相像才解釋得通。

　　以上五封信函，除第一封之外，其餘都能大略確定書寫時間，理由有如
上述。另外，有兩封信經筆者仔細研究推敲，確定有誤，在此亦要提出更
正。

　　其一是民國廿九年七月十日的信（《書札（一）》頁 45），此信編者
植入民國廿九年，誤也，當為民國三十年才是。考魏建功於七月十九日有一
信給陳獨秀，其中有云「日前先生與靜農函，論及古音陰陽入分類問題，先
生所言亭林之誤，一語破的」，正是回覆此信內容而言，接著對古音陰陽入
分類的意見，魏建功有長篇議論，在此就不一一具引。[5]魏氏此信未標示年
份，僅有日期，但值得注意者，由信中「惜玄同先師物故已兩閱寒暑」之
言，經考知錢玄同（1887-1939）於民國廿八年逝世，故魏氏此時信函當寫
於民國三十年。再者，當時臺靜農與魏建功同任職國立編譯館，兩人交情深
厚，彼此互看陳獨秀的來信，乃經常的事，於是陳獨秀有時寫信將兩人姓名
並列，如民國廿九年十一月十六日（《書札（一）》頁 67）、民國三十年
一月九日（《書札（一）》頁 100）、民國三十年八月廿日（《書札
（一）》頁 142）、八月廿七日（《書札（一）》頁 144）、九月五日
（《書札（一）》頁 145）、九月卅日（《書札（一）》頁 153）、十月中

4　陳獨秀：《小學識字教本》（成都：巴蜀書社，1995 年 5 月），頁 160。
5　魏氏此信收入《魏建功文集》（南京：江蘇教育出版社，2001 年 7 月），第參冊，
　　頁 398 至 400。

秋日（《書札（一）》頁 155）、十月八日（《書札（一）》頁 159）等皆
是。

其二是，民國三十年十一月三十一日的信（《書札（一）》頁 175），
編者以爲陳氏筆誤，當寫於十一月三十日，似乎是言之成理，因十一月無三
十一日也。然而，細觀此信內容，起首云「韻表六份收到，即於卅日匆復一
函」，翻檢前一日（即十一月卅日，《書札（一）》頁 173），正有爲此事
回覆的信，因而陳氏次日寫此信，當爲十二月一日才是。何也？因爲另在十
二月一日（《書札（一）》頁 176）陳氏再寫第二封信，書有「又啓　十二
月一日」字樣。如果此信眞如編者所訂爲十一月三十日，則十二月一日信函
書有「又啓」二字就無法理解。

關於陳獨秀貧病交迫的看法

一般研究陳獨秀晚年，論者大多提及他既貧窮且多病的生活，以加強其
潦倒失意的窘況。的確，以陳獨秀一生豐富多彩的經歷視之，他早年赴日本
參與籌畫反清革命運動，民國建立後，創辦《新青年》雜誌，鼓吹新思潮，
又被蔡元培拔擢爲北大文科學長，成爲以北大爲中心陣營的新文化運動領袖
人物，而他又是中國共產黨創黨元老，曾經一連擔任五屆中共總書記，其社
會聲望眞是如日中天，不可一世！晚年他沒有固定工作，既被中共開除黨
籍，又先後坐國民黨五次的黑牢，只以賣文維生，發表自己見解，獨立不
遷，度過風燭殘年。因此許多研究者提到陳氏晚年，都是以貧窮且多病的形
象，這固然是與其年輕鋒芒畢露相較而言，不無道理，由書信內容及後人口
述追憶觀之，也的確如此。

不過，研究者多忽略一項事實，處於陳氏晚年同時代的學者，貧窮且多
病的生活，乃是普遍現象，不獨獨陳氏如此，由書信可知，魏建功、臺靜農
亦經常生病。再試以王振鐸流亡雲南昆明的日記爲例，我們看到當時學術界
的領袖人物，正處在抗戰時期的西南大後方，物質條件極差，營養不佳，生
病者大有人在。如民國廿九年一月五日的日記，王振鐸描述陳寅恪的生活如
此：

> 陳寅恪身體太弱了，每日食飯只用麵條，及少許麵包，茶是不吃的，
> 麵條是非煮得爛熟不能吃，他對廚子說：我最恨的是煮得這麼硬！

同年一月六日記載：

> 到了李濟之、董作賓、梁思永的家，才知道他們住的是一座破落了的
> 回回人的家，均在樓上，破爛不堪。

至於顧頡剛有一段時間病得很嚴重，王振鐸在民國廿八年六月四日的日記寫
道：

> 赴頡剛家，交童君致顧信。顧先生病了。我回來請閻嚴大夫來看病，
> 志屏也去了。

六月十八日顧頡剛仍然沒有好轉，繼續寫著：

> 赴頡剛家，他還是病著；雁堂、守和都來此。在路上遇元昭及容琬小
> 姐。他們都是去顧家的。

六月十九日又說「七時許，我去頡剛家，他的病仍未好，顏大夫給他看了
看」，次日又「早去顧家送藥」。[6]此外，向達在民國三十二年年底寫給魏
建功的一封信，提到自己在李莊生活「亦復焦頭爛額，油鹽柴米俱成問題，
精神委靡之至」的困窘狀況：

> 建功仁兄先生侍右：白沙一晤，極慰下懷。弟於十七日至江津往晤內

6　以上所引資料，俱見李強整理：〈王振鐸流滇日記〉，《中國科技史料》，1996 年
　　第 17 卷第 2-3 期。

院呂秋逸先生，十八日即赴渝，二十、二十四兩晤士選兄，曾將吾兄及嫂夫人事轉達，請其留心，赴印一節亦曾設道，結果如何，則不得而知矣。中大情形甚亂，沙坪壩去過兩次，不敢道問，余以人地生疏，更無所知，有負所托，慚愧之至！十月廿九離渝，當夜宿白沙，以昏黑未及奉訪，卅一日抵李莊，至今一月，終日昏昏，赴西北事既成進退維谷之勢，個人方面亦復焦頭爛額，油鹽柴米俱成問題（原注：幾至斷炊），精神委靡之至，遲遲上聞，唯乞有以諒之，幸甚，幸甚。遷居白沙固所甚願，上月中沈魯珍來信房屋有辦法（原注：沈君謂貴校在離鎮半里許，租有房屋，樓房三正間、一小間，帶廚房，大約兩家合住，可以相讓，唯未提租金，不知如何），條件則為每周講演兩次，此無甚不可。唯遷至白沙，最少非八千莫辦，此刻何從得如許鉅款？只有函傅孟真，請其在考察經費中借一萬元，然此無異於向虎口中討食，成否只有天知道耳！又白沙近來物價，便中乞示知一二，以作參攷，至為感盼。勞貞一《居延漢簡考釋·釋文之部》已石印成書四冊，定價二百五十元，唯並未影寫，又石印極壞，復無考釋，未免可惜也。卒聞　不盡一一　即叩

著安　並祝

潭禧　　　　　　　　　　　　弟　向達拜啟　十二月二日

靜農兄處並乞代候為幸[7]

尋繹復信內容，應是魏建功勸請向達遷居白沙，但以日用生活維持不易，一動不如一靜，且向達對物價波動特別敏感，故信中也希望魏建功留意「白沙近來物價，便中乞示知一二，以作參考」。以上文字，可以想像當時貧困艱苦的日子，應是一個通例。何以如此？因物價騰貴高漲，知識分子的收入往

---

[7]　見程道德主編：《二十世紀中國文化名人墨跡》（北京：北京出版社，2000年），頁144。此信筆者所以定為民國三十二年所寫，乃因內容提及勞貞一《居延漢簡考釋·釋文之部》已石印成書四冊出版，經查出版時間為民國三十二年，出版地點又在李莊，向達因此能知悉甚詳。

往無法維持生活基本開銷。另由民國廿九年十二月廿三日陳獨秀給楊朋升的一封信，最能反映他在經濟壓力下的心境：

> 數月以來，物價飛漲，逾於常軌。弟居鄉時，每月用二百元，主僕三人每月食米一斗五升，即價需一百元，今移居城中，月用三百元，尚不及一年半前每月用三十元之寬裕，其時一斗米價只三元，現在要七十元，長此下去，實屬不了！昨接成都省立傳染病某醫生來書，據云成都除房屋人工外，其他食用物價較重慶猶高昂，弟因此料想兄處，月非五百元不能維持，或恐不只此，而收入未必有此數，弟尤為困難，不審何以應付之？擬否另設他法謀生，便中乞示一二，以免關懷。[8]

次年十一月廿二日給楊朋升的信又說：

> 此時弟居鄉亦月需費用六百元，比上半年加一倍，兄竟至多我數倍，如何可支？為兄計，唯有出外做官（只有縣長或管理糧食之職務，可以發大財），及移家出川（黔、湘、桂之生活費都比川省要少一半）二策。以弟之年力，此二策均不可行，惟有轉乎溝壑已耳！[9]

據此則知，由民國廿九年六月十五日[10]到民國三十年十一月廿二日，短短不到兩年的時間，物價如此劇烈波動，宜乎生活艱困，維持不易。

　　如果真要理解陳獨秀生活困窘，也許由信封上可以看出。陳氏生活極為

8　見水如編：《陳獨秀書信集》（北京：新華出版社，1987 年 11 月），頁 510。

9　同上，頁 521。

10　陳獨秀晚年以羸弱身軀，處於日軍戰機轟炸聲中完成《小學識字教本》下卷字根、半字根部分後，在歷盡艱困支撐之餘，不無感嘆「法幣如此不值錢，即止此不再寫給編譯館，前收稿費亦受之無愧也」。參見民國廿九年六月十五日（《書札（一）》，頁 35）致臺靜農書。

寒傖，在近百個留存至今的信封，有的是以廣告紙剪裁黏貼而成，把印有文字部分摺在裏層，空白可書寫的部分作爲外層；也有的是友人來信的封套，沒有丟棄，他再次拆開反摺，以重複使用。在臺大圖書館特藏室調閱原件，我從他給臺靜農先生的信封上，對著檯燈，撐開信封內頁，發現反摺在封底裏面原先寄給陳獨秀信件的寄信者地址及姓氏，看出他愛惜物資的一個側面。也許這些微不足道的蛛絲馬跡，正可透露他生活上自奉儉樸的訊息。[11]其次，透過信封內頁寄信者對陳獨秀的稱呼，有稱爲「陳石安先生」者，「石安」即「實庵」之同音，彌補後人對陳氏名號考據的不足。[12]可見，原始文件的文獻價值無所不在，端在於研究者如何以敏銳嗅覺予以詮釋。上海吳孟明先生特別提到，「石安」諧音「實庵」，爲本人極重要之發現。

其他猶可商榷的觀點

蕭關鴻編《中國百年傳記經典》，其中說陳獨秀「晚年由武漢而重慶而江津，貧病交纏，意志消沉。有詩云：除卻文章無嗜好，世無朋友更淒涼」，[13]「貧病交纏」倒是眞的，「意志消沉」，則恐是誤讀詩句，不解陳獨秀晚年的心境，也沒有讀出寫作此詩的本事。

唐寶林、林茂生合著《陳獨秀年譜》完整引錄「除卻文章無嗜好，世無朋友更淒涼；詩人枉向汨羅去，不及劉伶老醉鄉」這首詩，[14]將寫作時間訂

---

[11] 陳獨秀重複使用寄信人的信封，是否與晚年生活困窘有必然關係，頗難據以爲必，尚待進一步探究。友人張錦郎先生服務圖書館界，多少年來已養成重複使用讀者填過的借書單及待報銷的卡片紙張，可見愛惜物資的美德，未必與貧窮有必然的關連。

[12] 我找到兩個信封內頁，寄件人地址皆是「上海亞東圖書館」，收件人一寫「江津縣城內黃荊街八十三號陳石安先生收」，另一寫「城內黃荊街八十三號陳石安先生」。唐寶林、林茂生合著：《陳獨秀年譜》（上海：上海人民出版社，1988 年 12 月）首頁說後來由陳獨秀的姓名的諧音或演變，出現過的筆名、別名、化名等，共列舉計有四十五個之多，卻沒有「石安」。

[13] 見蕭關鴻編：《中國百年傳記經典》第二卷（上海：東方出版中心，1999 年 1月），頁 479。

[14] 見唐寶林、林茂生合著《陳獨秀年譜》，頁 531。

爲 1941 年（民國三十年辛巳）7 月，並說「在屈原祭日，送何之瑜、臺靜農、魏建功等東歸，聚飲大醉作詩紀念」，其後被孫文光〈陳獨秀遺詩輯存〉一文完全輯錄，[15]可見影響力；然而，朱文華〈讀陳獨秀遺詩輯存〉一文卻指出，這本是依據川言《陳獨秀詩錄略注》，但該詩末原有「聞光午之瑜靜農及建功夫婦於屈原祭日聚飲大醉作此寄之建功兄」文字，以爲陳獨秀並未參加此次聚飲，孫文光將之完全輯錄，這很容易使人產生語義歧誤，不妥。[16]朱文華的見解是對的。實際上，這首詩在《書札（一）》頁 312 也有，係寫

臺靜農之眷屬入臺之證明文件，顯示日期爲民國 35 年 10 月 11 日（原件藏臺灣大學圖書館）

贈給臺靜農先生，但在詩前，有一段重要的話，其文曰：

　　聞光午、之瑜、靜農、建功諸君於屈原祭日聚飲大醉，作此寄之。

與上述「寄之建功兄」文字大同小異。由兩封書信，可以找到線索說明本

15　發表在 1989 年第四期《安徽師大學報》。
16　發表在 1990 年第三期《安徽師大學報》。

事，其一是 1941 年（民國三十年）端午節當天，陳有信給臺云（見《書札（一）》頁 125）：

> 瑜兄自回聚奎後，未有信來，不知何事忙或有病，乞示知！此祝
> 健康　　　　　　　　　　　　　　弟獨秀叩　五月卅日即端午日

此時（即屈原祭日）陳尚不知何之瑜、臺靜農等人聚飲事，因此有關心問候的文字；臺給陳覆信雖不可得知其內容爲何，但不久之後，六月十五日陳致臺信件（見《書札（一）》頁 129），則可知必定告訴聚飲事，陳以未能參加爲憾，於是在交待好文稿校對事，起首便言：

> 來示已悉。聞兄等痛飲，弟未能參加，頗爲惘然！

陳獨秀乃性情中人，對此立即寫詩抒發一己感懷，是極自然之事，何況他晚年交游不多，這幾位都是他最爲親近的知交，他竟然失之交臂把盞「痛飲」，其心情落寞悵惋，可想而知。

　　由書信內容，陳獨秀對朋友很重情義，民國廿九年春間，臺靜農與老舍去見他，事後他有不勝依戀情懷，難以爲支；[17]同年冬季，他在信上對臺靜農說「弟甚望兄及建功兄新曆年能來此一遊」，[18]又說「兄新移居諸事，想尚未停當，建功兄病恐亦未全復元，來遊城中之舉，諒必推遲矣」。[19]次年，他仍惦記著相見之事，[20]但始終未能一見。一種邀約甚爲期盼相見的心

---

[17] 陳獨秀在三月九日給臺靜農的信上說「兄與老舍來此小聚而別，未能久談爲悵！聞兄返白沙時頗涉風濤之險，甚矣，蜀道難也」，見《書札（一）》，頁 17。

[18] 見十二月十七日信，《書札（一）》，頁 82。

[19] 見十二月廿七日信，《書札（一）》，頁 93。

[20] 民國三十年二月八日信云「兄約於何日能來此，或竟不能來，均望示知」，二月十三日信云「上元已過如許日，諒兄已無暇來此一遊矣」，俱見《書札（一）》，頁 104、109。

情，持續達一年之久，就在信件上屢屢提及何之瑜、魏建功等人的近況，沒想到一直到端午節他們有聚飲事，陳獨秀卻在眼前失之交臂，寧不是一大憾事？必深入書信內容，理解這種前後周折變化之微妙心境，再來讀這首詩，上二句「除卻文章無嗜好，世無朋友更淒涼」，是說明自己沒能參加這次聚會的心情，下二句「詩人枉向汨羅去，不及劉伶老醉鄉」，是想像知交把酒言歡融融之樂，寄語友朋，表達其嚮往臥眠醉鄉之境界。因此，《中國百年傳記經典》的「意志消沉」說法，是不符合事實的。這首詩揆諸情理，應寫於六月，《陳獨秀年譜》說陳獨秀有參加此次聚會，是不對的，將之置於七月，亦稍嫌遲些。[21]

餘　論

一般學者名流手跡出版，大略有三種型式。一是照原稿影印，並附以現代楷體文字對照，懂書法者，可以欣賞到原件的神采韻味，看不懂行草字體者，也能透過現代楷體文字而有所理解。此種型式應是最理想的，但投注的人力與金錢，也最爲可觀。第二種是僅照原稿影印出版，不提供任何楷體文字對讀說明。因此，必須對書法有相當修養者，方不礙閱讀。由此編輯傾向，似乎有一種意圖，能夠品味原件讀者，文化水準本來就高，何必費辭多言？另外一種是僅以楷體文字編排，沒有原件對讀。缺點是讀者看不到原件內容，無法探究其字裡行間不經意筆觸流露的情感，也較不易發現文字句讀的疏失。

中央研究院中國文哲研究所將陳獨秀墨寶依原跡照相出版，係屬於上述第二種型式，本來閱讀出版品即可，何以筆者仍要不憚其煩再閱原件呢？任何文獻的複製品，其紙張的質地與歷史感均不可能與原件一模一樣再現，換言之，「歷史文獻」的複製，最多只能呈現可見的內容，至於研究者對歷史

21　唐寶林後來在 1993 年 5 月〈關於陳獨秀的文字學論著〉（代序）一文，持說「1941年 7 月屈原忌日，陳獨秀等送臺靜農、魏建功東歸聚飲大醉，陳當場作詩紀念日：除卻文章無嗜好，世無朋友更淒涼；詩人枉向汨羅去，不及劉伶老醉鄉」，純然錯誤。見陳獨秀：《陳獨秀音韻學論文集》（北京：中華書局，2001 年 12 月），頁 15。

事件與人物體會的深淺，披閱解析，境界本就有眼界高低的不同。《書札（一）》內容，印刷清晰，可以觀覽無礙，惟陳獨秀書信有時寫得很潦草，寫到信紙邊欄上，如果照原來色澤出版，自然可以毫無疑礙看得一清二楚，可是以黑白照相出版，就產生一個很大問題：寫到邊欄上面的文字與原紅色粗線邊欄混成一團漆黑，讀者已沒法辨識其間文字內容。如《書札（一）》頁二十八、頁四十一、頁五十九、頁一〇四、頁二五一，勉強可以依上下文意猜出意思，但頁四十七、頁七十三、頁七十四、頁一一七、頁一二五、頁一八〇，沒有調閱原件，實難以讀出內容。

　　其次，《書札（一）》的陳獨秀〈實庵自傳〉，文字清晰可讀，唯有調閱原件，才知與複印件有若干不同：原件裝裱在乙本冊頁上，外以二片木板夾住保護，由每一頁右側可以看出，本來是二孔裝訂的稿子，每張稿紙係紅色欄方格，有八行，每行有二十八字，後來拆開重新裝裱，每張稿紙左上角有流水號編碼，由 1 號依序排到 35 號，在濃淡相宜的墨跡中，文字潤飾痕跡，歷歷可見。以往學者研究陳氏生平，眾口咸以爲「此稿寫於一九三七年七月十六至二十五日中」，現在原件明白標點「此稿寫於一九三七年七月，十六至廿，五日中」，可以修正過去習焉不察的謬誤，這是最可寶貴的文獻價值；再者，〈實庵自傳〉原先發表在一九三七年第五十一、五十二、五十三期的《宇宙風》雜誌，往後海峽兩岸分別再重新排印出版，拿原件分別校對，文字魯魚亥豕與疏漏之外，最明顯是「人家倒了霉，親友鄰舍們，照例總是編排得比實際倒霉要超過幾十倍」之後，遺漏了「人家有點興旺，他們也要附會得比實際超過幾十倍」句，現在能夠校出這個疏漏，也是這件僅有的歷史文獻另一價值了。[22]

　　最後要誠摯致謝以下熱心幫助的單位與學者，使得所有陳獨秀的文獻試讀工作能夠順利進行，前臺灣大學圖書館特藏室夏麗月主任的支持，筆者可以自由調閱陳獨秀書信原件，解決了無法卒讀完整內容的書信，中央研究院

---

[22] 關於〈實庵自傳〉的價值，詳見拙作：〈臺靜農先生珍藏陳獨秀手札的文獻價值〉，《古今論衡》第 8 期（2002 年 8 月），頁 20-22。

中國文哲研究所編輯小組費心編序書信日期，爲筆者省卻不少時間，林慶彰先生對校讀工作的關切與贈書，張錦郎先生惠賜文章資料，傅斯年圖書館提供相關珍貴文獻，李宗焜先生對文字辨識的協助，均表現無私的學術熱忱，令筆者受益良多，滿溢感懷！審查人對文字若干疑點，提出許多很好的商榷意見，俾內容更加完善。上海吳孟明先生爲筆者到上海圖書館，找到了當時發表在《宇宙風》雜誌的陳獨秀〈實庵自傳〉原貌，校正了原先筆者失檢年代的錯誤，[23]在此一併表示誠摯的感謝。其文字或有失校誤讀，自然由筆者負責，並期海內外方家批評指正。

原載於《中國文哲研究通訊》第十三卷第三期（2003 年 9 月），頁190-201。

23　筆者在〈臺靜農先生珍藏陳獨秀手札的文獻價值〉文章說〈實庵自傳〉正式發表於一九三八年第五十一、五十二、五十三期的《宇宙風》雜誌，在中央研究院各圖書館並沒有這三期的《宇宙風》，吳孟明先生親自找到了原刊各期，並核對了日期，實際時間是一九三七年十一月十一日至十二月一日。吳先生並說明〈實庵自傳〉到陳獨秀出獄後至武漢，才由亞東圖書館出了單行本，一九三八年吳先生到武漢不久就看到了。

【舉隅十】

一部奇哀遺恨開山之作：
臺灣逸民連雅堂《臺灣通史》之民族精神發微

文章提要

連雅堂在日據時期作《臺灣通史》，體大思精，縱橫古今，章太炎推崇「民族精神之所附」，謂為必傳之作，連日本人也表佩服，以為繼承漢代司馬遷太史公格式，「紀傳志表分類有法，矧又氣象雄渾，筆力遒健，論斷古今，吾幾不能測其才之所至，蓋近世巨觀也」，可是患有意識型態偏見者，以此做文章，以為連氏不該請日本政界、藝文界名流題辭、寫序，為之辯護者，則將日本人題寫的序與題辭，一一袪除，兩者均厥未能持平論事，殊為可惜！頃近，重理舊作，覺得此書真真不簡單，非僅單純寫實交代史事而已，更體現臺灣同胞在日本人淫威統治之下不屈不撓之民族精神，實蘊含作者苦心孤詣情懷，絕非那些耳食者所能窺知也。

前　言

連雅堂撰作《臺灣通史》一書完稿之後，先是在丙辰（1916）年請臺灣籍名士霧峰林資修（南強）先生寫序，可惜出版只能敬陪末座，反倒後來由日本人撰寫的序要搶位擺在前頭，如大正庚申（1920）秋九月穀旦臺灣總務長官下村宏、大正七年（1918）秋九月《臺南新報》主筆西崎順太郎、大正戊午（1918）中秋前三日《臺灣日日新報》主筆尾崎秀真等三人的序言均是，而連雅堂自己撰寫序言也只能用日本的紀年「大正七年」，還要有日本前後兩任總督的題詞分別是「溫故知新」、「名山絕業」附內，此乃彼時日人殖民統治下臺灣逸民無奈之舉，筆者對此寄予同情，實不忍苛刻深責也。

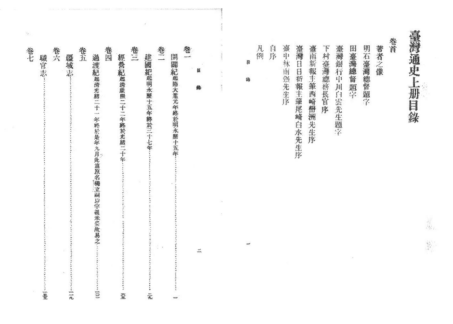

一、從日本人的序言談起

在上述三位日本人的序言中，以下村宏的文字最具凌厲萬鈞功力，舉重若輕，洵爲一流大手筆也。茲抄全文如次（原文未標點，筆者嘗試如下），再予討論：

　　連雅堂氏，當代逸民也，久寓鯤溟，著述頗富，頃寄《臺灣通史》（稿本）請序于余。

　　余披而閱之，俶載于蘭人占據，獲麟于乙未變革；至其敘清朝經營事跡，則典據精深，記述詳明，乃與江日昇《臺灣外記》首尾相接，可謂文獻大宗矣。

　　竊以唐巡撫獨立倡亂之事，實非所以忠于清朝、仁于臺疆，懲義喪理，蒙昧殊甚，與鄭氏護持明朝殘局者全異其選，惟以

　我朝視之，則勝國游魂，寧爲可憫耳，狂暴何咎！較諸《臺灣外

記》，恨史材既有軒輊，余頗為雅堂氏惜之。雖然，江氏《外記》體
裁酷近稗官小說，讀者往往顰眉，《通史》則不然，專仿龍門格式，
紀、傳、志、表分類有法，翃又氣象雄渾，筆力遒健，論斷古今，吾
幾不能測其才之所至，蓋近世巨觀也。即題此言返之。

　　大正庚申秋九月穀旦　　　　　　　　　　　　海南　下村　宏

　這篇序言很短，但寫得簡潔有致，文情並茂，神采非凡，縱筆所至之處，具
橫掃千軍氣勢，除了大罵清代巡撫唐景崧一頓，又趁餘威指出連雅堂文獻不
足缺失，也能概括《臺灣通史》之特點，此倭人真非等閑之輩也。因此，我
願意花點時間解析此文。

　　序文首先說明創作《臺灣通史》一書涵蓋時間始於荷蘭人占領時期，結
束在乙未（1895）年甲午戰後日本占領臺灣為止，敘述滿清經營統治事跡，
則是「典據精深，記述詳明」，可與江日昇的《臺灣外記》首尾相接，因此
是文獻的大宗。

　　這是寓褒於貶的曲語，寫得出神入化，文字拿捏也很有技巧。理由如
下。

　　文章接著大罵唐景崧倡導獨立，才是厲害呢。下村宏說唐氏不忠於清
朝，不仁於臺灣，「愆義喪理，蒙昧殊甚」，又以為是前朝游魂，不值得同
情，說他狂暴也一點不冤枉。

　　然後很含蓄地說連氏的《臺灣通史》與江日昇的《臺灣外記》做比較，
取材也有不盡人意處，用了「既有軒輊」語，則是明顯說他的不滿意，於
是才有「頗為雅堂氏惜之」的話引出。

　　最後高度贊美此書是繼承司馬遷的撰寫體例，「紀、傳、志、表分類有
法」，何況又「氣象雄渾，筆力遒健」，是近代傑出大作也。

　　綜觀這篇序文，有極嚴重偏見，是完全扭曲了臺灣巡撫唐景崧倡導「獨
立」的意義。有不少臺獨主義論者不是沒有細讀文獻，就是誤讀曲解，跟著
下村宏的思路而一路錯下去，令人遺憾。

二、連雅堂之苦心孤詣躍然紙上

下村宏這種扭曲污蔑筆法，自有其立場，即是站在日本殖民統治臺灣而言，為官方高壓統治取得合理說法而背書，吾人表示可以理解與尊重。然而，連雅堂在〈唐劉列傳〉（原書頁 1149 起）對此有一段值得注意的描述，可以表明「獨立」的精義，也就是「自立為國」的真實內涵，其與下村宏的思路大相徑庭。茲抄錄如下：

> 二十年春，日本以朝鮮之故，進兵漢城，布告開戰。清廷以臺灣為東南重鎮，命劉永福率師防守，幫辦軍務。（中略）二十一年春二月，日軍破澎湖，守將周振邦逃，奉省亦軍敗艦降。詔以北洋大臣李鴻章為全權議和，日廷索割臺灣，臺人聞之，奔走相告，哀籲請止。……
>
> 五月初二日，紳士丘逢甲率人民等公上大總統之章，受之。建元永清，檄告中外。
>
> 景崧亦分別電各省大吏曰：日本索割臺灣，臺民不服，屢經電奏，不允割讓，未能挽回，臺民忠義，誓不服從。……五月初二日公上印信，文曰臺灣民主國總統之印，換用國旗藍地黃虎，竊見眾志已堅，群情難拂，故為保民之計，俯如所請，允暫視事。即日議定改臺灣為民主之國，國中一切新政，應即先立議院，公舉議員，詳定律例章程，務歸簡易。唯臺灣疆土，荷大清經營締造二百餘年，今雖自立為國，感念舊恩，仍奉正朔，遙作屏藩，氣脈相通，無異中土。

以上引用這一大段文字說明唐景崧的「獨立」，基本上是因為甲午戰後中國慘敗，清廷派李鴻章交涉把臺灣割讓給予日本統治，臺灣人民不同意，「奔走相告，哀籲請止」，不接受馬關條約簽訂的決議，於是另外建元永清（銘能按：永清者，永遠歸屬於大清帝國版圖也），布告中外；而且又明白表示，為了感念大清帝國經營建設兩百多年的心血，「今雖自立為國，感念舊

恩，仍奉正朔，遙作屏藩，氣脈相通，無異中土」。這樣的獨立，其思路是以不願接受日本人殖民統治爲前提，排除於滿清政府在屈辱情況下與日本簽約之外，完全是顧及民族尊嚴的體現，絕非是上述倭人序言所說「恣義喪理，蒙昧殊甚」的污蔑語。

　　唐景崧分別電告全國各省封疆大吏表明「日本索割臺灣，臺民不服」，「臺民忠義，誓不服從」之堅決立場，其反對日人統治是非常明確之原則，而今下村宏乃將「獨立」與「倡亂」聯繫在一起，不惜曲解了臺灣人民擁立唐景崧自立爲臺灣民主國大總統之原始本意，非但不公道，也違背了連氏史筆下眞實意義，是很不道德的！

　　連氏除了在〈唐劉列傳〉詳細披露臺灣同胞萬眾一心歸向祖國心聲之外，連氏亦唯恐國人無暇細覽全書文字，於是在目錄上也有所暗示，善於讀書者不可不知其苦心孤詣，躍然紙上，其愛國赤忱，令人爲之動容！

　　原來在《臺灣通史》分爲上、中、下三冊，上冊目錄卷一到卷四分別爲〈開闢紀〉、〈建國紀〉、〈經營紀〉與〈過渡紀〉。值得注意者，在卷四〈過渡紀〉下，有小字注明曰「起清光緒二十一年，終於是年九月。此篇原名獨立，嗣以字義未妥，故易之」，暗示讀者原書卷四本名爲「獨立紀」的，但是日人下村宏既然在序言已經痛批了唐景崧是「獨立倡亂」，自然以「獨立紀」字眼出現是有違礙彼時政治氛圍的。

　　於是，連雅堂在此面臨一個棘手的難題：既要維持作爲史學家不屈服強權暴力鉗制自由之思想，表現臺灣人民不服日人統治骨氣與獨立之精神，又要不留痕跡地告訴後世子孫歷史之眞相，怎麼辦呢？在此，連氏苦心孤詣的表現，充分展露了中國史學家一流的品格與超邁智慧，也維護了民族尊嚴。他小心翼翼地在〈過渡紀〉下小字注明，但又要避免日人的「違礙」檢查與疑慮，於是在前三卷也比照卷四，分別一一注明小字。如卷一〈開闢紀〉之下，有小字如下曰「起隋大業元年，終於明永曆十五年」，卷二〈建國紀〉之下，有小字如下曰「起明永曆十五年，終於三十七年」，卷三〈經營紀〉之下，有小字如下曰「起康熙二十二年，終於光緒二十年」，這樣一來，從卷一到卷四就顯得首尾相同、體例一致，不致因卷四〈過渡紀〉獨獨如此注

明小字而顯得突兀而啓人疑竇了。

　　大善哉，連氏行文策略所展現的智慧是成功了，其避日人耳目與寄托民族獨立自尊精神之苦心孤詣也是值得贊許的！

　　對於那些不認眞讀書而謾罵連氏之臺獨論者流，非但無知無識，還無的放矢猶如狂犬吠日，讀此，能不羞煞愧哉！

三、有董狐之風的春秋筆法

　　連雅堂對於唐景嵩與劉永福防守臺灣未能善盡職責之舉，前者應敵難抵而臨陣脫逃，後者竟在戰鬥失利不能殉國下而竟謀求媾和投降，在本傳文字頗爲之緩頰，不忍深責，蓋有長者敦厚涵養之風範，其評論曰（原書頁1154）：

> 夫以景嵩之文，永福之武，並肩而立，若萃一身，乃不能協守臺灣，人多訾之，顧此不足爲二人咎也。

這是以同情的理解，有意爲二人開脫罪責。於是接著說：

> 夫事必先推其始因，而後可驗其終果。臺爲海中孤島，憑恃天險，一旦援絕，坐困愁城，非有海軍之力，不足以言圖存也。且臺自友濂受事後，節省經費，諸多廢弛，一旦事亟，設備爲難，雖以孫、吳之治兵，尚不能守，況於戰乎！是故蒼葛或呼，魯陽莫返，空拳隻手，義憤塡膺，終亦無可如何而已。詩曰「迨天之未陰雨，徹彼桑土，綢繆牖戶」，爲此詩者，其知道乎！

唐、劉二人既是反抗日軍登陸統治的主腦，前者爲臺灣民主國大總統，後者在唐潛逃大陸後，臨危受命領軍駐守臺南，眞可謂是任重而道遠矣！此處客觀分析臺島天險援絕，沒有海軍護衛是很難生存的，進一步說明「養兵千日，用在一時」未雨綢繆的道理，唐、劉二人不敵日軍，誠然非戰之罪也，

同時也暗批邵友濂建設不力,「經費節省」不過是一種委婉說法而已,其實隱隱指向滿清軍隊不能打仗,乃因官員貪腐挪動經費造成訓練鬆弛所致,劉、唐二人不必承擔日本占領統治之主要責任也。

以上是本傳表面所呈現觀點,似乎已經完整表達了連氏對上述二人評價,為唐、劉二氏開脫罪責,已是昭然若揭矣。

不過,善於讀史者,貴在燭照洞悉作者內在心曲之真實想法,不為其表像所蒙蔽。

作者在〈吳徐姜林列傳〉(原書頁 1144)已經說明歷史褒貶不能有私心,必須要秉持公義:

> 夫史者,天下之公器,筆削之權雖操自我,而褒貶之旨,必本於公。
> 是篇所載,特存其事,死者有知,亦可無憾!後之君子,可以觀焉。

因此,他要極力表彰那些抵抗日軍駐臺的義勇之士如吳湯興、徐驤、姜紹祖、簡精華、林朝棟、黃榮邦、林義成、林昆岡等不恤性命頑強抵禦、熱血犧牲之英烈壯舉。相形之下,唐景崧在日軍未登陸臺灣之前,美言「誓與臺灣共存亡」,丘逢甲力主倡議臺灣自立為民主國,然而日軍在五月十三日進逼獅球嶺,唐居然是未戰而走,丘亦挾款以去,就顯得蒼白無力,令人遺憾!作者因此亦頗表惋惜,於是在〈丘逢甲列傳〉(原書 1140)結尾有言「成敗論人,吾所不喜,獨惜其為吳湯興、徐驤所笑爾」,這是史家必本乎公心,不能不秉筆直書的超然立場。

再回到〈唐劉列傳〉的討論。

《臺灣通史》為何而作?連雅堂氏在〈自序〉有言,「夫史者,民族之精神,而人群之龜鑒也。代之盛衰,俗之文野,政之得失,物之盈虛,均於是乎在。故凡文化之國,未有不重其史者也。古人有言,國可滅,而史不可滅,是以郢書燕說,猶存其名,晉乘楚杌,語多可采,然則,臺灣無史,豈非臺人之痛歟」,又說,「洪維我祖宗,渡大海,入荒陬,以拓殖斯土,為子孫萬年之業者,其功偉矣!追懷先德,眷顧前途,若涉深淵,彌自儆惕。

烏乎念哉！凡我多士，及我友朋，惟仁惟孝，義勇奉公，以發揚種性，此則不佞之幟也。婆娑之洋，美麗之島，我先王先民之景命，實式憑之」，〈孝義列傳〉（原書頁 1097）也說「孝義之士，徽音芳躅，沒世不亡，而人之所以翹然於萬物之上者，胥是道也」，〈姜周列傳〉（原書頁 956）更進一步申說：

> 顧吾聞之西人，每以拓殖公司，併入土地，而浚其利。若英之經營印度，荷之侵略爪哇，則其策也。金廣福受開疆重大之權，以攘除蠻族而肇造田功，比之西人，何可多讓！孰謂我臺灣人而無堅毅遠大之志也哉！

由此可見，連氏《臺灣通史》之作重在發揚民族精神，彰顯臺灣人民仁孝義勇奉公、奮進堅毅志氣之種性，循此觀點，自然不能容許唐、劉二氏守土臨陣脫逃或不敵投降主義企圖之行徑。

然則，上述〈唐劉列傳〉的評語，絕非連氏真實想法，則可斷言也。

因此，由此傳之前的〈吳彭年列傳〉尋覓蛛絲馬跡，方能得其肯綮。且看〈吳彭年列傳〉開頭的文字（原書頁 1145）：

> 連橫曰：乙未之役，臺人建國，奉巡撫唐景崧為大總統，布告中外，一時豪杰並起，枕戈執殳，慨然有衛桑梓之志。洎景崧逃，臺北破，南中又奉劉永福為王，永福固驍將，越南之役以戰功著，至臺以後，碌碌未有奇能，唯其幕僚吳彭年以一書生，提數百之旅出援臺中，鏖戰數陣，竟以身殉，為足烈爾！

這段文字是有深刻含義的，絕不可輕易經眼滑過。實際上，連氏為了頌揚吳彭年以一介書生，守土不屈，竟能犧牲性命之節烈品格，襯托出唐、劉二人執掌大權竟臨陣脫逃之膽怯無能，在〈吳彭年列傳〉的結尾（原書頁 1148），已經有了公正的論斷，起始先說：

> 連横曰：如彭年者，豈非所謂義士也哉！見危授命，誓死不移，其志
> 固可以薄雲漢而光日月。

這是高度贊美吳彭年人品之高尚，足與日月爭光也。接著筆鋒一轉，透露對
唐、劉二人不滿，兼惋惜吳彭年之殉節而死：

> 夫彭年一書生爾。唐、劉之輩苟能如其所為，則彭年死可無憾，而彭
> 年乃獨死也。吾望八卦山上，猶見短衣匹馬之少年，提刀向天而笑
> 也。烏乎壯哉！

古來有所謂「百無一用是書生」的說法，但吳彭年以一介書生竟能殺身殉
國，求仁得仁，相形之下，唐、劉之輩所作所為，就顯得有虧節行，喪失人
之所以為人的基本品格。孟子有言「志士仁人無求生以害仁，有殺身以成仁
也」，唐、劉二氏曾吳彭年之不如也歟！烏乎惜哉！

何況，在列傳之中的排序，〈吳彭年列傳〉排在〈唐劉列傳〉之前，而
〈唐劉列傳〉竟在全書敬陪末座，其意義當可思過半矣！

四、由二版發行經過窺探作者的遺憾與悲憤

二次大戰期間，中國對日本侵略戰爭的抵抗，打得烟硝彌漫，日月無
光，全國軍民奮勇抗敵的精神可感，由《臺灣通史》第二版在戰後於大陸內
地發行即可窺其端倪。

原來連雅堂撰寫《臺灣通史》一書係在日本殖民統治臺灣期間，但其發
行範圍並不及於中國大陸內地，儘管日本人誇贊「名山絕業」（臺灣總督田
健語）、「文獻可徵」（臺灣銀行中川白雲語）等佳評如潮情況下，他的心
頭是鬱悶難受的。

畢竟，這部風雨飄搖完竟的開山大作，臺灣仍處在異族統治之下，即使
「仍奉正朔，遙作屏藩，氣脈相通，無異中土」之情緒下，祖國同胞居然不
能讀到，真是情何以堪！他的悲憤在此。此其一也。

　　《臺灣通史》篇幅極夥，正文超過一千一百五十頁以上，加上書影照片數十幀，蔚爲巨觀，令人肅然起敬。

　　此書共分三次由臺北臺灣通史社發行，上冊在大正九年（1920）十二月五日發行，中冊在大正九年（1920）十二月二十七日發行，下冊在大正十年（1921）四月二十八日發行，也就是說先後將近半年才把《臺灣通史》出版齊備，這就說明了連氏以一人完成的皇皇巨帙，眞是不簡單。

　　比較值得注意的，本文前述已經表明了作者在卷四〈過渡紀〉下，有小字「起清光緒二十一年，終於是年九月。此篇原名獨立，嗣以字義未妥，故易之」的話，暗示讀者卷四本名爲「獨立紀」。

　　耐人尋味的暗碼，終於在書頁邊緣宣漏出來。循此線索，連雅堂滿腹的委屈可以說是直至七十七年後今天才爲吾人所探知（連氏逝世 1936 年 6 月28 日），此乃莫可奈何之事也。

　　當筆者讀完文章整整只有十八頁的卷四〈過渡紀〉，以「日軍入城，海軍亦至安平，遺兵二十餘人被殺，而臺灣民主國亡」作爲結束時，感到眞是無限淒涼悲慘，一股寒顫冷汗頓時涌上，心情是難以掩飾哀傷的。在此際，我同時注意到右上方書旁印有更小的字樣「臺灣通史卷四　獨立紀」，則與標題「過渡紀」明顯不合，再通翻全卷，每一頁靠近魚尾欄空白處均是如此小字樣，初始還眞是弄不明白爲何有此的紕漏，後來把內地發行出版的情況瞭解後（詳後談及），才終於恍然大悟！

　　日本人爲連雅堂《臺灣通史》寫的序言，《臺灣日日新報》主筆尾崎秀眞寫在大正戊午中秋前三日，《臺南新報》主筆西崎順太郎寫在大正七年秋九月，時間都是公元 1918 年，兩年後，臺灣總督長官下村宏寫在大正庚申秋九月穀旦，在正式出版發行，反倒排在首位，按照東方人排序的習俗慣例，下村宏應該是在此書出版具有決定性作用的；因爲，上冊在大正九（1920）年十二月五日發行，與下村宏寫的序言時間「九月穀旦」相隔太近了，這就透漏出一個不尋常玄機：此書有了臺灣總督田健「名山絕業　庚申仲春」題辭的認可，本來排版已經完成了，印刷出版是必然的，但下村宏序言明白點出唐景崧「獨立倡亂」、「衍義喪理，蒙昧殊甚」，必然給連雅堂

帶來極大難堪，不更弦改轍變動文字，還能印刷發行嗎？在萬般無奈之下，只有把卷名〈獨立紀〉改爲〈過渡紀〉字樣，才能通過發行前的審查，而每頁靠近魚尾欄空白處小字「臺灣通史卷四　獨立紀」，也就不及一一改動了。連氏宣揚臺灣種性之精神，竟然不可得，還要屈從總務長官下村宏的頤指氣使，其內在胸臆之悲憤，究竟要與何人傾訴呢？此其二也。

至此，吾人才能眞正領會到臺灣知識界在日人殖民統治之下內在精神上的苦悶，的確是一言難盡！

《臺灣通史》首發「僅印行於日本，國人得之非易」（徐炳昶語），直到抗戰即將結束，國人慶喜勝利在望，才由商務印書館王雲五決定「勉力排印」，但是歷經抗戰八年後印刷之困難，排印進度緩慢，直到日本投降後採用連震東所藏舊版印刷，終於在民國三十五年一月在重慶出版，次年的三月也在上海出版。

大陸內地版的《臺灣通史》自然把日本人的題辭與序言完全剔除，增加了張繼（溥泉）、徐旭生（炳昶）、徐珂（仲可）三位先生序言，加上原先林資修（南強）的序言、沈璈（少雲）的後序與作者自序，還有出自連震東手筆〈連雅堂先生家傳〉附焉在後，如此內地讀者才有機會完全讀到這部「抱失地之痛，抒故國之思」（張繼語），激發民族正氣之史學奇書。

同時，值得關注的，原來日據時期出版《臺灣通史》之卷四〈過渡紀〉已改回作者的原本初衷〈獨立紀〉了，連帶原來的小字注明「起清光緒二十一年，終於是年九月。此篇原名獨立，嗣以字義未妥，故易之」，就把後半截「此篇原名獨立，嗣以字義未妥，故易之」字樣，給刪除了，其餘文字與卷一到卷三的目錄及小字注，一仍其舊原封不動留存迄今。

要補上一筆說明的，蔣介石直到在民國三十八年江山易幟之後，在次年三月二十五日頒布「總統令」褒揚，全文照抄如次：

> 臺灣故儒連橫操行堅貞，器識沉遠。值清廷甲午一役棄臺之後，眷懷故國，周游京邑，發憤著述，以畢生精力勒成《臺灣通史》，文直事核，無愧三長筆削之際，憂國愛類，情見乎辭，洵足以振起人心，裨

> 益世道，為今日光復舊疆、
> 中興國族之先河！
> 追念前勳，倍增嘉仰，應予
> 明令襃揚，用示篤念先賢，
> 表彰正學之至意。

總統令

臺灣故儒連橫撰行堅貞亮節沈潛值清廷甲午一役章臺之後眷懷故國周遊京邑發情著述以畢生精力勒成臺灣通史文直事核無愧三長筆削之際憂國愛顯情是子辭洵足以振起人心裨益世道為今日光復舊疆中興國族之先河追念前勳倍增嘉仰應予明令襃揚用示篤念先賢表彰正學之至意此令

總統蔣中正

中華民國三十四年三月二十五日

這紙襃揚令文筆平實，其中提到「爲今日光復舊疆、中興國族之先河」，則有引申過度之嫌，然具有安撫人心、拉攏學界的意味在內，其象徵意義是很顯然地，蓋蔣介石在大陸兵敗倉皇渡臺、驚魂甫定之際，頒布襃揚令的政治作用會遠遠大於獎挹學術，這是不能不提及的效果。

由此可見，學術與政治之間有著千絲萬縷之交織纏繞，絕非可以截然劃分的。《臺灣通史》之出版發行經過始末，令吾人見到了一個縮影，這個意義是深刻的！

可惜，作者未及見到抗戰勝利即撒手西歸，自然生前也無緣得悉其著作能在大陸內地發行，這是連氏終其一生最大的遺憾。

比較兩次出版品發行的情況，無論從印刷紙張質感與文字清晰度看來，大陸內地出版《臺灣通史》的品質均遠遠不如日據時期的版本，見微知幾，由此可覘當時中國在抗戰時期國力耗損之巨大，民生物質艱難之一斑。

五、《臺灣通史》全書之特點

連雅堂受家庭教育影響極深，尤其父親的教誨甚爲重要。連氏在《臺灣通史》卷三十五〈孝義列傳〉有言其父黽勉教導之情景：

> 橫年十三時，就傳讀書，先君以兩金購《臺灣府志》授橫曰「女為臺
> 灣人，不可不知臺灣事」。橫守而誦之，頗病其疏，故自玄黃以來，
> 發誓述作，冀補舊志之缺。

如此，則《臺灣通史》之作實發軔於少年庭訓教誨，當無疑也。

因本書屬於通史性質，作者自言始於隋代大業元年，終於清光緒二十一年，共計一千二百九十年之事，凡是舊籍遺聞與西書、檔案記載，一概採用收錄，時代久遠可以追溯到秦漢之際。根據〈凡例〉可知，《臺灣通史》有幾項特點值得重視。

(一)是受到司馬遷的影響極大，尤重圖表繪製

司馬遷的《史記》，體大思精，為我國正史紀傳體第一流大手筆，影響中國人兩千年的價值觀與心靈，是一部震爍古今的史學名著，也是當今大學文史專業學生必讀的教材。

司馬遷《史記》的表格製作，是一大創舉，但沒有繪圖，應該是彼時創作環境所局限，不足以為病也。

連雅堂自言《臺灣通史》「略仿龍門之法，曰紀曰志曰傳，而表則入於諸志之中，圖則見於各卷之首，尤為前史所無。蓋著史莫難於表，而讀書必藉夫圖，故特詳焉」，這是深造有得的甘苦之言。梁啓超在上個世紀二十年代於大學演講，後集結成書名為《中國歷史研究法（及補編）》，也對圖表繪製之艱難有一番感慨的話，看來是英雄所見略同。

筆者翻檢全書，從〈延平郡王世系表〉、〈民國職官表〉、〈清代臺灣戶口表〉、〈荷蘭王田租率表〉、〈鄭氏田園征賦表〉、〈阿里山番租率表〉、〈澎湖廳歲入表〉、〈臺灣文官養廉表〉、〈建省歲入總表〉、〈臺灣書院表〉、〈臺灣撫墾局管轄表〉、〈臺灣阿片進口表〉、〈前山至後山道裏表〉、〈臺灣官倉表〉、〈各地義冢表〉、〈藝文表〉，一直到〈各國立約通商表〉等，共計有表格一百又一之多，圖則有〈臺灣古圖〉、〈荷蘭約降鄭師圖〉、〈民主國公債圖〉、〈寧靖王之書〉、〈劉銘傳像〉等四十一幀，合計圖表接近一百五十，可見其用心之夥與搜集史料之勤，宜乎此書

殺青以來，已經成爲認識臺灣歷史最具權威之不朽經典。

(二)是重視民生

如〈鄉治志〉、〈宗教志〉、〈風俗志〉、〈藝文志〉、〈商務志〉、〈工藝志〉、〈農業志〉、〈虞衡志〉等，特別重視民生經濟、風俗、教育、商貿、農事、物產等，均是作者以民爲本思想之反映，也是當今特重庶民生活文化史觀的先驅之一。

(三)是臺灣地名

多有外來語的譯名，作者儘量根據彼時的實際稱呼，反映了地名沿革之變遷，具有保存舊名的歷史意識。如宜蘭未入版圖之時，稱作「蛤仔難」，或作「甲子蘭」，設廳之際稱作「噶瑪蘭」，改縣以後又稱作「宜蘭」，按照當時的名稱一一返其舊，以免今人誤會。

(四)是在取材方面

采取了「寧詳毋略，寧取毋棄」之原則，以保存史料周全，與章實齋（學誠）《文史通義》的方志學理論頗有殊多暗合處。

(五)是不以成敗論英雄的史觀

朱一貴起義抗清，興啓光復明朝的帷幕，事雖不成，有天時運會的幸與不幸，未可以成敗論英雄。作者在此特表其同情朱一貴的立場。因此卷三十〈朱一貴列傳〉（原書頁877起）有言：

> 朱一貴之役，藍鼎元從軍著《平臺紀略》，其言多有可採。

接著筆鋒一轉，提出異議：

> 而曰臺人平居好亂，既平復起，此則誣衊臺人也。……顧吾觀舊志，每蔑延平大義，而以朱一貴爲盜賊者矣。夫中國史家，原無定見，成則王而敗則寇，漢高、唐太亦自幸爾，彼豈能賢于陳涉、李密哉？然則，一貴特不幸爾！追翻前案，直筆昭彰，公道在人，千秋不泯，鼎元之言固未足以爲信也。

這是不以成敗論英雄的反映，可以看出其史觀之一斑，因此對於藍鼎元從軍所著《平臺紀略》一書，也能客觀評價與取捨，完全有自己獨到的見解。在〈施琅列傳〉則寄托滿清亡臺灣而終無人復興的感慨：

> 連橫曰：施琅為鄭氏部將，得罪歸清，遂藉滿人以覆明社，忍矣！琅有伍員之怨而為滅楚之謀，吾又何誅？獨惜臺無申胥，不能為復楚之舉也。悲夫！

(六)是模仿太史公「互見」筆法

前述有言《臺灣通史》在撰寫體例與表格繪製，受到司馬遷影響極大，這也是作者自言承認的。進一步說，為了行文簡潔乾淨，不蔓不枝，在文字描述上，作者也模仿司馬遷的「互見」筆法。

如卷一〈開闢紀〉說「天啓元年，海澄人顏思齊率其黨人入居臺灣，鄭芝龍附之，事在其傳」，讀者若有心窺知顏思齊與鄭芝龍二人的事跡，自然要在卷二十九〈顏鄭列傳〉尋覓披覽。

後語：

本文所根據《臺灣通史》的本子，是古亭書屋的藏本，即是日據臺灣時期首版，在 1979 年 5 月由臺北眾文圖書公司再版印行，但缺了作者之像，增加了蔣介石的「總統令」褒揚狀圖版，因此《臺灣通史》在臺灣光復後發行再版，充滿時代烙印的痕跡，斑斑可見。

旅途之中，僅有一部古亭書屋藏版的《臺灣通史》相伴，海上明月，天涯共此，如此良宵，登艦眺望，海風吹拂，真有出塵遐思之懷矣！

癸巳中秋前一日　發自海上旅次

甲午二月既望　校稿於臺北

原載《書目季刊》第 47 卷第 4 期（2014 年 3 月），頁 103-118

　　本文發文之前（2013 年 10 月），曾請復旦大學終身教授、大陸國務院學部委員姜義華先生過目指教，姜教授評爲「近年來《臺灣通史》研究，難得罕見之健筆凌厲大作也」，對於姜教授之美譽，筆者誠惶誠恐，謹表致謝！

【舉隅十一】

讀《溥儒書金剛般若波羅蜜經》書後

滿清舊王孫西山逸士溥儒，其藝事成就之高，世所公認，與張大千齊名，有「南張北溥」之稱。溥儒眞書《金剛般若波羅蜜經》全文，屢次拜讀，頗有收穫，非僅是難得的經文抄寫，工楷端正，一絲不苟，恣人眼目，體現書寫者虔誠心意，尤其是背後還隱藏一段感人的至情眞性故事，值得重視。

抄寫佛經是種功德，敦煌遺書留下不少這類的卷軸典籍，書寫者虔誠心意，完全在字裏行間展現出來，可見這個傳統由來已久。溥儒所書這部佛教經典《金剛般若波羅蜜經》，係應福建居士嚴笑棠先生所請而書寫的。

原來在 1949 年國共內戰江山易幟之際，有相當部分學者名流選擇流亡到臺灣，逃避共產黨的清算鬥爭。嚴笑棠乃漳州人，畢業於福州法專，在 1922 年間服務報社、醫院兼任教學之職，曾經追隨弘一法師學佛，後赴臺灣。在上世紀五十年代，適逢嚴母吳太夫人七秩大壽，因大陸與海島臺灣分隔兩地而無法相見，嚴氏念母孤老故里，且信佛，又思及奉養不知何時，即定制灑金箋，上部印「家慈　吳太夫人七秩壽慶敬造長生經幢徵詩文箋　龍溪嚴笑棠時癸巳秋七月」，恭請舊王孫溥儒先生以小楷抄錄《金剛經》全文一冊，藏以宅中，遙祝母親福壽安康。

書成之後，爲表謝意，嚴氏親行三叩九拜之禮，以報答溥先生厚隆情誼，而溥先生亦感動其孝心赤誠，爲白描摹寫釋迦牟尼佛一尊，置於冊首。此幀佛像面目莊嚴，慈眉善目，盤腿趺坐松下石壇，態度閑定，舉止優雅，似在演說佛法，度化大千世界眾生。

此部《金剛經》經典抄寫本出自舊王孫手筆，得之不易，嚴氏極爲珍愛，視若拱璧，又請了臺島當時名流題跋於後，如張昭芹、陳含光、鍾伯毅、于右任、賈景德、趙恆惕、許世英、張默君、譚元徵、彭醇士等人，經

文與跋文相得益彰，尤顯難得可貴！

《金剛般若波羅蜜經》義理既以闡明「不住相」思想，特在破執我相，「應無所住，而生其心」，何以與思念尊親繪合為一？其中前清遺老陳含光（1879-1957）之跋文，對此有深刻解釋：

> 嚴笑棠先生來臺，太夫人年高不獲迎養，烏鳥之私，懸懸焉。乃乞溥王孫敬書《金剛經》，遙為祝福。夫金剛般若，無相之宗也，今乃奉為北堂致祝，何耶？昔有習觀丈六金相而不成者，一大德謂曰，可毋爾也，但虔觀尊親之像，即可就矣。從之，果然。夫住相者，眾生之心，無相者，如來之心，觀之既專，則眾生之心與佛之心為一，即心即佛，即心即親，心佛無二致，心與親亦無二致，親與佛亦了無二致，淨土之與般若，旁及八萬四千法門皆無二致也，般若而已矣。今孝者罕能知佛意，若笑棠以般若奉母，其大孝蓋無量無邊，而王孫之贊嘆書寫，其功德亦不可思議云。陳含光敬跋，時年七十有九。

上跋文所謂「住相者，眾生之心，無相者，如來之心，觀之既專，則眾生之心與佛之心為一，即心即佛，即心即親，心佛無二致，心與親亦無二致，親與佛亦了無二致，淨土之與般若，旁及八萬四千法門皆無二致也，般若而已矣」，文筆簡潔典雅，蘊含義理深刻入裏，非有真積力久修持工夫，實難將此哲理演說如此高明玄妙！

此外，溥儒也特為行書題詩五律一首如下：

> 龍溪嚴孝子　報母寫金經　避地離鄉郡　瞻雲向渺溟
> 夢迴漳水碧　魂斷海烟青　此志神能格　天高自可聽

詩句表達了嚴笑棠先生遠隔兩地，念母憶想心情，也頌揚了孝子感念母恩，為寫金經的經過。此詩簡短，蘊含無限深情，應是溥儒內心有感而發之作，絕非等閑應酬之筆墨也。何則筆者如此信誓旦旦而敢如斯斷言耶？

考溥儒十四歲父親去世，爾後生活與教育，皆是由親生母親項氏所負責管教而成。項氏知書達理，親自教授《易經》、《春秋》三傳等經典。以此，可知他與生母情感極深。溥儒對母親的孝道、慕愛與崇敬，是發自內心的真情流露。項氏在民國二十六年農曆十一月，即溥儒四十二歲，就過世了。但母親對溥儒的身傳言教是巨大的，尤其是在維持民族氣節大義上，拒絕與日本人合作是毫不含糊的。根據萬大鋐文章，譬如民國二十五年春，偽滿洲國成立四周年，日本在華北軍司令以重金求溥儒作畫為賀禮，為其斷然所拒。

他在渡海到臺灣後，撰寫有〈慈訓纂證〉長卷，即是憶想往昔母親的訓誨言行與經典所記古人嘉言懿行，一條條加以比較印證。其序言開頭說：

> 金陵之亂，儒避地東海，客有問儒者曰，昔舊都之將亂也，子先南游。金陵方盛，人將以祿位待子，子又去之。待吳越再亂，乘孤舟，浮滄海。勞形居貧，而子誦讀若平日，殆若能知幾而遠屬，夫何修而至于此哉？儒應之曰，嗚呼，此先母之教也！

結尾有如下的話：

> 嗚呼，儒生于亂世，幸全大節，非儒之才遂能及此，太夫人之教也。追求遺訓，表揚母德，證以女宗往行，以傳于世，欲以昔日太夫人之化清河者（按，指民國元年避難於清河縣事），化天下焉。庚寅四月溥儒敬記。

以此，可見此卷乃在頌揚母儀懿行，懷念追想的至誠之作。

上述寫嚴笑棠念母心情，也借題發揮撰寫一己思念母恩的心緒，兩者是有互相關聯的。

此外，有一細節不能不提者，生母項氏過世，溥儒以金箔在棺木蓋與四周，工楷小字書寫《金剛經》全文，他又刺臂出血，和以紫紅色顏料，寫

《心經》、畫佛像為亡母祈福，捐贈給名山古剎。此後，每逢母親忌日，他都要刺臂寫經，以寄哀思。譬如說臺北故宮博物院珍藏溥儒書畫精品極多，其中就有他在民國庚子（五十）年刺血染筆抄寫的《般若波羅蜜多心經》全文二百六十字，全篇恭楷書寫，朱紅色澤，一絲不苟，表現了對生母孺慕追思的情懷！在全文之後，溥儒恭敬寫了四行的跋文如此：

> 庚子十一月二十六日維先妣項太夫人二十四忌日，敬刺血，書心經，
> 追思永慕，祈薦冥福　男溥儒稽顙回向

因此，前述嚴笑棠報母寫經、魂斷夢迴之思，描寫嚴笑棠，即是寫自己，情溢乎辭，視之為溥儒一己感同身受之懷，殆無疑義也。

　　《金剛經》的版本很多，有後秦鳩摩羅什、北魏菩提流支、陳真諦、隋代達摩笈多、唐玄奘、義淨六種漢譯本並傳，各本題目與文字略有異同，世以鳩摩羅什譯本較為通行。明代注解《金剛般若波羅蜜經》的本子，自朱元璋開始，有《金剛經注解》不分卷，又有明成祖朱棣注本、秦登瀛注本、徐雲嶠注本、釋大鑒注本、曹元相注本等。（以上明代各種版本說法，出自沈津著《美國哈佛大學哈佛燕京圖書館中文善本書志》頁 477，〈0840 明萬曆刻本金剛般若波羅蜜經註解〉條。）

　　溥儒所書此本，取與上海古籍出版社據復旦大學收藏善本《明永樂內府刻本金剛經集注》影印本互校，文字則明顯略有參差。可見溥抄本所據的版本，與前述影印本《明永樂內府刻本金剛經集注》的版本是不相同的。如「以七寶滿爾所恆河沙數三千大千世界」句，溥抄本「爾」字作「汝」字，又「爾時須菩提白佛言，世尊，當何名此經，我等云何奉持？佛告須菩提，是經名為金剛般若波羅蜜，以是名字，汝當奉持。所以者何？須菩提，佛說般若波羅蜜，即非般若波羅蜜，是名般若波羅蜜」句，溥抄本落了「是名般若波羅蜜」七字。「須菩提，忍辱波羅蜜，如來說非忍辱波羅蜜，是名忍辱波羅蜜」句，溥抄本落了「是名忍辱波羅蜜」七字。「須菩提言，世尊，如來說人身長大，即為非大身，是名大身」句，溥抄本「即」字作「則」字，

其餘尚有五、六處「即」字作「則」字，就不一一注明了。

　　有趣的，影印本《明永樂內府刻本金剛經集注》有一處言「須菩提，在在處處，若有此經，一切世間天人阿修羅，所應供養，當知此處，即爲是是，皆應恭敬，作禮圍繞，以諸華香，而散其處」，溥抄本「當知此處，即爲是是」作「當知此處，則爲是塔」，「即」字作「則」字，如前所述，乃所依版本不同，可以不論，而「是是」則是明顯筆誤，應依溥抄本作「是塔」爲是。

　　另外，根據影印本《明永樂內府刻本金剛經集注》所引李文會的注解曰「在在處處若有此經者，一切眾生六根運用，種種施爲，常在法性三昧之中，若悟此理，即在在處處有此經也。一切世間者，謂有爲之心也。天人阿修羅者，天者逸樂心，人者善惡心，阿修羅者嗔恨心，但存此心，不得解脫。所應供養者，若無天人阿修羅心，是名供養。即爲是塔者，解脫之性，巍巍高顯，如云是塔也。以諸華香而散其處者，當于解脫性中，開敷知見，熏植萬行，即法界性自然顯現」，筆者不避篇幅繁冗抄錄，旨在說明此處版刻筆誤確鑿，已經不是版本不同的原因了。

　　經典難讀，沒有下過如此工夫，其孰能知？

【舉隅十二】

關於口述歷史、檔案與研究的若干問題
──兼談我如何做口述歷史及其研究

文章摘要

作者以《史記》為例，認為口述歷史並非舶來品，中國史學家早已使用，並進而談到自己做口述歷史的經驗和方法。在此基礎上，闡述了當前影響口述歷史發展的幾大因素和困境，並對口述歷史的未來進行了歷史的反思。

一、口述歷史並非 20 世紀才出現的

在大學時代，司馬遷的《史記》是我最愛讀的兩部著作之一，非但文采動人，予讀者有一股魔力，而且多次提到他如何採訪口述資料的經過，不由使人心慕神馳，有所嚮往。如司馬遷在〈魏世家第十四〉說：

> 吾適故大梁之墟，墟中人曰：「秦之破梁，引河溝而灌大梁，三月城壞，王請降，遂滅梁」，說者皆曰魏以不用信陵君故，國削弱至于亡，余以為不然。[1]

這是司馬遷不盲從口述者之言，對魏亡於秦並非不用信陵君的卓識。但可惜的，以下他接著竟說「天方令秦平海內，其業未成，魏雖得阿衡之佐，曷益乎？」，這似乎把秦國統一天下，認為是天意不可抗拒的歷史潮流，[2]「天

---

[1] 本文引用《史記》的本子，係 1959 年 7 月中華書局出版的點校本，以下的文字均同，不另再說明。

[2] 景從這樣的看法，劉家和有種辯證的解釋：「史公一方面認為秦併六國是『天所助

方令秦平海內」，這樣命定主義的史觀，就不是很令人信服了。

　　除了重視口述之外，司馬遷又有實地驗證口述傳聞是否可靠的記載。如
〈孟嘗君列傳第十五〉說：

> 吾嘗過薛，其俗閭里率多暴桀子弟，與鄒、魯殊。問其故，曰：「孟
> 嘗君招致天下任俠，姦人入薛中蓋六萬餘家矣」，世之傳孟嘗君好客
> 自喜，名不虛矣。

這是司馬遷經過薛地，觀察到其民間子弟多粗暴敖桀不遜，與鄒魯彬彬謙恭
之士的風尚迥異，於是聯想到人說孟嘗君好客自喜，竟不別擇姦人移六萬餘
家入薛地，果然有以致之也。又〈淮陰侯列傳第三十二〉說：

> 吾如淮陰，淮陰人為余言，韓信雖為布衣時，其志與眾異。其母死，
> 貧無以葬，然乃行營高敞地，令其旁可置萬家。余視其母冢，良然。

韓信母親冢墳地區高敞，反映了韓信布衣之時已志氣非凡，橫溢當代。這是
司馬遷到達淮陰考察，當地人告訴他後的具體證明。

　　這些都是口述傳聞，司馬遷親履其地勘察驗證，仔細瞭解實際狀況，得
出的歷史識見，完全超乎文獻記載之外，內容充實而有光輝，這也是創作中
國第一部正史《史記》偉大成就之處。

　　當然，口述者有時會有個人情感好惡因素糾葛其間，言過其實地稱譽或

馬』，另一方面則說為秦掃清道路的是六國自己的所作所為」，進一步分析道：「依
據史公之見，為秦掃清道路本非六國之初衷，但結果卻起到這一作用。這是『莫為之
而為，莫之致而至』的表現，所以史公以天命說之。……史公所持的這種天，頗似黑
格爾所說的『理性的狡計（cunning of reason）』」，是否同意，讀者可自行判斷取
擇焉。以上劉先生的意見，參見邵東方的書評〈海天寥廓立多時——讀《古代中國與
世界》〉，收在其著作《文獻考釋與歷史探研》（桂林：廣西師範大學出版社，2005
年12月），頁233-252。

惡意詆毀地損眞，都不是學者應有態度。司馬遷對口述與文獻記錄的關係如何取捨，還是很費了一番斟酌思量。以現代史學眼光看來，其駕馭處理能力還是很合乎軌範的，絲毫不讓當代人專美於前。如〈仲尼弟子列傳第七〉言：

> 學者多稱七十子之徒，譽者或過其實，毀者或損其真，鈞之未覩厥容貌，則論言弟子籍，出孔氏古文近是。余以弟子名姓文字悉取《論語》弟子問並次為篇，疑者闕焉。

這段文字說明司馬遷對口述史料的態度是嚴謹的，必要與可靠文獻核實才取決是否可用，尤其是有存疑者，不盲目濫收。「疑者闕焉」，是最能展現史家不偏不倚忠實立場！

有些口述傳聞顯然是有偏執誤失的，司馬遷也給予糾正澄清，充分發揮自孔子以來傳統春秋筆法的精神，饒有一流大史家的風範。如在〈蘇秦列傳第九〉言：

> 蘇秦兄弟三人，皆遊說諸侯以顯名，其術長於權變。而蘇秦被反間以死，天下共笑之，諱學其術。世言蘇秦多異，異時事有類之者皆附之蘇秦。夫蘇秦起閭閻，連六國從親，此其智有過人者。吾故列其行事，次其時序，毋令獨蒙惡聲。

能夠不盲從附和眾口，替蘇秦洗刷惡名，充分肯定傳主「起閭閻，連六國從親」，智慧過人的長處，在此，司馬遷展示他超乎同時代人的歷史眼光。又在〈刺客列傳第二十六〉也說：

> 世言荊軻，其稱太子丹之命，「天雨粟，馬生角」也，太過。又言荊軻傷秦王，皆非也。始公孫季功、董生與夏無且游，具知其事，為余道之如是。

夏無且是當時秦始皇的侍醫，荊軻圖謀襲刺秦王時，其人正好在場投擲藥囊阻擋行刺，因此他的話是具有相當權威性，可信度是毫無問題的。透過與夏無且當時相交往友人口中說出，荊軻刺秦王事件其間的曲直過節究竟如何，也就一清二楚了。至於世上其他的種種道聽塗說傳聞，也很容易明辨其虛妄誇誕，不可盡信。

　　遠在漢武帝時代的司馬遷對口述傳聞的取捨，與文獻當如何結合探究歷史真相，是深有所體會的，能夠提出上述如此高度成熟見解，與當代的口述歷史觀念相較之下，是毫不遜色而昂然獨樹一格的。

　　有學者竟說：「『口述歷史』是 20 世紀才出現的新研究方法」，[3]彷彿口述歷史是舶來品，其實大謬不然！以中國擁有悠久歷史文化傳統的大國，「口述歷史」並不是什麼新鮮的研究方法，幾乎每個朝代史學大家都有相承延續這樣的睿智意識，而現代的史學教育太過於崇洋媚外，完全忽略了自家傳統特色，竟然不置一辭言及。我因看不慣如此「知今不知古」的學風，於是費了一點時間把中國第一部正史《史記》內相關文字資料，透過上述徵引部分討論，說明這句話根本是膚淺而毫無根據的。

二、我如何從事口述歷史及其研究

　　如果自 1990 年 7 月訪談學者開始算起，我從事口述歷史應該有 20 年了。談到我對口述歷史的研究，如果自 2005 年 4 月開始算起，也不過只有 5 年的時光而已（詳下說明）。換言之，從事口述歷史是一回事，從事口述歷史研究又是另一回事，兩者應該有所區別，是先有口述歷史的經驗，有了採訪、記錄的心得與見解，經驗積累多了之後，才談得上口述歷史研究。

　　我會致力從事口述歷史及其研究，是個很偶然的機緣。

　　1990 年夏天，我完成了研究生階段的碩士畢業論文，同學各奔前程，有人繼續考博士班深造，有人就業開始找工作，我準備先去服役當兵後再謀

---

[3]　中央大學客家社會文化研究所廖經庭〈口述歷史的倫理與法律問題——從溫哈熊事件談起〉一文，可以從網站 http://hakka.ncu.edu.tw/Hakkacollege/big5/network/paper/paper17/28.html 檢索。

出路。當時我班上有位女同學正在報社負責藝文學術版面的編輯採訪，臨時要訪問中研院的學者，於是找我幫忙提問題與拍照。7 月 5 日在中研院學術活動中心採訪了周法高先生，7 月 11 日在中央圖書館的敦煌學會議空暇時間採訪了饒宗頤先生，7 月 12 日在臺北老爺酒店採訪了余英時先生；這些都是鼎鼎大名的學者，而且採訪後都有文章發表，[4]我還留存了這些學者的一本黑白寫眞合集，20 年後看來，那是相當地珍貴。

　　這是初次從事口述歷史工作，使我覺得非常有趣，而且收穫很大。因為平時閱讀這些學者他們的著作，都是很嚴謹的考據與結論，但私下聊天卻又是風趣幽默，海闊天空暢談，妙語如珠，能夠「大扣大鳴」，完全超乎預期之外，講者與聽者都興味盎然，饒有樂趣。

　　恰好在 2004 年的下半年，我開始從黃彰健先生口中瞭解有關臺灣二二八事件的研究情況。當時我還只是一個聽眾而已，根本不知道口述歷史有很複雜的變化，有很多需要注意的細節，直到 2005 年春天我跟隨黃先生之後，整個眼界才有所開展（詳後討論）。

　　2005 年秋天來到川大工作，我繼續從事口述歷史工作，訪問了蒙默與曾棗莊兩位先生，[5]也爲王慶餘先生作了一本完整口述歷史。[6]2009 年我把跟隨黃彰健先生從事關於二二八事件研究的心得文章發表在香港的學術刊物，那是我對口述歷史與檔案結合研究的看法，也可以說是黃先生治學方法揭要介紹。有人說我的學術研究，「用文獻學所重視的版本、校勘等方法研究近

4　見吳銘能、顧蕙倩專訪〈國學與新學的遽變時代——周法高院士走出嶄新的學術生命〉，1990 年 9 月 28 日《中央日報》。余英時與饒宗頤兩位先生的訪問文章係我在當兵期間登出，不及剪報，只能以後查訪當年的報紙才能知道確切日期。

5　吳銘能專訪、黃博錄音整理〈把四川大學古籍所建設成宋代文獻資料中心——曾棗莊教授談《全宋文》編纂經過〉，2006 年 12 月號《國文天地》第 22 卷第 7 期，頁102-106。吳銘能專訪、黃博錄音整理〈貫通四部　圓融三教——蒙默先生談蒙文通先生的學術〉，收在林慶彰主編《經學研究論叢》第十五輯，2008 年 3 月，頁 325-332。

6　王先生這本口述歷史，是我與學生黃博共同完成的，前後花了約兩年的時間，寫成了《藝‧道‧情——王慶餘口述傳奇的一生》一書。

代史，恰好能見人所未見，從而能夠有獨特的創見」，[7]此為知言，那是一點不錯的。

三、口述歷史的經驗之談

以下要舉幾個個人從事研究的例子，另旁涉其他的例證，說明口述歷史的種種問題。

甲、徐志摩與張幼儀婚變研究的經驗

口述的說法不一定很可靠，必須要有存疑的眼光，這是我讀《史記》的初始感受，如本文第一節所討論，而我在研究徐志摩則有了更進一步的發現。

徐志摩與張幼儀的婚變，已經成為民國史上追求婚姻自主史料的一部分。我研究這一段歷史，正好 1999 年冬天在美國與前妻（當時尚未離婚）會見，在書店買了一本張邦梅（Pang-Mei Natasha Chang）為張幼儀做的口述歷史 Bound Feet & Western Dress，我仔細讀了兩遍，回到臺灣後的那段時間，電視節目正好在流行「徐志摩熱」，坊間這類的書刊也很多。

當我看到友人「作家身影」製作人蔡登山引用徐志摩的表弟蔣復璁說法，認為徐、張二人「伉儷情篤」，學者王文進也有類似看法，中研院學者張朋園引用梁實秋的說法，認為「徐志摩的婚姻前前後後頗多曲折，其中有些情節一般人固然毫無所知，他較接近的親友即有所聞也諱莫如深，不欲多所透露。這也合於我們中國人隱惡揚善和不揭發隱私的道德觀念」，又引蔣復璁對其一再言「志摩有隱痛」，郭銀星則說「1920 年，張幼儀到英國伴讀，小夫妻恩愛和諧，朋友們常來訪談聚餐，對張幼儀來說，這真是一段美

7　中國社會科學院近代史研究所何樹遠博士為我的《歷史的另一角落——檔案文獻與歷史研究》一書所寫的書評語，詳見 2010 年 10 月 26 日《光明日報》第 12 版理論週刊〈《歷史的另一角落》簡評〉一文。另有兩篇評論拙作，北京大學古文獻研究所漆永祥教授的書評〈繡花針的細密功夫——吳銘能《歷史的另一角落》讀後〉，發表在 2010 年 10 月 27 日《中華讀書報》，媒體編輯徐圖之的書評〈辨偽是歷史研究的基本功〉，發表在 2010 年 9 月 4 日《晶報》B10 版圖書評論，均可參看。

滿的時光」，又說「1921 年秋，張幼儀懷著身孕赴德國留學，1922 年 2
月，次子彼得在柏林出生，志摩在幼儀身邊服侍」。這些看法似乎言之成
理，多說明徐、張二人情感堅貞，但卻無法消除我的疑惑：要是如他們說的
情感這麼好，何以要分手？

　　直到看了張幼儀的口述歷史 Bound Feet & Western Dress，我才發現上
述的說法完全是站不住腳的。另外，有徐、張二人離婚協議簽字人吳經熊之
子的回憶文字作為旁證，我更加篤定認為張幼儀口述歷史是可以採信的。[8]

乙、二二八事件研究的新發現

　　真正對口述歷史從事研究，是我跟隨黃彰健先生做二二八研究才開始
的。

　　我原先對這個領域一無所知，而黃先生此時已為血壓高所困擾，只要精
神太過投入，血壓就飆高，因此他不能長久集中精力思考、寫文章，但他對
二二八事件研究已經趨於成熟，成竹在胸，作為黃先生的助理，我的任務是
「先傾聽其口述錄音，循著他的思路、觀點，把史料來源出處一一找出，執
筆董理成合乎史學規範的文字」，[9]這樣就把近 60 萬言的《二二八事件真相
考證稿》下半部繼續完成。

　　在我初次接觸這個領域，意識到要先投入準備工作，才能勝任記錄黃先
生的研究口述工作。因此，我先從最容易找到入門的書籍，即是中研院近史
所在 1992 年出版《口述歷史 3》、1993 年出版《口述歷史 4》，以及 1995
年把上述兩本口述歷史訪談記錄編成第二版的《高雄市二二八相關人物訪問
記錄》一書。

　　自 2005 年 4 月 20 日開始，我花了一個星期的時間，把中研院近史所出
版的兩種口述歷史做比對校勘的工作。

　　我經過仔細核對之後，發現有幾處重大的不同：一是對日本殖民統治臺

8　詳見吳銘能〈徐志摩與張幼儀「伉儷情篤」嗎〉一文，收在我的《歷史的另一角落
　　——檔案文獻與歷史研究》，頁 100-107。

9　見吳銘能〈敬悼黃彰健先生〉一文，收在張新民主編《陽明學刊》（成都：巴蜀書
　　社，2011 年 4 月），第五輯，頁 506-515。

灣的用詞，《口述歷史 3》與《口述歷史 4》大多用「日據時代」（或「日
據時期」、「日本時代」），但到了後來出版的《高雄市二二八相關人物訪
問記錄》卻均改爲「日治時期」；二是圖片有了變動，而圖片文字說明也有
了更動，《口述歷史 3》與《口述歷史 4》文字敘述稍平和，《高雄市二二
八相關人物訪問記錄》則更加強調受難者遭遇的慘痛悲情意識；三是第二版
特意強化臺灣人的歷史悲情，在文字刻意修飾下，於是臺灣與中國／本省與
外省截然劃分，大大挑動族群之間的緊張關係；四是第二版的口述歷史有誇
大造假的痕跡。

　　上述口述歷史既然兩次出版有如此大的差異，於是使我反省到以下的問
題：

　　1. 兩次出版品的不同口述記錄，讀者到底要相信那一次發行的版本？

　　2. 如果沒有前後兩版文字的校勘，平常的口述歷史出版品，讀者如何能
　　　　知道是否有人爲因素的刻意介入或爲了特定目的而做的口述？

　　3. 口述歷史要如何才能得到信任？

　　4. 訪問者與受訪者之間口述文字如何表述？應不應該以形容詞強化某方
　　　　面的情緒？[10]

　　透過這次文字上比對的發現，我才領悟到口述歷史的種種問題，實在應
該謹愼，稍不留神，就會陷入歧途！

丙、校勘方法的重要

　　其實，在寫博士論文期間，我曾經有過經驗校勘梁啓超年譜的發現，臺
北世界書局出版的本子已經是經過削刪篡改了，是很不可靠的。[11]但這還只

---

[10]　以上討論俱見吳銘能〈檔案與口述歷史之間：「口述歷史」文字之更動與「二二八」
　　事件研究〉一文，原發表在 2009 年春季號《九州學林》第 7 卷第 1 期，現收在《歷
　　史的另一角落——檔案文獻與歷史研究》，頁 292-320。

[11]　見吳銘能〈學術的良知和嚴謹——梁啓超《年譜》和手跡校讀感言〉一文，原發表在
　　1996 年 5 月《北京大學學報》（哲學社會科學版）第 33 卷第 3 期，後文章改名為
　　〈梁啓超《年譜》被動了手腳〉，收在《歷史的另一角落——檔案文獻與歷史研
　　究》，頁 38-45。另參見〈臺北世界書局版《梁任公先生年譜長編初稿》校勘記〉一
　　文，以及 1998 年 8 月北大召開戊戌維新百年學術討論會的發言稿〈梁啓超研究隨想

是紙上文獻材料的問題而已。

　　使我大開眼界的，原先我只是想看看兩個口述歷史版本有何不同，沒想到一校對之後，竟有驚人的發現，有如上述。

　　另外，黃彰健先生研究二二八事件所投入大量精力做校勘工作，使我有很大的觸動。

　　黃先生的方法乃取徑於清初黃宗羲與萬斯同整理明代史料的方法「國史（包含檔案）取詳年月，野史（包含口述歷史、回憶錄）取詳是非，家史取詳官歷，以野史家乘補檔案之不足，而野史的無稽、家乘的溢美、以得於檔案者裁之」，這是一般研究近代史學者所不用的方法，但從事實表明，這種傳統方法作為檔案與口述之間的矛盾、真偽驗證，其效力還是很顯然的。

　　如電報也有可能假造，這種功力，這就不是一般學者所能望其項背的。

　　經過不同版本互校，黃先生發現，閩臺監察使楊亮功的調查有關二二八事件報告，所附的十八件附件來源共有三個本子，且沒有一個本子內容是完備的。

錄〉，分別收在吳銘能《梁啓超研究叢稿》（臺北：臺灣學生書局，2001 年 2 月），頁 329-375 以及頁 401-404。這三篇文章就是要說明作為研究梁啓超入手的年譜，臺北世界書局的本子已經是不可使用了。最近，由北大歐陽哲生教授整理的新版兩種梁啓超年譜，都是用丁文江、趙豐田的本子為底本，分別由湖南教育出版社（2008 年 7 月，名為《梁任公先生年譜長編初稿》）與中華書局（2010 年 4 月，列入清華大學國學研究院四大導師年譜長編系列，名為《梁任公先生年譜長編（初稿）》）梓行，仔細與 1983 年上海人民出版社印行的《梁啓超年譜長編》核校，不但錯字一大堆，很多丁文江本人精彩的注解和梁氏家屬批語意見都不見了。當然，上海版的本子，在史觀上脫離不了醜化梁氏的偏見，但應該是迄今較好的本子，湖南教育出版社的本子與中華書局的本子都犯了校勘不精細的毛病，更嚴重是沒有把新近研究成果如上海湯志鈞先生對汪康年（穰卿）與江庸書信整理、許俊雅公布的梁啓超遊臺書信、夏曉虹《飲冰室合集集外文》（上中下三冊）等的研究成果吸收進來。像這樣不是從文字校勘入手做學問，又匆匆草率出書，難免成績不牢靠，也把清華國學研究院的招牌毀了，豈不可嘆！以上因校勘不仔細導致錯字一堆，並非個人的偏見，朱正挑了首尾兩卷《丁文江文集》讀來，列舉錯字就慘不忍睹，參見 2009 年 10 月 21 日《南方周末》朱正〈談談《丁文江集》的錯字〉一文。

通過校勘文獻的方法，有關二二八事件提出四十二條要求內容，黃先生所知道的就有三種不同的本子，即是三月八日《新生報》所載、三月七日晚上六時二十分王添燈廣播的、臺灣長官公署《臺灣省二二八暴動事件報告》收錄的，但其間的內容次序有若干的不同。[12]

以上這些文獻上的發現與比較，就不是一般研究者所能做到的，因此黃先生對二二八事件研究的突破貢獻，能夠後來居上，成為這個領域的佼佼者，絕對不是偶然的。[13]

四、影響口述歷史的幾項因素

口述歷史會受幾項因素的影響，具體可討論者如下。

甲、意識型態的影響

意識型態會影響到學術觀點的分歧。試先以錢穆和張傳璽的歷史教科書對中國歷史的看法為例。

錢穆在《國史大綱》說：「如漢末黃巾，乃至黃巢、張獻忠、李自成，全是混亂破壞，只見倒退，無上進」，又說「近人治史，頗推洪、楊。夫洪、楊為近世中國民族革命之先鋒，此固然矣。然洪、楊十餘年擾亂，除與國家社會以莫大之創傷外，成就何在？建設何在？」[14]史觀是如此，但是張傳璽《中國古代史綱》卻把傳統正史所謂漢末黃巾賊、唐代黃巢之禍稱為「黃巾大起義」、「黃巢大起義」，至於李自成與張獻忠抗清統治，在正史不過寥寥幾筆帶過，而張書也以專節稱之為「明末農民起義」討論，[15]兩者

---

[12] 以上黃先生的見解，參見吳銘能〈檔案、校勘與歷史真相——以黃彰健著《二二八事件真相考證稿》為例〉，收在《歷史的另一角落——檔案文獻與歷史研究》，頁321-337。

[13] 黃先生生前曾經多次為筆者說，他的二二八研究應是一生所有研究領域中最具有原創性突破見解的，其價值不亞於戊戌變法史研究。

[14] 錢穆《國史大綱》（北京：商務印書館，1996年6月修訂第3版），〈引論〉頁12-13。

[15] 張傳璽《中國古代史綱》（北京：北京大學出版社，2004年7月），上冊，頁267，下冊，頁371-374。

史料一致，但觀點卻完全大相徑庭，截然相異。

同樣地，關於清代太平天國史研究，如果順循錢穆的思路，是絕對不會同意羅爾綱的研究，以爲太平天國還會有天朝田畝制度、官爵制度、禮制朝儀、科舉制度、建築、戲劇、美術與音樂的藝術成就等。[16]

學術研究如此，口述歷史也不能避免意識型態的影響。

如前述由中研院近史所兩次不同版本關於二二八事件「口述歷史」的討論，其價值不免令人有所疑問：短短三年之間，爲何由「日據時代」可以轉換成「日治時期」？史學家對名詞的界定，可以如此輕率嗎？

「日據」與「日治」用語之別，牽涉到一個極爲嚴肅的歷史評價問題：如何看待日本殖民統治臺灣半個世紀的功過得失？儘管歷史學家以個別立場與研究視野角度，可以有不同史觀的爭論，但在官方正式文書或學校教科書，或者是具有社會教育意義的「口述歷史」叢書，該如何書寫表述呢？令人遺憾地，中研院近史所「口述歷史」第二次印行，編者有意識而系統地將「日據」改爲「日治」，遍尋全書，竟沒有任何的說明文字。

「口述歷史」能夠這樣做嗎？誰有權力這麼做？編者做這樣「一致性」的文字轉換，是不是都告知了受訪問者，是否都經過受訪問者的同意？這不僅是尊重受訪問者的基本禮貌，也是一個學術道德的問題。該如何拿捏呢？[17]

根據筆者的判斷，上述兩次印行「口述歷史」叢書對於二二八事件研究的文字轉變，在於撰寫者主張臺獨政治傾向有了既定成見，已經影響到「口述歷史」的修訂，所以才會有上述現象的產生。

由此觀之，孰謂意識型態對口述歷史沒有影響？

乙、採訪對象不同的影響

林彪事件，是一段引人矚目的歷史。

林彪事件牽涉廣泛，其眞相如何，透過口述歷史訪談，卻予人有截然不同的印象。

---

[16] 羅爾綱《太平天國史》（北京：中華書局，1991 年 9 月第 1 版），全四冊。

[17] 見吳銘能〈檔案與口述歷史之間：「口述歷史」文字之更動與「二二八」事件研究〉一文，收在《歷史的另一角落——檔案文獻與歷史研究》，頁 292-320。

　　如《權力的文化──文化革命中的林彪事件》一書認爲 1970 年 8 月 23 日九屆二中全會開幕式上，毛澤東出人意料宣布林彪講要發言，使得即便是葉群都感到吃驚。這一出人意料情況的原因並不完全清楚。這個說法所本，是出自於邵一海的看法：

　　（開幕式後）回到住處，葉群又立即給吳法憲打電話：「……他（林彪）原來沒打算講話。開會前，林總同毛主席談話，向毛主席報告了討論憲法修改草案時你同張春橋的爭論。林總說，想就這個問題講幾句話。毛主席說，你可以講，但不要點名。因此林總才講話。」[18]

林彪事件的「原始資料殘缺不全，其中著錄私乘者，牽涉繁多，實有互歧之說」，[19] 而此一事件當事人林彪、葉群和林立果皆因飛機失事葬生，因此《權力的文化──文化革命中的林彪事件》一書作者金秋博士，其人背景特殊，是林彪事件主要當事人之一吳法憲的女兒，她採用其母親現身說法的研究就有一定的價值。但林彪的警衛秘書李文普回憶說：

　　在廬山會議講不講那番話，他（林彪）曾表現出猶豫不決的樣子。上車前，我在旁邊，曾聽林彪問葉群：這話今天講還是不講。葉鼓動說：要講。[20]

而在此期間列席中央政治局常委會的汪東興回憶卻說：

　　1970 年 8 月 23 日下午 3 時，九屆二中全會在廬山禮堂開幕。開幕

---

[18] 邵一海《林彪「9．13」事件始末》（成都：四川文藝出版社，1996 年），頁 68。

[19] 邵東方書評〈《權力的文化──文化革命中的林彪事件》若干史實辨正〉一文的討論，收在其著作《文獻考釋與歷史探研》（桂林：廣西師範大學出版社，2005 年 12 月），頁 253-275。

[20] 李文普〈林彪衛士長李文普不得不說〉，發表於《中華兒女》1999 年第 2 期。

前，中央政治局常委在禮堂的小會議室集合。毛主席問周總理和康
生：你們誰先講啊？毛主席剛說完這句話，林彪突然說：我要講點意
見。……林彪要講話，講些什麼內容，多數常委事先都不知道。在常
委會討論九屆二中全會議程時，林彪並沒有說這個問題。毛主席看了
看林彪，說：你們三人講吧！[21]

這件事的差異性質，透過不同人對事件的描述卻有如此極大的不同，作為
讀者到底要相信哪一種說法？而真相的實情又是如何呢？今天恐怕不易索
解。[22]

由此可見，即便是當時相關人的回憶口述，不同人對某一事件也會有截
然不同或程度上的細微差別存在。然則，口述歷史又豈容易哉！

丙、同樣內容，不同次數敘述也可能有不同記錄

同一訪問者兩次口述的內容會有不同，不同訪問者所做的口述也會有不
同。

造成這方面差異的原因有三，一是主要在訪問者的提問方式不同，得到
的答案會有所不同；二是受訪者即使是同一人訪問之下，社會氛圍或情緒的
不穩定，也會影響到內容的表述；三是訪問者的提問背後的「意圖」，就是
訪問者所希望的答案如何，也會使得受訪者有所影響，記錄下的文字也會有
所變化。

丁、受訪者精神狀態也會使原先的問題模糊化

西安事變，是影響到近代中國歷史的重大事件。

事件主角張學良從 38 歲一直到 83 歲，整整有四十多年的歲月完全喪失
了自由。如果想要從張學良口中得知這段史實，恐怕非常地困難，因為張學

---

[21] 汪東興《毛澤東與林彪反革命集團的鬥爭》（北京：當代中國出版社，1997 年），
頁 36。

[22] 本節討論引用邵一海、李文普、汪東興三人的口述資料，均轉引自邵東方書評〈《權
力的文化——文化革命中的林彪事件》若干史實辨正〉一文的討論，不敢精掠美，特
此聲明。

良在長期幽禁之下，精神上已經有了變化，心態上的改變，就是心理學上所謂的「斯德哥爾摩症候群」。[23]

　　張學良的精神狀況是否如上所言，吾人不必完全相信這樣的論斷，但他寫回憶錄是出自於被動情況不得不然的勉強行為，則是明確的。他的侄女說他寫這段過去史實，「回憶往事，真的不好受」。[24]

　　因此，事件主角張學良身後出版了《雜憶隨感漫錄：張學良自傳體遺著》一書，展讀內容，很多關鍵的問題，反而語焉不詳，令人遺憾。[25]

張學良（原照片藏胡佛研究院圖書館）

戊、缺乏與文獻核實的誤失

　　如中研院近史所黃克武所做的《蔣復璁口述回憶錄》，內容有諸多的錯誤。主因是沒有核實文獻，把口述者記憶失誤處一律「有話照錄」，才會有如此的結果。[26]

---

[23] 這是李敖研究的論斷，就是被一個力量長期壓迫時，久而久之會不自覺地對這種壓迫勢力採取認同的態度。好比說老囚犯釋放出來不能馬上入眠睡覺，因為習慣外面有門鎖，突然之間解除了門鎖，反而無法適應正常的生活。見李敖〈張學良背黑鍋〉一文，收在《李敖有話說6》，頁48-50。

[24] 張閭蘅、張閭芝、陳海濱編著《張學良趙一荻私人相冊：溫泉幽禁歲月一九四六——一九六○》（北京：三聯書店），頁199。

[25] 此書係由張之宇校注，2002 年 6 月臺北歷史智庫出版，章節內容僅有第一章〈我的父親和我的家世〉，分為我的家世、我的父親兩節，第二章〈我的生活〉，分為少年時代、軍人生活、方面重責、我之與國民黨、出洋歸國與管束、對共產黨的觀感六節，對於西安事變的關鍵問題，卻隻字不提，顯然是避重就輕，不是自由意志下的寫作。

[26] 此為友人目錄學專家張錦郎先生的研究成果，指出黃克武編撰《蔣復璁口述回憶錄》全書有諸多缺失，如第一章「家世之成員」交待過於籠統，張文為之做了較完整譜系表，補充其闕失；第二章「小學生涯」，黃書僅摘取孤證，張文提出了兩種材料異同

可見檔案文獻與口述核實的重要性。沒有下過與文獻核實的工夫，任何口述歷史很難有正確無訛誤的保證。

五、當今做口述歷史的困境

甲、議題禁忌

學術研究很怕碰到議題的禁忌，因為這樣尋訪資料就很困難，更不必說順暢展開口述訪談了。

如文化大革命的資料遲遲無法開放，因為資料不開放，在大陸內地要研究這一段歷史就很困難，口述歷史更為不容易。口述歷史有時間性限制，容不得任何的耽誤，因此可以說口述歷史是在與「時間」做一場「非得即失」的競賽。[27]

由於議題的禁忌，使得口述歷史只能秘密不公開地做，又要冒著「被人知道」的心理負擔，如此一來，說當今作口述歷史是在「夾縫中從事研

處，列表存而不論，予讀者自行判斷其是非；第四章「我與圖書館」是最重要的部分，黃書在史實細節、文字行文皆有甚多疏誤，張文也指出數十處（不一一俱引）；第五章「我與故宮博物院」亦是重要一章，但在遷臺復員所提及的文物搬遷暨機構檔案之異動情形，張文以繡花針工夫細膩比對資料，遠勝黃書多多，實具有拾遺補闕之功。張文不僅針對黃書提出了甚多剴切評論，尤其最要緊者，有「附校勘記」，就有四十多條的缺失指出，最具深厚功底。張文之結論提出了三項非常重要而基本的治學方法：一是應熟稔全部著作之內容，二是要把研究資料做成彙編，三是要勤於查閱工具書。這樣撰寫人物之回憶錄或傳記，才可確保其疏誤減少至最低。張文把書評寫出如此篇幅（近三萬字），討論問題非常具體而全面，是近年罕見的評論（楊聯陞先生認為書評可視為論文亦不為過），發表在《佛教圖書館館刊》（半年刊）第 52 期（臺北：財團法人伽耶山基金會，2011 年 6 月），文章名稱為〈黃克武編撰《蔣復璁口述回憶錄》評述附校勘記〉。

[27] 如我為王慶餘先生做口述歷史，受訪者已過古來稀年紀，做口述歷史本來就很不容易，不料 2008 年偏偏又遭逢成都五一二大地震，王先生原本入院醫治脊髓易位突出，差點命喪醫院。因此，我在〈出版後記〉很有感慨說：「值得一提的，口述歷史做到一半時，王先生 2008 年 5 月初受邀到上海參加武術交流，不小心下腰過猛，腰椎扭傷了，忍痛回到成都入院治療，西醫與中醫診斷開藥，又以儀器牽引復健治療，均告束手無策，難以為濟。偏偏再遭逢 512 大地震，整個人差點折磨命喪醫院」。

究」，一點是毫不誇張的。

乙、資料封鎖與司法官司的困擾

　　錢鍾書與顧廷龍都是著名學者，在 1949 年並沒有隨著國民黨到臺灣去，一生終老病故在大陸，後人寫他們的傳記或年譜，就有很大的疏略。以湯晏的《民國第一才子錢鍾書》爲例，花了超過二十年收集資料工夫，也與楊絳女士多方書信往來討論，可是寫到錢鍾書自 1949 年至 1978 年近三十年光陰，作者只能以極短的篇幅 28 頁草草帶過，毫無精彩可言。[28]

　　同樣地，沈津編纂《顧廷龍年譜》洋洋灑灑厚達近百萬字的篇幅，以能夠掌握譜主完整日記、手札與記事備忘錄等資料取勝，但寫到顧廷龍 1966 年、1967 年、1968 年、1969 年、1970 年、1971 年、1972 年、1974 年、1976 年等狀況，平均一年竟只有僅約一頁就草草收筆，嘎然結束。[29]

　　兩位作者都是遠離大陸本土，在美國毫無禁忌環境下，經過充分準備才動筆寫傳記、年譜，但文革檔案沒公開，缺乏信而有徵資料，任憑具有生花妙筆美才之能事，他們對這段歷史也無能爲力，就只能如上述簡略帶過。這都是資料封鎖的結果。

　　只有少數學者如陸鍵東能夠查閱到文革檔案，才有能耐寫出《陳寅恪的最後 20 年》這樣受史學界好評著作。這本全書 531 頁的著作，根據學者專門統計，引文注解有 524 條，與檔案館館藏相關的資料有 205 處，而據作者自己說，《陳寅恪的最後 20 年》是在超過千卷檔案翻閱積累的基礎上完成的。如果，沒有檔案之助，讀者何能知道陳寅恪有「最後二十年」的詳盡歷史？

　　儘管這本書出版後，史學界一直有很高的評價，不過，當檔案開放牽涉到當事人的後代子孫，難免會有捲入官司控告的糾紛。因《陳寅恪的最後

---

[28]　參見吳銘能〈亂世英才盡零落──讀湯晏《民國第一才子錢鍾書》〉一文，原載 2002 年 9 月《書目季刊》第 36 卷第 2 期，收在吳銘能《書評寫作方法與實踐》（臺北：秀威圖書公司，2009 年 2 月），頁 183-186。

[29]　參見吳銘能〈讀沈津《顧廷龍年譜》〉一文，原載 2007 年 6 月中研院史語所《古今論衡》第 16 期，收在吳銘能《書評寫作方法與實踐》，頁 219-243。

20 年》作者在書中提及龍潛在中山大學任職時期的行為，引起龍潛後人不滿而告上法庭。一審作者雖勝，二審卻敗訴，北京市第二中級人民法院判決作者與三聯書店登報道歉與支付龍潛後人 5000 元「精神損失」費外，還得在未進行刪改之前不得再重印和發行。[30]

　　無獨有偶，海峽另一岸歷史研究也捲入了官司糾紛。

　　臺灣中研院近史所研究員劉鳳翰等人為聯勤總司令溫哈熊將軍做的口述歷史掀起了一陣波瀾。1997 年出版《溫哈熊先生訪談紀錄》，書中內容暗指俞大維之子俞揚和勾引蔣經國獨生女蔣孝章，引起旅居海外的俞揚和與蔣孝章的不滿，遂於 2001 年 6 月控告溫哈熊涉嫌妨害名譽與對死者誣謗。

　　2002 年 4 月臺北地方法院做出了判決，以「屬於學術自由層次的口述歷史，也是言論自由的一部分，為了歷史原貌呈現，刑法妨害名譽罪章不宜干預口述歷史紀錄內容」為由，宣判溫哈熊無罪。[31]

　　兩件學術研究都牽涉引入了人事官司糾紛，陸鍵東案的判例結果，不僅是當事人與出版社賠償的私人問題，也會影響到檔案開放積極性的後續效應。學者嘔心瀝血「上窮碧落下黃泉，動手動腳找資料」，沒想到竟引來官司纏訟的結局，還要被迫登報道歉與賠償金錢，試問：難道不會有「寒蟬效應」嗎？而對於提供史料的檔案局而言，在此糾葛之下，那家檔案局還膽敢為學者研究而開放檔案呢？至於溫哈熊的判例結果，雖然最終是以無罪定

---

[30] 黃一農首次提出學術研究可儘量充分運用電腦網路資料，以彌補短時未曾寓目資料，並填補探索歷史細節的隙縫，這就是著名的「e- 考據學派」的尋覓資料方法。見其著作《兩頭蛇 明末清初的第一代天主教徒》（新竹：清華大學出版社，2005 年 9 月）自序，頁 10。本條資料關於《陳寅恪的最後 20 年》的種種情況，係受其啟示而檢索搜得，有興趣者，可以詳見網站 http://www.360doc.com/content/10/1012/09/38711 21_60288259.shtml。

[31] 劉鳳翰訪問、李郁青紀錄，《溫哈熊先生訪問紀錄》（臺北：中央研究院近代史研究所，1997 年），列入中央研究院近代史研究所口述歷史叢書 66。以上參見中央大學客家社會文化研究所廖經庭〈口述歷史的倫理與法律問題——從溫哈熊事件談起〉一文，可以從網站 http://hakka.ncu.edu.tw/Hakkacollege/big5/network/paper/paper17/28.html 檢索。

讟，但是在訴訟論辯攻防的過程之中，仍然使學者臨深履薄，小心翼翼而不敢有所大意。[32]

我在《藝・道・情——王慶餘口述傳奇的一生》的〈出版後記〉也說：

> 史學研究做到「存真求實」，這是基本要求，也是口述歷史不可忽略的環節。我們唯一沒有做到的，許多當事者很難查證，尤其「文革」研究資料在當今環境下，開放仍遙遙無期，這是我們感到無奈中的缺憾。是知，天時、地利、人和對史學研究的重要，三者缺一不可；然而，我們也不可能一直等待「萬事俱足」才動手研究，機會把握要當機立斷，不可猶豫。這部口述歷史能做到此，我們已經盡了最大極限努力了，將來如果資料開放，再補上一筆吧！

這是在莫可奈何之下的寬慰語，不能夠引以為常態。

丙、學者心理顧忌

新中國自 1949 年成立之後，大陸經歷了史無前例的反右運動、知識分子的改造運動、文化大革命運動等，知識分子受到的傷害與心理烙印是難以在短期間內恢復的。因此，想要做口述歷史就顯得困難重重，不容易取得信任。

以巫寧坤為例，他的著作《一滴淚——從肅反到文革的回憶》，原先以英文版形式撰寫回憶的劫後餘生錄 A Single Tear，在 1993 年於美國紐約出版，2002 年中文版首次在臺灣出版，2007 年 5 月又出了修正版，仍由作者一人執筆，其中有部分是根據作者妻子李怡楷口述整理而成。像他這種典型的愛國知識分子，1951 年從著名的芝加哥大學回國到北京燕京大學服務，被迫經歷過一場又一場無可逃避的政治運動與政治學習；1957 年被打成「右派」後，被迫到北大荒接受「勞動改造」，拋下了妻子與幼兒；文革時

---

[32] 溫哈熊的官司在臺北地方法院審理期間，筆者曾經前往旁聽，雙方律師論辯攻防激烈，在場也有許多學者關注，因此迄今印象深刻。

期，又被下放農村再改造教育，蹲過「牛棚」，受盡了凌辱與壓迫，前後長達二十二年。[33]

　　中國近代發生這樣如此影響深遠的重大事件，這本平實反映那段時期的回憶，現今只能在美國與境外臺灣出版，不能不說是一大遺憾。[34]

　　文革歷史有如此的顧忌，抗戰史實研究也會有所顧忌。試再以龍應台的《大江大海一九四九》為例，此書準備很花工夫，除了作者閱讀大量檔案資料外，還對很多人做了口述，範圍相當的廣，幾乎竭盡所能，「所有的個人，從身邊的好朋友到臺灣中南部鄉下的臺籍國軍和臺籍日兵，從總統、副總統、國防部長到退輔會的公務員，從香港調景嶺出身的耆老、徐蚌會戰浴血作戰的老兵到東北長春的圍城幸存者，還有澳洲、英國、美國的戰俘親身經歷者」，[35]這樣一本反映從 1937 年至今七十餘年來，中國對日抗戰與國共內戰後的兩岸情感與鄉愁，凸顯政治鬥爭之下，老百姓的無奈與苦難，「向所有被時代踐踏、污辱、傷害的人致敬」的書，[36]在大陸是查禁、不准發行的。[37]

　　像這樣的書不能在大陸出版，大陸本土學者想要也如此做口述工作，心理顧忌能說不存在嗎？

---

[33] 巫寧坤《一滴淚——從肅反到文革的回憶》（臺北：允晨文化實業公司，2007 年 5 月），扉頁的介紹。

[34] 另一本著作，毛澤東欽定頭號右派章伯鈞之女章詒和回憶錄《往事並不如烟》（原在北京出版，有大量刪節）已是查禁書刊，後在香港牛津大學出版社出版，更名為《最後的貴族》。關於此書刪節情況，見 2004 年《開放雜誌》，4 月號，頁 18-19，5 月號，頁 25-26。章詒和另一本《伶人往事》，命運也是如此，不贅述。

[35] 龍應台《大江大海一九四九》（臺北：天下雜誌，2009 年 8 月），頁 360。

[36] 同前揭書，開卷語。

[37] 龍應台說「這本書若在大陸出版，真的可以有一個副題叫做『你所不知道的臺灣』」，但迄今仍未見此書在大陸內地發行。有人以為《大江大海一九四九》是一本反戰的書，詳見龍應台接受《南方周末》的口述訪問文字〈誰欠了他們的人生〉，2010 年 6 月 3 日第 21-22 版。

六、口述歷史反思：口述歷史的未來還有路可走嗎

上節討論到當今從事口述工作，會面臨到的問題有議題禁忌、資料封鎖與司法官司困擾以及學者的心理顧忌，然而，歷史研究不是為了某個政權的統治服務，史學家應該有太史公那種「究天人之際，通古今之變，成一家之言」的使命感，為解決上述的問題，應有大無畏的勇氣要求檔案必須開放，唯有開放檔案，表明這段歷史的研究不再有禁忌，口述歷史才能順利進行下去。否則，隨著時光流逝，經歷歷史事件的見證者一一老去凋零，歷史就會模糊而永遠失去記憶了。

口述工作是為了留存史料，筆者認為可以有一個做法：不妨由國家主持設立專門機構，先大量做好口述錄音訪談與記錄的工作，列入永久保存，可以在適當時機解密公布。[38]

如此一來，或者可以解除當今口述歷史的困境！

2010 年 11 月 5 日初稿於四川大學望江校區華西新村

發表在 2010 年 11 月 21-23 日「中國（成都）口述歷史未來之路論壇暨第三屆全國口述歷史學術研討會」

原載 2011 年第 1 期《當代史資料》，頁 69-78

---

[38] 最可為典範的做法，就是美國哥倫比亞大學的口述歷史研究處，收錄了超過六千份的錄音回憶，有六十萬頁已經打成的文字史料，每年約有二千五百位之學者使用這些記錄作研究，其創立始於 1948 年。見張之宇〈「口述歷史」的價值〉一文，收在張之宇校註《雜憶隨感漫錄：張學良自傳體遺著》，頁 13-18。

【舉隅十三】

貫通四部　圓融三教
——蒙默先生談蒙文通先生的學術

蒙文通先生（1894-1968），四川鹽亭人。中國現代傑出的歷史學家、國學大師。自 20 世紀 20 年代起，先後擔任成都大學、中央大學、河南大學、北京大學、河北女子師範學院、華西協和大學、四川大學等校教授。50 年代後又兼任中國科學院歷史研究所研究員、學術委員會委員。

2004 年 10 月，各方學者雲集四川大學舉行了蒙先生誕辰 110 周年的紀念大會，對文通先生的道德學問作了深情的回顧。而在兩年前，傾注了蒙先生的哲嗣四川大學歷史系教授蒙默先生一生的精力，耗時近 20 年的六卷本《蒙文通文集》也出版完畢。此爲學界又添寶典，這一工作中具體情況如何？以及蒙文通先生的治學經驗又是什麼呢？在 2006 年的 11 月，蒙默先生給我們講述了蒙文通先生遺稿的收輯與整理情況以及先生治學方面的經驗。

《文集》中未收稿的實情：「基本上都收齊了」

遺稿的整理，前後花了十多年的時間。大概出第一本的時候，還是八十年代的時候。第一本是八七年出的，我整理出來的時候是在八三年。後來，整理好一本就交給他們出一本，最後這一本（指第六卷）是 2002 年出的。前後基本上將近二十年。前幾年，我還要上課，帶學生。九二年退休後基本上沒什麼教學任務了，都是在搞這個了。

巴蜀書社的前言寫有「此外還有數十萬字遺稿尚未整理刊布」，第一卷用的是這個說明，以後每卷都用這個說明。實際上我每卷裏面都有遺稿整理出來。其實有好多遺稿已經陸續整理收入《蒙文通文集》出版了。整理出來後都編入各卷中去了，所以每卷裏面都有些遺稿。我在（文集裏的）每篇文章裏的都注有出處，注明了那篇是根據遺稿整理的。

　　我父親的東西，基本上這幾本（指六卷的《蒙文通文集》）都把它收齊了，有幾個東西當時沒有收，一個是《周秦諸子流派考》，因爲這篇文章裏的觀點有好多文章都提到了，所以沒有收。但是後來我考慮還是收的好。還有一篇沒有收的就是《儒學五論》，因爲《儒學五論》原來是一本書，後來我收的時候就把它分收到各卷中去了，本論部分收到第一卷，廣論部分基本上收在第五卷裏面，但是有一篇叫做《宋明之社會設計》的文章就沒收，因爲這篇文章開頭講了很多當時儒者的生活習慣，比如說見到長輩是個什麼態度，在路上碰見又是個什麼態度，站在路邊上要行禮之類的。我感到這些說法在現在看來是太過時了，所以當時沒收。但是我後來看到這個文章後邊還有一部分他（指蒙文通先生）主要講儒者社會救濟的東西，後來還是覺得應該收。另外《儒學五論》還有個自序，他主要是講爲什麼要寫這篇文章以及對儒學的看法，在世界上的地位應該怎麼樣。我當時考慮這篇文章主要是在講他自己的思想而不是講歷史上的學術思想，所以當時就沒有收，後來我考慮作爲研究他的思想的這個角度上看，還是應該收的。

　　還有一篇〈略論黃老學〉，這篇文章是 1961 年寫的，是《新建設》雜誌來約稿，當時還沒有中國社科院，當時只有中國科學院哲學社會科學學部，《新建設》是當時這個哲學社會科學學部的機關刊物，相當於現在的《中國社會科學》。這篇文章是《新建設》約他寫的，主要是根據以前的兩篇文章，一篇是〈黃老考〉，一篇是〈楊朱考〉，依據這兩篇文章進行改寫，但是那篇東西寄給《新建設》後沒有發表，原稿也沒有退，只把排印了的稿子退了回來。已經發排了，不知道爲什麼沒有發，那個時候可能左一些，文中有些東西可能跟當時的思想戰線上的東西不太吻合，我整理的時候，就是在第一卷裏面，我就把這篇文章跟〈楊朱考〉、〈黃老考〉比較了一下，就是說在〈楊朱考〉、〈黃老考〉裏面談到了的，我就不再收，沒有談到的我就把它節錄出來，收在第一卷裏面。後來過了幾年又看，我覺得我的節錄不好，節錄之後，他的整篇文章的結構看不出來了，他思想的脈絡看不出來了，還全部發表比較好。後來在陳鼓應的《道教文化研究》出版了。臺灣輔仁大學有一個搞哲學的丁原植教授到成都來找我，要編一本我父親的

關於古代哲學的書，後來就編成這本書（指《中國哲學思想探源》一書），這本書就把〈略論黃老學〉全篇都收了，也把〈周秦學術流派考〉這篇也收了。這書是 1997 年 10 月由臺灣古籍出版社出的。

　　《文集》上沒有的只有上面說的這幾篇。有些東西我當時沒見到，就是你拿的這個討論集（指《蒙文通先生誕辰 110 周年紀念文集》）裏邊趙燦鵬有一篇文章（指《蒙文通先生〈書目答問補正〉案語拾遺》），他那篇文章指到的幾篇東西我都沒見到。沒見到的東西，後來我想到辦法收（集）了一下，今年上半年上海世紀出版集團出了一本《經學抉原》，這本《經學抉原》比巴蜀（出版社）的《經史抉原》的經學類部分就多了三篇，這三篇東西就是趙先生那篇文章裏提出來了。還有就是今年上半年出的一本《中國史學史》，也是世紀出版集團出的。上面有一篇《〈十先生奧論〉讀後》，《十先生奧論》是一本宋代人的書。這篇也是趙先生提出來的。我就把它收到這本《中國史學史》裏邊去了。趙先生提出來的還有兩篇東西我到現在也沒有見到，一篇是我父親在北大的時候在北大的一個史學刊物上有篇東西，另外還有一篇是在天津的《益世報》上有一篇講文中子的文章，我也沒見到。除此以外，其它的文章基本上都見到的了。還有一篇，就是今年川大歷史系校慶出了一本《川大史學》，出了一卷專輯（指《川大史學‧蒙文通卷》），這一本書裏面就收了《儒學五論》的自序。

治學廣博：經、史、子、集、儒、釋、道

　　蒙先生學術研究有什麼特點，或者我覺得他有什麼優點以及我有學到他什麼治學的方法？這個東西很麻煩。以前也曾經有人多次跟我提出過這個問題，希望我能夠寫一本書，介紹一下我父親做學問的歷程以及他做學問的方法有什麼獨到的。但是我一直沒考慮好。因為他的方面實在是太廣了，經學、諸子、理學、古代地理、古代民族、道教、佛教等等。以前歷史研究所尹達跟他講，你的學問是經、史、子、集、儒、釋、道各方面都有成就，但我對他的東西懂得不多。

　　譬如他關於佛學的兩篇文章，我就簡直是看不懂。我雖然把它整理印出

來了，實際上我看看就是有沒有錯字。收集的稿子不是手稿，是影本，把它印上去就行了，可能上面還有錯字我沒看出來。

他對經學是下了很多功夫，但是我對他經學的理解也是個逐步的過程。我整理第三卷《經史抉原》的時候，裏邊有三篇經學的遺稿，有一篇看得比較完整，有兩篇都不太完整，也不長。但是這兩個東西，他以前從來沒有給我看過，他逝世以後，我在他抽屜裏面看到的，後來北京的《中國文化》要我供稿，我就把這個給他們了，我寫了一個〈後記〉，就是寫他這兩篇文章的學術地位。後來我再看，我就覺得寫得不好。沒有能夠把他經學的發展演變寫清楚。一直到最後，就是今年上半年，他們要出《經學抉原》，我又再寫，我才基本上感覺到我對他的經學的前後脈絡和演變搞懂了，所以我對他的學問也是一個逐步深入瞭解的過程，所以叫我一下談啊，談不好。他的經學師承廖季平先生，下啓李源澄先生，關於我的老師李源澄先生的經學，另有專文論述，此不再贅述。

至於他講道教的東西，因為有些是手稿，我勉強可以看懂，佛學的東西，我簡直看不懂，因為佛學的東西牽涉到所謂的，用佛學的話說叫做「名相」，用我們的話來說就叫「學術術語」。這些術語是另外一套，這些術語不下一番工夫是不行的，我知道熊十力先生，就寫過一本解釋佛學名詞的書，他這個書對研究佛學有用處，但是我沒有時間也沒有精力來搞這些了。所以關於我父親的學問，讓我來介紹，我是介紹不好的。我只能一部分一部分的談，但是整個的我是說不出來的。楊向奎先生他組織人寫了個《百年學案》，當時組織人寫的時候，他讓他的學生跟我聯繫，讓我來寫我父親。我說最好不要找我寫，最好找別人寫，我寫不好。他們就說別人寫可能更寫不好，別人對他的東西不可能是全部的瞭解，您對全部情況還是比較瞭解的。後來我在《百年學案》就寫了一篇《蒙文通學案》，對我父親的學術，一部分一部分的談了一下，講史學的，講經學的，講哲學的，這書楊向奎先生沒來得及看見就過世了。以前我們學校圖書館下面的書店就賣過這個書，現在賣完了，沒看見了。我就寫過這麼一個東西，比較簡單的，以前在 1981 年的時候，《中國史研究動態》發表過一篇我父親的傳，當時要求很簡單，要

求寫四千字，後來我寫了大概五千多字吧，這篇傳後來也收在三聯出的《蒙文通學記》裏面，收進去的時候我把它稍微補充了一下。這也是一個介紹我父親的學問的，比較簡略的。三聯最近跟我聯繫，準備再版。我就沒有另外再寫什麼了，我就又收了幾篇《紀念文集》上的文章，像王汎森的、胡昭曦的、吳天墀的，可能十二月份就要出版了。

王汎森他有一篇文章提到蒙先生是從經學到史學，後來我收這篇文章之前，根據出版社的要求，要徵求作者的意見，我就給王汎森先生寫了封信，我就給他說了，我父親的學問他還是很注重經學和儒學的，他是個方面很廣的學者，說他是個史學家，還不如說他是個死守善道的儒學家，後來王先生就把它的文章加上了一段，就說蒙先生學問不僅於此，主要還是在儒學方面的成就。他是接受了我這個意見的。《川大史學・蒙文通卷》我寫了個〈前言〉，我這個〈前言〉也可以說是我對我父親的學問的看法，這個〈前言〉我主要寫了這麼個意思，我父親的學問方面很廣，但總的說來他還是儒學的東西，就是給王汎森寫的信裏的意思。

我父親的東西，武漢大學的蕭萐父先生寫過一篇文章，讀〈蒙文通先生理學札記〉，是八三年發表的，在成都的《社會科學研究》，後來收到他的文集《吹沙集》裏的。三聯書店讓我編一本我父親的學記，這本《學記》裏收了蕭先生的這篇文章。蕭先生的這篇文章，我感覺是寫得不錯，因為他是搞哲學的專家。後來我們系上戴志立寫了篇文章發在《中國文化》上，亂七八糟的，劉復生老師還寫了篇文章來批駁他，就是這些開玩笑的東西。宋明理學，是我父親認為最有心得的學問。

理學體會：
「事上磨練，心上磨練」與「既要敢疑，又要敢信」

他自己感覺他最深的學問是宋明理學，但是他的宋明理學，只有在《儒家哲學思想之發展》的後面寫了個後論，講了一下宋明理學，發表的東西就只有這些。另外就是他死後我發現他的信件，比如給張表方先生、酈衡叔先生和洪廷彥的信，談了些理學。給張先生的那封信比較早，1952 年寫的，

但是他後來 1963 年寫的這兩封信，一封給酈衡叔，一封給洪廷彥，他讓我留得有底稿，這兩封信我就有。那兩封信對理學談得就很簡單，但是談了一下他晚年對理學的一些看法。他說以前三十歲的時候，他對理學有些懷疑，四十歲的時候他感覺朱子和王陽明的有些說法不是那麼很妥當。到五十歲的時候才發現陸象山對王陽明跟朱熹的東西的看法，他認為有懷疑的地方可以解釋，後來，到他晚年的時候他又感覺他早期的東西都不對，應該是王船山和陳確的東西是比較正確的。我只能看到這麼個理路，但是他這個晚年怎麼樣的，具體的是怎麼個講法，他有個理學札記，他從四九年開始用語錄體寫的宋明理學的東西，這個東西以前我是沒見過，是他死了以後，我在他的抽屜裡面發現的。我開始整理的時候，1979 年，《中國哲學》到成都來組稿，就問我父親有沒有什麼東西，我說有這個東西。後來就在《中國哲學》上發表了。以後，我又在我母親收藏的我父親的遺物裡面發現有一小筆記本，裡面還記有一些這種語錄體的東西。我後來整理第一卷的時候，就給它取了個名字，叫《理學札記》。《理學札記》和《理學札記補遺》，就這兩本，這是他晚年的東西。對於這些東西，我就感覺我是看不懂的。所以讓我寫我父親的學記的東西，我到現在也不敢動手，因為我對這個東西沒下工夫。

我父親對理學有一個講法，倒是跟我講過。他教學時沒上過這方面的課，他給我講理學要下工夫才行。下工夫主要還不是指文獻上的工夫，他說要在事上磨練，在心上磨練。要身體力行。理學主要是供人實踐的，不是用來講學的。他的《理學札記》的這些東西就沒給我看，他說讀理學開始的時候可以讀一個簡單的選本，他認為最好的就是《聖學宗傳》，明代後期的一個人寫的。或者是孫夏峰的《理學宗傳》，什麼《明儒學案》、《宋元學案》太重了，他說還是先讀簡單的選本，讀了之後，對於那一家的東西，你認為能夠讀得懂，自己對這方面有心得，就不妨對這個東西多讀幾遍，然後你就找這一家的專集來讀。

他說讀宋明理學的書，不在乎讀得快、讀得多，而在乎每字每句你要懂得他講的是什麼道理。他說他以前讀宋明理學的東西的時候，常常有些東西

不懂，不懂就深入的思考一下，有的時候就廢寢忘食啊，有些時候用心很苦，甚至讀出眼淚。就是說到底這個話該怎樣講，這要很下工夫才行，他說這叫「不入虎穴，焉得虎子」。就說要「敢入虎穴」才行，要有這種工夫才行，所以他說理學這個東西，要敢疑，又要敢信，疑並不是胡亂的懷疑，信也不是迷信，既要信，你這個懷疑才能真正懷疑到點子上，不能夠懷疑，你的學問就不能夠深入，所以說是既敢疑，又要敢信，這樣對理學才能深入。他說你讀了一家，對這一家懂了之後，再看其它的，一家一家的來，不能像讀史學書那樣，一部一部地看，那是不行的。性質是不同的，所以我一直就沒有下過這工夫，沒下過工夫，所以我對好多他寫的理學方面的東西就不大懂。他的學問有好多東西，我都不太懂。

　　他理學方面的東西，我記得羅志田先生從國外回來，他們同班同學劉復生老師來，當時就說他們很推崇蒙先生的學問，當時《蒙文通文集》出了一卷，可以給他們一本，我就給了羅志田一本，給了王汎森一本。後來王汎森給我寫了封信，他說他對我父親的理學很崇拜，他說我是你父親理學的崇拜者，講理學講得很好。他說他寫了一篇文章，用了我父親的東西，但是這篇文章我沒看見，我後來聽羅志田說好像是錢穆的百年紀念文集上的一篇文章，這個文集好像是在香港出的，我沒看見。後來王汎森寄給我一篇是在《史語所集刊》上發的，講明清之際的理學的演變的，準確的題目已經記不住了，他說這篇文章引用了我父親的東西。

治史經驗談：「觀水有術，必觀其瀾」

　　父親日常生活和做學問中讓我印象比較深刻的是些什麼事情呢？你看了這個集子（指《蒙文通先生誕辰 110 周年紀念文集》），就可以很清楚了。我父親經常講的，就是孟子說的「觀水有術，必觀其瀾」，他認為學歷史就要這樣子，像看水一樣，必觀其瀾，「瀾」就是波瀾壯闊，是它轉變的地方，學歷史就是要看歷史的轉變，這個才是歷史的關鍵東西。每個時代有每個時代的轉變，有大轉變和小轉變，歷史要是看不出來變的話，你的歷史就沒什麼搞頭了。他很強調這個東西，他對很多人都談過，對好多學生也談過

這個問題，他給我也談過好幾次，所以觀其流變，注重在變。他寫文章也是著重在變的地方，比如他寫的《中國史學史》也是這樣，《中國史學史》他就主要講三個變化的時代，一個是晚周，一個魏晉，一個是宋代，唐宋。他的這本史學史沒有寫完，他的序言上也講了，這本書幾個關鍵的地方是寫出來了，其它的地方自己去看就行了。他這個史學史儘管列的目錄很完整，但寫出來的東西就沒寫完。他寫東西，好像把自己有心得的地方寫了之後，其它的東西就不想寫了。他這本史學史完成於三八年，他到六八才過世的，這中間還有幾十年呢，但他沒有再寫。對於那些不能說明大的變化的情況的東西感覺沒什麼意思，可能這樣他就沒再寫完。

他（蒙文通先生）很注意傳統文化，他曾經有個講話，我把他錄下了，收在《蒙文通學記》裏面，我把這個寫了個《治學雜語》，就是日常談的，不是他文章裏的，有時候是簽條，有時是他給我寫的信，都收在這個《治學雜語》裏，有二、三萬字吧，還不少。王汎森跟羅志田的文章裏引用的東西有的就是這個《治學雜語》。我父親有一段話是這樣講的，「中國這麼大，人口這麼多，但是長期是一個統一國家，歐洲地面比我們小，人口比我們少，但是長期是一個分裂的社會，道理在哪裏呢？就是因為我們有一個共同的傳統文化，歐洲他就沒有一個共同的傳統文化，我們的傳統文化維繫了我們國家的統一。他說中國的傳統文化是什麼呢？說到底就是儒學文化。要懂得中國的歷史，要懂得中國的現實，離開了儒學文化是說不清楚的」。以前我們不太重視這個東西，現在就講這個東西了，對傳統文化，不管是反對也好，或者是認為傳統文化應該延續也好，自從把傳統文化這個問題提出來以後，他這個話就很有意思了。

原載林慶彰主編《經學研究論叢》第十五輯，頁 325-332，臺灣學生書局，2008 年 3 月。

2011 年 10 月《蜀學》第六輯轉載，頁 320-325，西華大學、四川省文史研究館、蜀學研究中心主辦，四川出版集團巴蜀書社出版。

【舉隅十四】

從胡適的絕筆墨寶談起——敬悼黃彰健先生

摘　要

胡適絕筆墨寶「明實錄　附校勘記　胡適題」一紙，原先係爲黃彰健先生校勘《明實錄》出版而題寫的，由此線索，筆者找到了黃先生所言胡適「操守與風度之佳，爲近世所罕見」的依據，並論及胡適對黃先生的影響，恰是黃先生評論胡適「謙虛慈祥，獎掖後進，這也是令人感念難忘的」風範，竟然在我整理黃先生身後遺稿得到了證實。

臺灣中研院史語所黃彰健院士生前將所有藏書捐給四川大學，其中不乏兩岸三地著名學者簽名贈閱著作，如徐復觀、周法高、饒宗頤、黃盛璋、龔鵬程、黃一農、黃進興、茅海建、徐蘋芳等，其中有一張胡適親筆寫在宣紙上的墨寶：「明實錄　附校勘記　胡適題」，我一直很想寫一篇文章介紹，但總覺得不是什麼太大的影響，可有可無，於是就忽略了這件事。

胡適這張絕筆墨寶來歷，與黃先生是分不開的。

回想起 2007 年 8 月黃先生指示我將他一生所有的藏書打包郵寄成都，總共有 77 箱 4000 多斤的圖書就這樣寄送到四川大學歷史文化學院珍藏。在我打包封箱之際，黃先生有時會到他的研究室看我工作情形，因此就有機會聊天、請教。我無意中翻到這張書有「明實錄　附校勘記　胡適題」的墨寶，正好夾在黃先生的大作《明實錄校勘記》第一冊內，於是我就向黃先生提起。黃先生興致很高，滔滔不絕向我說起這張小條幅是胡適之先生的最後絕筆，「當時他寫了幾張，讓我挑選了最滿意的一張作爲書名題簽，這一張沒有采用的就一直夾在書內頁了。第二天，胡先生就走了，因此這張題簽可以說是胡先生的絕筆」。黃先生說完了，我把這張條幅放回書內，繼續我的打包工作。

　　2010 年元旦，傳來黃先生年底（2009 年 12 月 29 日）過世的噩耗，我在哀痛之餘，想要好好談談黃先生校勘學的成就，於是就先從其第一部專著《明實錄　校勘記》與他校勘的《明實錄》開始讀起。當我讀到《明實錄》內黃先生寫的〈校印國立北平圖書館藏紅格本明實錄序〉長文序言，意外在之後的〈後記〉讀到：

> 校印本明實錄的內封面，係適之先生本年二月二十三日晚十時在臺北福州街寓所所寫。而翌日先生即因主持中央研究院院士會議，過度操勞，心臟病作逝世。內封面所題的字，將是胡先生用毛筆最後所寫的字了。胡先生學問淵博。操守與風度之佳，為近世所罕見。其謙虛慈祥，獎掖後進，這也是令人感念難忘的。

〈後記〉最後書「民國五十一年五月十八日謹記」，這段文字寫於胡適先生逝世後兩個多月，其中提到「胡先生學問淵博。操守與風度之佳，為近世所罕見。其謙虛慈祥，獎掖後進，這也是令人感念難忘的」，胡先生學問淵博是不成問題的，但黃先生特別提到「操守與風度之佳，為近世所罕見」，只要深入研究胡適的專家都會同意這樣的論斷；然而，說到「謙虛慈祥，獎掖後進，這也是令人感念難忘的」云云，就不是一般的學者所能知道的，我猜想黃先生肯定是親炙胡先生，感受到他春風沐人的慈輝，才會有這樣溢於言表的話語。可惜，黃先生已歸道山，我也無從諮詢了！

　　這篇〈後記〉開頭一段說「校印明實錄序的初稿，撰寫於民國四十九年秋，承適之先生、濟之先生及陳、勞二先生賜閱一過」，是指胡適、李濟、陳槃、勞榦四人都看過序言初稿，又特別說了一段涉及胡適與校印《明實錄》相關的話：

> 史語所校印明實錄，需獲得國立北平圖書館善本甲庫書的微卷，胡先生為此曾寫了一封長達幾千字的信，請美國國會圖書館將微卷送一全份與史語所。這些微卷的底片，是胡先生在駐美大使任上，徵得政府

同意，委托國會圖書館攝製的。胡先生在信中曾詳細徵引當年他與國
會圖書館往來有關函件。這一封信寄出，國會圖書館僅回信告知以收
到來信，幾個月之後纔正式回信同意。信中說，曾查閱舊檔，胡先生
所說都不錯；在信中並大大恭維胡先生當年惠允攝製善本甲庫書微
卷，因為這方便了西方學人對中國歷史文化的研究。胡先生起初見國
會圖書館遲遲不表示同意，還以為接洽不成功；及得此信，遂大為高
興。現在史語所校印本明太祖實錄即將印好，而先生已歸道山。音容
宛在，請益無從。謹志於此，以示哀思。

可見，胡適先生對明實錄校印出版所起的作用，是具有關鍵性的決定影響。
如果我的推測不錯，這篇〈後記〉文字應是專門為了紀念胡適而寫的。

　　不過，人間因緣湊巧是很奇妙的。胡適「謙虛慈祥，獎掖後進，這也是
令人感念難忘的」風範，竟然在我整理黃先生身後遺稿得到了證實。

　　我受黃先生家屬委托整理遺稿事宜，今年二月十九日飛抵臺北參加次日
的追思紀念學術研討會，然後馬不停蹄整理黃先生身後遺稿。其中黃家三女
兒敦怡姐示我黃先生留下四頁遺書中，首頁第一條即言：

朱子年譜　日本刻本
這是當年彰健治程朱理學，胡適之先生送給我的。有胡先生題識，似
可入藏本所善本圖書館。

這使我回想起這一線裝本《朱子年譜》，胡適鄭重其事地以朱紅色毛筆字簽
名贈送黃先生，字體娟秀流暢，2007 年 8 月黃先生曾經從其研究室書櫥內
拿出翻閱示我，因此我的印象非常深刻！可惜，我已經忘記了胡適題贈具體
確實日期在何時了。但從我所編〈黃彰健先生著作年表簡編稿〉，可以看到
在 1950 年黃先生已有〈鵝湖之會朱陸異同略說〉文章發表在《中央研究院
歷史語言研究所集刊》第 22 本中，在 1956 年有〈論四書章句集注定本〉文
章發表在《中央研究院歷史語言研究所集刊》第 28 本，同年又有〈讀錢賓

四先生《中庸新義》〉文章，發表在《民主評論》7 卷 1 期（1956），〈讀錢賓四先生《中庸新義》申釋〉文章，發表在《大陸雜誌》12 卷 9 期與 12 卷 10 期，因此，胡適贈送黃先生日本刻本《朱子年譜》應在此時期不遠，除了「謙虛慈祥，獎掖後進」風範，找到了確鑿依據外，也說明黃先生當時校勘明實錄對版本重視，同樣也一貫表現在對朱子的研究上，胡適是深知曉而以爲鼓勵的。

　　另外，我在清理黃先生的文章未刊稿、筆記、書信、家書等，意外發現，有一本紙張泛黃、打書針裝訂已經生銹的《大陸雜誌》，在封面中央略靠左側，有胡適朱筆簽名：

　　　彰健兄　適之　四八、十二、十二

我翻開內頁，首篇文章即是胡適先生的大作〈記美國普林斯頓大學的葛思德東方書庫藏的磧砂藏經原本〉，這期封面印有「第十九卷第十期，中華民國四十八年十一月三十日出版」的《大陸雜誌》，內頁英文刊名作「THE CONTINENT MAGAZINE」，卷次日期書爲「Vol. XIX No.10, November 30, 1959.」，對照上述題贈文字，則知胡適先生把剛出版不久的文章，送給當時風華正茂、年方四十足歲的黃先生。以胡適當時的地位（中央研究院院長之職），史語所學者如過江之鯽，胡先生如此對待後生晚輩態度，稱呼黃先生爲「彰健兄」，而黃先生內心的欣喜與感動，應是不難想像的！因此，黃先生說胡適「謙虛慈祥，獎掖後進，這也是令人感念難忘的」風範，又找到了第二個依據。

　　胡適先生對黃先生的影響如何？我在清理黃先生書信中，發現他對年輕人是非常鼓勵看重的。當時的酈兆仁、朱鴻林、鄭欽仁、杜正勝等人，都是在海外研究所階段就讀或從師游學，從他們給黃先生的書信中，我得到了一項重要信息：謙虛慈祥，獎掖後進，實在有胡適之風。

　　記得我在 1997 年 3 至 4 月從北京寄了很多的履歷表到臺灣找工作，全部被封殺而出路無門，7 月下旬從北京大學博士班畢業回到臺灣，最先去拜

訪黃先生。在 7 月底的一天上午，我不安地打了電話到史語所，請總機轉接
黃先生，言明希望與黃先生見面談談我的博士論文梁啓超研究的心得種種。
先生以慈祥的口吻表示歡迎之意，並言隨時可以接見，於是相約次日（星期
三）到史語所研究室聊聊。

第二天一早，我把博士論文帶著造訪黃先生。黃先生與我簡單寒暄幾句
後，就立即看我的論文。我注意到他的眼神專注表情，不斷地掃看內容，前
面大半的篇幅他草草瀏覽翻過，而後當他看到我爲梁啓超年譜的文字做校勘
時，他揚起目光看了我一下，然後徐徐道來，說他一直很服膺傅斯年先生的
見解，大意是說史學研究貴在能夠擴充新的材料，有了新的材料自然會有新
的見解云云；對於我能夠利用北大珍藏梁啓超書信原件來爲年譜做文字校勘
工作，表示極爲贊賞，但也指出我的不足在於沒有進一步提出現在做這樣校
勘工作有何新意，怎樣解釋這一層意義。

十餘年後，北大歷史系歐陽哲生教授主編《丁文江文集》，其中第六卷
爲梁氏年譜，在序言中特別聲明吸收我的博士論文成果，尤其以我的校勘文
字作爲《梁啓超年譜》的重要參考依據。前年上海交通大學出版社編輯任雅
君女士有鑒於近現代影響較大的歷史人物新資料不斷被發掘，原來以丁文
江、趙豐田主編的梁氏年譜已經不敷學術研究所需，有意物色專家學者重新
編纂新的一部《梁啓超年譜》。任女士言透過哈佛大學哈佛燕京圖書館善本
室主任沈津大力推薦，專程自上海多次長途電話邀請，並親自到成都造訪，
希望我能答應擔任主編的工作。

回首前塵，最先肯定我的學術貢獻的就是黃先生。現在，黃先生已經離
我遠去了，我也來不及向他道謝致意了。思之哽咽，不勝悵然！

回憶當天拜訪黃先生的情景，他送我一本列爲「中央研究院歷史語言研
究所專刊之九十八」新作《周公孔子研究》，封面印有出版日期是「中華民
國八十六年四月　中華民國　臺北」，黃先生以紅筆在扉頁寫上：

送給銘能兄　作者　86、7、30

這種對晚輩的提攜鼓勵，絕對不是偶然的。對照胡適對黃先生的態度，再仔細凝想黃先生對杜正勝等年輕人書信的往來，以及他對我素昧平生的簽名贈書，胡適先生人格的偉大，在黃先生身上的影響，是不必有任何懷疑的！

後來我成了黃先生的助理後，2005 年秋天應聘要到四川大學歷史文化學院任教，臨行前，我與黃先生道別，黃先生特別找出一本早年的著作《經學理學文存》送我，還特別勉勵我好好認眞工作。我接過這本著作後，當場翻開第一頁，簡直不敢相信上面寫的文字：

　　銘能兄指正　　作者謹贈　　九四、八

一位院士級學者很恭敬地送我著作，還尊稱我爲兄，請我指正，我當場感動地說不出話來！

黃先生的主要著作，有專著十一種，《明實錄校勘記》（共 29 本，1963-1968 年，中央研究院歷史語言研究所）、《戊戌變法史研究》（1970 年，中央研究院歷史語言研究所專刊之 54）、《康有爲戊戌眞奏議》（1974 年，中央研究院歷史語言研究所）、《經學理學文存》（1976 年，臺灣商務印書館）、《明清史研究叢稿》（1977 年，臺灣商務印書館）、《明代律例彙編》（1979 年，中央研究院歷史語言研究所專刊之 75）、《經今古文學問題新論》（1982 年，中央研究院歷史語言研究所專刊之 79）、《中國遠古史研究》（1996 年，中央研究院歷史語言研究所專刊之 97）、《周公孔子研究》（1997 年，中央研究院歷史語言研究所專刊之 98）、《武王伐紂年新考並論《殷曆譜》的修訂》（1999 年，中央研究院歷史語言研究所專刊之 100）、《二二八事件眞相考證稿》（2007 年，中央研究院與聯經出版公司，列入院士叢刊），另有論文一百多篇，都是擲地有聲的大文章，其取得的學術成就，是非常顯著的。黃先生生前獲得有臺灣教育部的傑出文科獎項（1971 年與 1983 年），總統馬英九在其身後頒發褒揚令狀（2010 年 2 月 4 日），以表彰其「探賾明清實學奧旨，追溯文化考據深源，枕經藉史，紹統薪傳」的巨大貢獻。

　　中國社會科學院近代史研究所資深研究員耿雲志曾經對我回信言：「1994 年 12 月，我到臺北得以親聆教益；他的學問，他的人格，他的誠懇待人，獎掖後進的風範，都是如今學界極難得的」，任何年輕人與黃先生有過接觸經驗的，大致都會同意這樣的論斷。

　　黃先生人格的偉大，套用他對胡適懷念的話，「謙虛慈祥，獎掖後進，這也是令人感念難忘的」，我想，把這句話用在黃先生身上也是合適的！

2010 年 2 月 5 日初稿、3 月 2 日二稿、3 月 10 日凌晨
定稿於四川大學華西新村寓所

原載《四川大學學報》（哲學社會科學版），2010 年 7 月

【舉隅十五】

《藝・道・情——王慶餘口述傳奇的一生》自序

晚近，口述歷史如雨後春筍大量問世，內容也相當豐富，反映了歷史研究豐富多彩、超乎紙上文獻之外的一個面向。

不過，在這些林林總總的口述歷史之中，我們感到最值得注意的現象，就是有的檔案沒有公開，因此，作為歷史研究工作者，實在很難判斷是否有誇大失實或隱諱不談之處。這是學者覺得莫可奈何的。為了克服這個困境，以「既有的事實」為基礎，認真從每個細節一一檢驗，只要合乎「既有的事實」之處，就逐步形成了無數個「既有事實」，積累之後，又會有更多的「既有事實」，最後一部可以信賴的口述歷史就水到渠成了。

這項工作談起來容易，實際操作可不是輕鬆的活兒。沒有敏銳觀察力是辦不到的。

譬如，王先生言自幼打下深厚國學基礎，但他的根基到底好到什麼程度，恐怕不容易得悉。正好有一回談到治學要認真下工夫的重要性，王先生隨興脫口而出，「騏驥一躍，不能十步，駑馬十駕，功在不舍。鍥而舍之，朽木不折，鍥而不捨，金石可鏤。螾無爪牙之利，筋骨之強，上食埃土，下飲黃泉，用心一也。蟹六跪而二螯，非蛇蟺之穴無可寄託者，用心躁也」，就這樣一大段一大段文章一路背誦下來，原來這是《荀子・勸學》篇章內的文字，王先生很輕鬆自然拈出，聽得我們口呆目瞪，深感佩服佩服。還有一回，一位朋友帶著小孩到王先生家玩耍，小孩頑皮好動，到處行走東摸西摸，王先生就問他讀了什麼書，小孩好表現自己，立地背《三字經》給王先生聽，中間落了幾句，王先生能夠立即指出遺漏的部分句子。

王先生武藝高超，他說他年輕時在河邊為柔弱女子伸張正義，又說他赤手空拳擒拿小偷的英勇故事，敘述得如影歷歷，繪聲繪色，極為傳神，彷彿就是剛剛才發生一樣。然而，我的確沒有看過。但有一回，我與學生到其府

上拜訪，王先生沏茶，又以核桃招待我們。核桃很堅硬，王先生竟能輕鬆劈掌破殼，邊聊邊劈，一掌直劈而破，談笑自若，意態從容。黃博一見如此，也依樣畫葫蘆照般現學，萬萬沒想到核殼不但不破，還把自己的手弄得疼痛不已。由此可見，王先生內功厲害之一斑。

除了武藝之外，王先生也擅於觀察手指甲血色變化診斷疾病，當今這項絕活恐怕已經沒有人懂得了。我的朋友遠從臺北來訪，第一次與王先生見面，提出診察健康狀況的要求。王先生仔細按他的指甲，察看血色流動色澤變化情形，就很快得知他曾經腰部受過傷、下肢也曾有輕微骨折，好在內臟整體方面還很正常云云。我的朋友一聽，大表稱奇，說他很愛打籃球，確實有如王先生所言的症狀發生過。

以上是王先生個人內在修養的一個側面，但也映射出我們這本口述歷史講求忠實的基本要求，是毫無問題的。

另外一點，值得提出來的。王先生很重視情義，尤其中國歷經了天翻地覆史無前例的文革，人心完全扭曲不變，風氣澆薄寡義無情，都說傳統中國的倫理道德已經蕩然無存了。在美國出版的《大師：三十位傑出人才訪談錄》一書中，王先生不經意一而再表露出對其恩師栽培的孺慕懷念感激之情，如他說「我所以能夠活到現在，並有力量擺脫各種困境，都是李杰大師精神感召與道德人品薰陶下所致」，「我的名字慶餘，是李杰大師幫我取的，出自於《易經》的文字『積善之家，吉慶有餘』，意思是說，只要你能夠為眾人謀福利，絕對不會白費的，最終一定會有更多的回報降臨。所以，這個名字的意義，在這些困難的時期，也是讓我能夠有勇氣活下去的部分原因，甚至人們在勾心鬥角競爭下，我知道最終好心會有好報的」，在一個人人瘋狂互鬥自保的險惡環境下，王先生堅持做人的基本原則，出污泥而不染，表現高貴的人品特質，是非常不容易的！而這麼優美的人格，乃是良師精神感召所致，王先生不忘本而提出，頗有傳統中國尋源溯本古風遺韻，令人欽仰，低迴不已。

王先生在上個世紀八十年代末有名之後，能夠進出中南海為國家領導人胡耀邦、王震、晶榮臻等治病，又是奧運會跳水項目國家代表隊的隨行醫

師，國外著名大學邀請講學、開會亦不間斷，可以說是榮寵備至，盛名如日中天，不可一世。但對中國傳統文化深有體會的王先生，明白「亢龍有悔」道理，尤其以老子隱君子作風，大隱於市，謝絕各種名與利的糾纏，為一己精神絕對自由留下了退居優游餘地。

像王先生這樣從小接受傳統私塾教育，又有名師培養武藝絕學，自身天分又高，肯努力下苦功鑽研道醫，謙卑虛心，為了人生境界的高尚目標奮鬥，在經歷「九死一生」艱困磨難，仍能不懷憂喪志，終於完成了理想。這種百折不屈精神，是相當難能可貴的。

過去讀到戰國時代魏國范雎出使齊國的故事，輒感動不已。須賈懷疑范雎私賣情報給齊國，告密於魏相魏齊，魏齊於是派人把范雎打斷肋骨與門牙，並以草蓆包裹扔進茅坑內，賓客宴飲酒醉就直接便溺在他身上，以此殺雞儆猴，警告妄言國家機密者的下場。范雎透人相助從茅坑爬出，藏匿他所並化名為張祿。萬萬沒想到，透過秘密管道，張祿逃到秦國，並做了相國，封為應侯。范雎既為秦相國，國人皆號為張祿，而魏國竟無所知，以為范雎死去已久。後須賈出使到秦國，才驚駭張祿為秦相，乃過去陷害大難不死的范雎。范雎發達後，曾經幫助其逃亡的人，一飯之德必償，而陷害過他的人，睚眥之怨必報。我每讀到這個歷史人物雪恥的故事，不由心慕神馳，以為大丈夫當如是也。當我重新校理王先生的口述歷史文字，這則故事憬然跳到眼前，好像就是古代的范雎翻版！不過，王先生宅心仁厚，深居簡出，具有「一飯之德必償」的人品，卻從未有睚眥必報的心態。

像王先生經歷過這樣詭譎萬端、曲折跌宕起落的多彩人生，在在令人動容，我以為對於初涉入社會的年輕人，是一個很好的啓發。所謂「人才難得」，每個人都想要成功有番作為，但人不能選擇自己的誕生環境，一旦出生在一個從小就是孤苦伶仃的孤兒家庭中，旁有親戚圍繞的人情壓力下，個人如何擺脫困境，不屈不撓，勇往直前，這本口述歷史可以告訴你答案。有的人年少得志暴發成功了，就自以為了不起，目中無人，這本口述歷史也可以告訴你如何持盈保泰，永續發展，避免暗箭中傷受害，永居於不敗之地。

2008 年 1 月下旬龔鵬程兄在臺北開書法展，邀請我前去觀摩切磋，觀

其近作對聯「人海藏身焉用隱，神州坐看可無言」，並有短跋「今日之事，此二語盡之矣，集北朝石刻以見志焉」，鵬程兄特別為我言這副對聯的心聲，感慨歷經文革後的大陸，人文精神已喪，泱泱大國風華逝去，頗有不勝惋惜傷痛，也有寂寥難尋知音之意！不過，這本口述歷史殺青後，應該稍可彌補鵬程兄的感慨，同時臺灣的讀者也能知道以神州大陸如此之廣袤，歷經劫難而江湖高手能巍然獨存者，寥寥無幾，王先生正是個中翹楚。這種離奇故事，能不說是天壤之下世間的異數嗎！至此，人的精神力量與韌性無限潛力發揮，值得珍惜，也說明孟子所謂「居天下之廣居，立天下之正位，行天下之大道，得志與民由之，不得志獨行其道，富貴不能淫，貧賤不能移，威武不能屈，此之謂大丈夫」，是何等氣概，一點都不錯。我很慶幸有此奇緣，與我渡海到神州大陸教學的第一屆學生聯手完成這部奇人奇事的口述歷史。

　　完成這本口述歷史不是簡單的，因為在我們之前已經有很多人想做而不能夠。我們的年紀與經驗遠遠不如王先生，但人與人相處就是這麼奇妙，在幾度接觸交流，總是有聊不完的話題，由天明侃到月上東山，從私人前途談到家國天下事，以及攸關個人大節出處與選擇，乃至於到柴米油鹽等細瑣小事，在在都是一種心靈契合的靈犀點通，超脫於現實利益之外。因此，從內容訪談要點，到文章布局安排，甚至辭句用語修飾，我們無不各抒己見，費盡心思斟酌，儘量求到盡善盡美。當然，讀者如果有任何不滿意處，文責自然由我承擔，因為最後是由我定稿總其成的。

　　本來王先生應該寫一篇序言，但他一直謙抑自牧，不願自吹自擂，因此敬謹遵照囑咐，由我操筆撰寫這篇紹介，自知筆拙辭窮，以上寥寥數言，仍不足以表達王先生高潔人品風骨於萬一！

　　　　庚寅秋分後六日　吳銘能謹序於四川大學望江校區華西新村

【舉隅十六】

海外奇人的文化中國情懷
——《會友集——余英時序文集》書後

當代學者之中，余英時先生是個特別重要的人物。他所以特別重要，不外有三個原因，一是離開中國大陸本土超過一個甲子，即使加入了美國籍，已經是徹徹底底的「美籍華裔」了，但始終不能忘卻「文化中國情懷」。按他自己的話說：

> 屈指算來，我住在美國的時間已超過住在中國的時間，而且照現在流行的說法，我只能自稱「美籍華裔」。但是慚愧得很，以下意識到顯意識，我至今還覺得自己是「中國人」。後來我逐漸明白了：原來「中國人」自始即是一個文化概念，不是政治概念。而我的「文化認同」始終是中國，不是西方，雖然我對西方文化優美的一面也十分欣賞。[1]

二是在海外享有盛名，又是對大陸本土的知識人產生巨大的影響。三是在異域美國成名之後，仍然有自覺地以漢字書寫學術論文，從早期的《歷史與思想》算起，到近來的《朱熹的歷史世界——宋代士大夫與政治文化研究》，持續了超過三十年的時間，在當今漢語世界的學術社群，是個影響力最大的學人之一，罕有人能夠與之相匹敵。

最近由彭國翔收集了余先生近二、三十年來為他人著作所作的序文，都為一集，定名為《會友集》。這是取自於曾子「君子以文會友，以友輔仁」

---

[1] 余英時《余英時文集第 7 卷：文化評論與中國情懷（上）》（桂林：廣西師範大學出版社，2006 年 3 月），頁 3。

的名言，蓋紀其實也。關於此書的旨趣，余先生〈自序〉言：

> 首先我必細讀全稿，力求把握住作者的整體意向；其次則就我所知，
> 或就原著旨趣加以伸引發揮，或從不同角度略貢一得之愚。但無論從
> 什麼方向著筆，我都堅守一個原則，即序文必須環繞著原作的主題發
> 言。換句話說，原作為主，序文則居於賓位。序文的千言萬語都是為
> 了凸顯原作的貢獻及其意義。喧賓奪主或越俎代庖是寫序的大忌。用
> 這種方式寫序當然是比較費力的，往往逼使我去進行一些獨立的研
> 究。[2]

這樣寫序過程所得到知識樂趣的收穫，余先生又說：

> 經過比較深入的探索之後，對於歷史和文化的某些特殊方面，我的認
> 識從含混變為清晰，有些問題獲得進一步的澄清，有的基本概念則得
> 到更有系統的整理。[3]

如果對余先生著作認真細讀過，這樣夫子自道的話，應該是感到親切的。

　　余先生有幾篇因序言而用盡力氣寫成的長篇文章，終於成為專著而單
行。如《中國近代思想史上的胡適》是為胡頌平編著《胡適之先生年譜長編
初稿》作序，《朱熹的歷史世界》是為了《朱子文集》而寫的序，作者很花
功夫，把整部胡適、朱子集子翻過，才寫出覺得心安的序言。《未盡的才情
——從日記看顧頡剛的內心世界》係為了《顧頡剛日記》而作的序。序言能
夠寫到成為一本書的規模，近代似乎只有梁啟超才有這樣的本領。蔣方震著
《歐洲文藝復興時代史》告成，梁啟超自己說《清代學術概論》的成書經
過：泛泛為一序，無以益其善美，不如取吾國史類似時代相印證，以校彼我

---

[2] 余英時《會友集（上）——余英時序文集》增訂版（臺北：三民書局，2010 年 9
月），〈自序〉頁 1。

[3] 同前揭書，頁 1。

短長而自淬礪，既而下筆不能自休，乃與全書渤，古今實無此等序文，只得向蔣書宣告獨立。於是回頭請蔣百里爲梁氏《清代學術概論》著作寫序。

關於余英時先生著作在大陸出版的情形，編者有段話說：

> 余先生一九五〇年初離開中國大陸，除一九七八年的短期來訪外，其他時間未再涉足中國大陸。但是，余先生的文字自從八十年代在大陸流傳以來，其影響日益深遠。去年三聯推出「余英時作品系列六種」，廣西師範大學同時出版「余英時文集」，今年已出齊十卷本，一時洛陽紙貴。

這段文字，有需要商榷的，實際上，在一九五〇年，香港仍屬於英國的殖民地（香港於一九九七年回歸中國所屬），否則以共產黨控制之嚴密，到達滴水不漏的境地，余先生根本不可能順利出境到哈佛大學去深造拿學位，然後在美國留下來施展自己的抱負。

其次，無論三聯書店的「余英時作品系列六種」或廣西師範大學出版社出版「余英時文集」十卷本，編者可能不知道，都是不全的，這是很令人遺憾的。

所謂不全，當然是很多文章礙於禁忌不能出版，如本書《會友集》下冊就不能在大陸發行。另一種不全的，余先生一生反共立場堅定，因此有許多文章難免有罵共產黨的怒氣話不經意流露，在三聯書店或廣西師範大學出版社出版的集子中，就被「閹割」了。如以廣西師範大學出版社出版十卷本〈怎樣讀中國書〉一文爲例，原文是這樣的：

> 我可以負責地說一句：二十世紀以來，中國學人有關中國學術的著作，其最有價值的都是最少以西方觀念做比附的。四十年來，中國大陸的文史哲著作，凡是以馬克思主義的框框套在中國材料上的，都是一無價值的洋八股。如果治中國史者先有外國框框，則勢必不能細心體會中國史籍的「本意」，而是把它當報紙一樣的翻檢，從字面上找

自己所需要的東西。（你們千萬不要誤信有些淺人的話，以為「本意」是找不到的，理由在此無法詳說。）[4]

可是，大陸出版的集子，變成了如此：

我可以負責地說一句：二十世紀以來，中國學人有關中國學術的著作，其最有價值的都是最少以西方觀念做比附的。如果治中國史者先有外國框框，則勢必不能細心體會中國史籍的「本意」，而是把它當報紙一樣的翻檢，從字面上找自己所需要的東西。（你們千萬不要誤信有些淺人的話，以為「本意」是找不到的，理由在此無法詳說。）[5]

詳細比對校勘，一句罵共產黨以馬克思主義爲意識型態對學界造成傷害的話被「閹割」不見了。這樣的例子很多，試再舉一例。如〈美國華僑與中國文化〉一文，有段話原本是這樣說的：

但是一九四九年以後，中國人對於留居美國在觀念上已發生了根本的改變。中國本土不但不再是中國文化的根據地，而且成為銷毀中國文化的煉鑪。不願失去原有生活方式的中國人逐漸把美國的自由社會當作最理想的托庇之所。「逝將去汝，逝彼樂土」。《詩經・碩鼠》這兩句便是新移民的心理的最好寫照。[6]

大陸出版的集子，變成了這樣：

但是一九四九年以後，中國人對於留居美國在觀念上已發生了根本的

---

[4] 余英時《中國文化與現代變遷》（臺北：三民書局，1992 年 12 月），頁 266。

[5] 余英時《余英時文集第 8 卷：文化評論與中國情懷（下）》（桂林：廣西師範大學出版社，2006 年 3 月），頁 326。

[6] 余英時《中國文化與現代變遷》，頁 53。

改變。不願失去原有生活方式的中國人逐漸把美國的自由社會當作最
理想的托庇之所。「逝將去汝，逝彼樂土」。《詩經‧碩鼠》這兩句
便是新移民的心理的最好寫照。[7]

細心的讀者當能觀察到那一句罵得極凶狠話也被「閹割」不見了。

　　還有一種情況，是對文句作了某些「技術上」的必要處理。如〈試論中
國文化的重建問題〉一文，原來的話是這樣：

　　　自康有為的「大同書」以來，各種過激思想一直在不斷地掩脅中國的
　　　知識界，最後竟使中國為共產主義的狂潮席捲而去。這一文化悲劇決
　　　非任何歷史決定論所能解釋得清楚的。沒有任何客觀的證據可以使我
　　　們相信，中國近代社會經濟和政治的發展必然要歸向共產主義。[8]

大陸版的文字，變成了如此：

　　　自康有為的《大同書》以來，各種過激思想一直在不斷地影響著中國
　　　的知識界，最後竟使中國捲入共產主義的浪潮之中。這絕非任何歷史
　　　決定論所能解釋得清楚的。沒有任何客觀的證據可以使我們相信，中
　　　國近代社會經濟和政治的發展必然要歸向共產主義。[9]

由此可見，讀者如要閱讀到余先生作品的「完整原璧」，大陸出版品是看不
到的。編者能夠搜集到香港與臺灣關於余先生的集子，說明他是有心人。但
筆者要提醒，這句話看法是有所不足，需要修正的。余先生對此狀況倒是很
清楚。他說：

---

[7]　余英時《余英時文集第 7 卷：文化評論與中國情懷（上）》（桂林：廣西師範大學出
　　　版社，2006 年 3 月），頁 285。

[8]　余英時《史學與傳統》（臺北：時報文化公司，1983 年 10 月），頁 169。

[9]　余英時《余英時文集第 7 卷：文化評論與中國情懷（上）》，頁 229。

> 不過出版社根據既定的編輯原則，曾作了一些必要的處理，基本上仍
> 是尊重原作的，僅僅減少了一些文句而無所增改。[10]

余先生這句話的暗示，引起我一些聯想。於是不怕麻煩，找了幾篇文章細細
校讀之後，才發現原來有上述的問題。然則，讀書又豈是容易哉！

其次，編者未必知道，余先生「除一九七八年的短期來訪外，其他時間
未再涉足中國大陸」，其原因何在？以中國人根深柢固「落葉歸根」觀念，
余先生居然不願再返鄉，這其中就必然大有深意了。一九八九年四月底的學
潮，最後竟演變成「六四」而收場，這對長期在新大陸接受民主自由理念薰
陶的學者而言，在理智上與情感上皆是無法接受的慘痛創傷！[11]因此，余先
生下定了決心：只要「六四」不平反，就不再回故國！故國只是成為往事不
堪回首月明中而已。

這樣大義凜然、毅然決然的態度，從余先生的身上，筆者看到了一位現
代知識人的堅持：仍然保有傳統中國讀書人的風骨。然而，很慚愧地，相形
之下，筆者居然遠離寶島老邁的父母，[12]投奔到大陸教育單位服務，這又要
如何解釋呢？楚材晉用，本非我所願，但在民進黨執政時代的「鎖國政策」
對中國大陸採取敵對姿態，使我徒有大陸文憑而無法在臺灣找到一枝栖息之
地，只能被迫寄生於不同的政權下苟活生存。也許有人要笑我為五斗米折腰
而喪失知識人的骨氣。[13]而從另一方面，如果以文化終極關懷的角度視之，

---

[10] 余英時〈十卷本《文集》序〉，第 2 頁。

[11] 1990 年 7 月 12 日下午兩點，筆者在臺北市中山北路老爺酒店訪問余先生，提及為何
絕大多數的「匪情專家」，沒想到「六四事件」竟然以悲劇收場，余先生頓時神情大
變，表示世界各國的「匪情專家」寧願不會出事，並不能說他們預測錯了。我注意到
余先生頗為激動，不斷地把弄手上的煙斗。

[12] 筆者父親已於 2011 年 3 月 2 日往生，享壽八十有六歲。他走的時候，我沒有在身邊
服侍，不能不說是一大遺憾！

[13] 友人黃奇逸兄曾經有感而發寫下〈誰堪陶隱〉一文，最能說明個中苦況，非經過此歷
程，實難以為言也。詳見黃奇逸《茶邊栖心錄》（伊犁人民出版社，1999 年 11
月），頁 1-8。

我給本科學生上課採用的教材與黑板文字書寫，始終依舊保留傳統漢字的書寫風格，很多學生受到我的影響，也開始練習書法寫傳統漢字了。豈所謂「失之東隅，收之桑榆」者耶！

　　寫作讀書評論，要有實事求是的精神，「除了告訴讀者關於新書的內容訊息之外，有時作者更希望得到批評指正」，這是筆者一貫的主張。[14]

　　余先生治學嚴謹，其著作當然不乏真知灼見，經久耐讀，啓人深省。但也有一點智者千慮的疏失，敬謹提出商榷。《會友集》下冊列爲外編，其中〈郭成棠《陳獨秀與中國共產運動》序──陳獨秀與激進思潮〉一文說：

> 他的晚年著述如《實菴字說》、《小學識字教本》、《文字新詮》等是比較有原創性的學術作品。[15]

其實，《小學識字教本》草紙油印本還保存在臺北中央研究院傅斯年圖書館內，存有三套，每套分爲上下二篇，封面有陳獨秀毛筆題簽，並鈐印有「陳獨秀印」陰文與「仲甫」陽文的篆體方章，凝重古樸，神韻猶存。全書以傳統線裝書左右對折一張爲一頁（相當於現代書籍的兩頁），上篇有 136 頁，下篇有 53 頁，另有〈小學識字教本勘誤表〉，共計有 3 頁。臺灣曾在 1971 年 12 月由中國語文研究中心核定再版，尚不敢提及是陳氏的著作，且刪去了陳獨秀的〈小學識字教本自敘〉一文，由梁實秋另寫了一篇序言代替。大陸在 1995 年 5 月由劉志成整理，巴蜀書社正式出版《小學識字教本》，冠上「陳獨秀遺著」字樣。因此，《小學識字教本》與《文字新詮》，實際上是一本書的兩種不同名稱。[16]余先生恐未及翻檢原書，致有此誤會是兩本不

---

[14]　參見吳銘能《書評寫作方法與實踐》（臺北：秀威資訊科技公司，2009 年 2 月），「方法篇」第六節〈書評的對象：讀者與作者〉，頁 17-19。

[15]　余英時《會友集》，頁 266。

[16]　關於《小學識字教本》的寫作過程與出版波折，以及《小學識字教本》與《文字新詮》的比較研究情況，可參見吳銘能〈除卻文章無嗜好　世無朋友更淒涼：陳獨秀晚年在江津生活的片段〉一文，原題爲〈臺靜農先生珍藏陳獨秀手札的文獻價值〉發表

同著作。

　　2011 年 4 月 5 日初稿、6 月 30 日二稿於四川大學歷史文化學院、
　　　　8 月 16 日定稿於臺北南港中央研究院文哲所圖書館

後記：

　　本文原載 2011 年 9 月臺北《書目季刊》第四十五卷第二期，承蒙美國
聖若望大學李又寧教授不棄，邀請在紐約《華美族研究集刊》轉載，在此感
謝誠摯厚意！

2012 年 6 月 25 日於成都

在《古今論衡》（臺北：中央研究院歷史語言研究所，2002 年 7 月），第 8 期，頁
19-41，現收在吳銘能《歷史的另一角落──檔案文獻與歷史研究》（北京：商務印
書館，2010 年 6 月），頁 108-143。

【舉隅十七】

讀胡佛檔案館收藏《蔣介石日記》中所見的胡適

胡適作爲新文化運動的領袖人物，在 1949 年之後，他的生命最後歷程與其影響完全在臺灣。臺灣民主化進程之中，雷震創辦《自由中國》半月刊，並且能夠義無反顧堅持下去，這是與胡適的支持分不開的。

在各種出版品之中，大家印象深刻的一張照片，就是胡適過世時，蔣介石去悼念，面露哀戚之容，表情嚴肅，予人頗爲惋惜不忍的神態！我們似乎不必對蔣哀悼胡之情感眞實流露，有任何的懷疑。

不過，歷史的趣味，就在於不同文獻材料呈現，對於歷史人物與事件可以有不同的解讀。這也是本短文要闡述的另一觀點：由閱讀美國胡佛檔案館收藏《蔣介石日記》呈現 1960 年蔣介石對胡適的印象。透過這篇文章，也許我們對於歷史的研究，就要更爲謹愼，不要太輕易驟下結論。

根據美國胡佛檔案館收藏《蔣介石日記》可知，蔣介石每天寫日記，每周的周末有「上星期反省錄」，每個月的月末有「上月反省錄」，每年的年終有「本年反省錄」。「上星期反省錄」與「上月反省錄」大多能夠短時期內完成，而比較耐人尋味的，「本年反省錄」有時候要在半年後左右才能完成，因此他的日記在許多方面就顯得有些是「刻意」要留給後人看的。

蔣介石深知胡適支持雷震《自由中國》刊物的發行，因此當蔣介石決定要動手解決雷震之時，國內因素就是要掃除胡適的障礙，而國外因素就是美國的態度。在與幕僚密集而頻繁地草擬起訴書文稿過程之中，蔣介石在日記流露出對胡適的印象是壞透了。

這要從美國的因素談起。

從蔣介石仇視美國談起

蔣介石是仇視美國的。可以從日記中找到諸多蛛絲馬跡。

如在 1960 年 4 月 23 日的「上星期反省錄」提到：

> 美國務院對南韓李承晚政府指責無理，可謂狂妄幼稚，徒張其內部反動氣焰，並為共匪製造侵韓驅美良機，重演我十一年前大陸赤化一發不可收拾之覆轍，美國外交之幼稚鑄成禍世害華之大錯，至今仍未覺悟也。

在 5 月 17 日的反應更為激烈：

> 自感其民國二十六年至三十八年之長時間，其受俄共與匪奸之百般誣衊、污辱及其欺詐、脅迫，尤其最後三年（三十五—三十八）更受馬下兒與艾其遜之無端侮辱，全為其敵人俄共作倀之經過，更覺寒心。

10 月 11 日又說：

> 常感侵害我大陸者，乃美國為其禍首，而俄共不過為其因利乘便而已。

10 月 12 日也說：

> 在大陸顛覆我政府者，以「馬下兒」為罪魁，而共匪不過坐享其利耳。

綜合以上各條可見，《蔣介石日記》表明了在蔣的認知下，大陸為何會丟掉，主要因素是美國從中介入作梗，才會致使錦繡河山淪入中共的手裏，因此，美國要為大陸淪陷負最大的責任。有了如此慘痛經驗，自然對美國就採取了不可信任的態度。在 9 月 28 日的日記表達了蔣對美國不可信任的心理：

好惡無常，是非莫辨，故淺薄幼稚之徒，不可認為知交，更不可認為患難之交；對個人如此，對國家亦是如此，美國友人之斷以難交也，應切戒之。

除了舊恨之外，美國對雷震案所表達的關切，也更進一步引起蔣介石的反感。9 月 14 日的日記有如下的記載：「據報，美國務院已對我駐美大使館為雷震案作變相警告，可鄙」，短短一行文字，竟然是用了「可鄙」一詞收尾，可以想見內心厭惡之感已經到達了沸騰極點。

本來雷震案的判決十年徒刑，幕僚完全是根據蔣介石授意而多方沙盤演練的結果，但美國持續的壓力，蔣的心頭是鬱悶的。

在 9 月 17 日的「上星期反省錄」，蔣介石將此對美國厭惡的心情進一步披露，並將此結果，認為是胡適造成的：

雷案已由美國國務院對我大使提出警告，以示恫嚇，而且美《時代》雜誌對我素表同情者，此次亦將作不好之社論，此為胡適之關係。其他如《紐約時報》與《華府郵報》之惡評更無論矣。

在 12 月 2 日的日記有言：

昨日結婚紀念，夫婦共度一天愉悅安樂，甚想在日月潭休息期間，亦能安樂如常也。

不意本晨接閱葉大使來電報告，美國務院又對雷案覆判之決如原判，因受其參議員「傅爾白雷」之壓迫與警告，乃要求我對雷自動減刑（作此間接之干涉），否則該國務院將提出正式聲明，余乃立即拒絕，令葉據理糾正，此為雷案結束後又一風波也。美國之愚拙極矣。

接著在「上星期反省錄」仍對美國干涉雷案耿耿於懷：

美國對雷案尚想干涉，其民主黨左派如「傅爾白來特」及「艾其生」之流，若不使共匪完全統治中國以消滅我政府，非達到其媚共倒蔣目的，決不甘心。至於其美國對共產戰爭之成敗得失，乃至其治亂存亡，亦在所不顧，此種投機自私之政客，誠可謂至死不悟矣。

由於對美國有如此惡感在懷，因此在對「吳國楨事件」、「孫立人事件」的處理結果，乃就是有跡可尋的必然發展，這是可以找到解釋的依據。蓋吳、孫二人都是當時北京著名的留美預備學校清華學校出身的，後來又有美國留學背景的高材生，蔣既然對美國如此反感，到了臺灣之後，不滿胡適的作風，除了係因支持雷震的「自由中國」之外，胡適有留美背景以及與美國走得很近，都是可以解釋蔣介石內心之憎惡。1960 年 10 月 7 日，蔣介石日記有「對在美留學的軍官切實監察」、11 月 30 日也有「由美學習回國學員必須派任教育工二、三年再任其他工作」的話，那就顯然不是偶然，應是內心厭惡而不經意地真情流露。

整肅雷震案連帶提及對胡適的看法

上述把蔣介石仇視美國的背景交待之後，接下就能明白蔣介石對胡適的偏見也是自然而然形成的。

由日記表明，大約在 1960 年 7 月中旬，關於雷震《自由中國》半月刊的解決，蔣介石經常約了谷鳳翔、張群、唐縱、陶希聖等人研商討論，最後確定了不得少於十年的徒刑判決。經過了一個多月的密集商討，在 9 月 4 日將雷震等人逮捕。

蔣介石深知胡適對雷震的支持，因此對於胡適是採取防備的態度。如在 8 月 31 日的日記有如下的設想：

一、雷逆逮捕後，胡適如出而干涉，或其在美公開反對政府時，應有所準備：甲、置之不理。乙、間接警告其不宜返國。二、對美間接通告其逮雷原因，以免誤會。三、談話公告應先譯英文。四、何時談話

為宜，以何種方式亦應考慮：甲、紀念周訓詞方式。乙、對中央社記者談話方式。

如此縝密而細膩周詳的防備步驟，可以窺見蔣介石對胡適的反感，在其內心深處是極為深刻的！另外，蔣介石也把美國左派的勢力與胡適聯繫在一起。如 9 月 2 日的日記說：

所謂反對黨之活動與進行，乃以美國與胡適為招搖號召之標幟。

對於胡適在美國發表的言論，蔣介石也時時加以注意，如在 9 月 8 日的日記記載他對胡適的不滿：

胡適對雷案（在美）發表其應交司法機關審判，且稱雷為反共人士而決不叛亂之聲言。此種真正的「胡說」本不足道，但有此種胡說對政府民主體制亦有其補益，否則不能表明其政治為民主矣。故予仍以容忍，但此人徒有個人而無國家，圖恃外勢而無國法，只有自私而無道義，其人格等於野犬之狂吠，余昔認為可友者，今後對察人擇交，更不知其將如何審慎矣。

把胡適的為人，說成是「徒有個人而無國家，圖恃外勢而無國法，只有自私而無道義，其人格等于野犬之狂吠」，可以想見內心的憎惡！9 月 20 日更以嚴峻的口吻指責：

胡適挾外力以凌政府為榮，其與共匪挾俄寇以顛覆國家的心理並無二致，故其形勢雖有不同，而重外輕內、忘本逐末，徒使民族遭受如此空前浩劫與無窮恥辱，其結果皆由民族精神與固有倫理式微所造成，故今日應特別強調民族主義自重自愛、自立自強之重要耳。

10 月 13 日也有同樣的指責：

> 聞胡適定於十六日回來，是其想在雷案未覆判之前要求減刑或釋放之用意甚明，此人實為一個最無品格之文化買辦，無以名之，只可名之曰「狐仙」，乃危害國家、危害民族文化之蠹賊，彼尚不知其已為他人所鄙棄，而仍以民主自由來號召反對革命，破壞反共基地也。

胡適在美國的一舉一動，蔣介石非常關注，同樣地，胡適回國後的種種情況，蔣介石依然一再地注意。在 10 月 18 日的日記有這樣的話：

> 聞胡適已於昨由美起飛回國，其存心搗亂為難可知，而且若輩所謂自由主義之文化買辦，仍從中難容無疑，應加防範，但以忍耐為主。

其實，胡適 10 月 19 日至 21 日在日本東京停留了三天，他與毛子水、張厲生大使等人吃飯、逛書店買書、看戲等，然後 22 日回臺灣。蔣介石在 22 日的日記寫下了「據報，胡適今晚回來也」，說明了蔣時時刻刻都在注意胡適的動向。

　　在 10 月 29 日的日記，說明他對胡適說了有關雷震案的意見，內心的掙扎：

> 本日為胡適無賴卑鄙之言行，考慮痛苦，不置其實，對此等宵小，不值較量，更不宜痛苦。惟有我行我事，置之一笑，則彼自無奈我何矣。

緊接著在同時的「上星期反省錄」也說：

> 雷案申請覆判理由書盡延未遞，是因之該案覆判日期亦難確定，時恐夜長夢多為慮也，而胡適無恥言行與美國左派與糊塗友人，仍為雷震

張目說情，並加脅制的情形，更令人痛心，但此係完全操之在我，而且法理皆在我方，並不如對美國大選之憂困耳。

「上月反省錄」又說：

胡適為雷震張目，回國後似並未變更，故其對國內反動之鼓勵不少也。

胡適回到臺灣後，蔣介石刻意回避不與胡適見面（當然一方面他也關心美國大選的動向），一直到了透過張群的請求，經過兩個多禮拜後，蔣介石在 11 月 18 日終於與胡適見面了。在 11 月 18 日的日記，蔣有這樣的記載：

召見胡適約談三刻，彼最後提到雷震案，與美國對雷震輿論，余簡答其雷係關匪諜案，凡破壞反共復國者，無論其人為誰，皆必依本國法律處理，不能例外。此為國家關係，不能受任何內外輿論之影響，否則政府無法反共。即使存在亦無意義。余只知有國家而不知其他，如為顧忌國際輿論則不能再言救國矣。此大陸淪陷之教訓，不能不作前車之鑒也，最後略提過去個人與胡之情感關係，彼或有所感也。

緊接著在「上星期反省錄」也說：

胡適之胡說，凡其自誇與妄語，皆置之不理，只明答其雷為匪諜案，應依本國法律處治，不能例外示之，使之無話可說，既認其為卑劣之政客，何必多予辯論。

由此可知，蔣介石在與胡適見面之前，就已經想出如何擺脫胡適為雷震說情的辭令了。最後，在雷震覆判仍然維持十年的徒刑，胡適仍然不死心，繼續為雷震案尋求特赦而奔走，蔣介石在 12 月 9 日的日記，提出了他的定見：

　　聞胡適、成舍我等發起要求特赦雷震運動，此與美國共黨同路人，內外相應之行動也。

把胡適的舉動，與美國左派同情共產黨的人士聯繫在一起，或許在心理上可以得到一點慰藉。這種心態也許是蔣介石在處理雷震案的思考過程中值得玩味的深層心理。

　　本文僅提及蔣介石整肅雷震案中所見的胡適形象，也許是冰山一角，但不難看出蔣的態度堅決，任憑胡適如何的說情與奔走，終究是無法改變蔣的決定。

【舉隅十八】

蔣介石日記解讀：雷震案真相大白

雷震案的背景

早在大陸國共內戰時期，雷震就有意組織中國民主黨，促進政治民主化，以對抗共產主義赤化中國的企圖。沒想到大陸易幟如此迅速，國民黨勢力短期間完全潰敗，被迫遷到臺灣。雷震等知識分子痛定思痛，檢討大陸失敗的原因，歸結到政治、經濟、社會、軍事等改革才有出路。於是，在胡適的支持下，以《自由中國》雜誌為陣地，宣揚組織政黨、實施民主政治理念，對國民黨有許多的批評，無奈言論不見容於當局，導致雙方關係趨於緊張而破裂，最後決策當局決心剪除異己，將雷震等四人逮捕判刑，《自由中國》雜誌停刊，此即震驚中外的雷震案。

雷震案為何發生？可以說是眾說紛紜，莫衷一是。或以為與雷震組織反對黨有關，或以為其主張「反攻無望論」而惹禍，也有說雷震拒絕與蔣交換條件，更有說因反對蔣介石連任總統，雷震想當行政院長，甚至有認為雷震拒絕以《自由中國》交換駐日大使條件等，[1] 這些繪聲繪影說法，有的根本是無稽之談，可不予理會，其真正原因，如果有官方的檔案說明，問題將會撥雲見日，真相大白。最近《雷震案史料彙編》出版，以及綜合蔣介石日記解讀，將有助於吾人瞭解雷震案的來龍去脈。

一椿精心策劃的政治迫害事件

雷震在民國四十九年九月四日被捕，但官方在此之前如何策劃作業，其蒐證構陷入罪的過程，則不得而知；這一椿臺灣史上有名的政治迫害事件，

---

[1] 這些說法，詳見任育德，《雷震與臺灣民主憲政的發展》（臺北：國立政治大學歷史系，1999 年 5 月），頁 284-288。

官方史料係由國史館首次公布的檔案，再與過去出版私人資料為主的《雷震全集》對讀之下，雷震案的始末可以說是最完整的披露。

臺灣由一黨獨大的政權，到反對黨成立，以及反對黨贏得選舉勝利，民主進步黨取得執政，結束國民黨的威權統治，順利完成政權和平轉移，使臺灣步入現代民主政治的新頁，無疑地，雷震是居於最關鍵性的人物之一。研究雷震對臺灣民主政治的貢獻，不能不提民國四十九年九月四日震驚中外的雷震案，而雷震案是一樁有預謀、有精心策劃的政治迫害事件，自一九八九年傅正主編《雷震全集》陸續出版之後，已是學界認同的共識，[2]不過，沒有官方資料的直接證明，終究不易得知當時決策當局如何整肅異己的紀錄。如今國史館選擇在九月四日《雷震案史料彙編》新書出版發表會，總統、副總統以及當年與雷震共同奮鬥的馬之驌、高玉樹等人均出席，其為雷震平反的象徵意義可見一斑。

(一)官方對《自由中國》發表言論的密切關注

根據國史館《雷震案史料彙編》公佈的檔案，吾人可以得知，至少早在民國四十七年九月二十四日即由警備總司令部軍法處奉批，就同年九月二十日政治部簽請關於《自由中國》的內容，以為殊多影響民心士氣，並指出過去該刊曾有文章，論調荒謬，煽動知識分子反政府，出賣國家主權，破壞反共團結，違反反共抗俄國策，乃係有計劃之政治顛覆陰謀等，簽稿研析《自由中國》言論是否足為科刑論罪的基礎，[3]並提出建議：

2　同前揭書，第一章《緒論》。

3　見陳世宏等編輯，《雷震案史料彙編：國防部檔案選輯》（臺北：國史館發行，2002年8月），頁4-12。以後引述，簡稱《雷檔選輯》。由這份簽稿，《自由中國》被提出關注分析的文章有〈是什麼就說什麼〉（第十七卷三期）、〈反攻大陸問題〉（第十七卷三期）、〈我們的軍事〉（第十七卷四期）、〈中國人看美國的遠東政策〉（第十八卷六期）、〈安全室是幹什麼的〉（第十八卷九期）、〈一個軍人的話〉（第十八卷九期）、〈政治的神經衰弱症〉（第十八卷十二期）、〈急救臺灣地方政治〉（第十九卷五期）、〈請看香港「聯合評論」〉（第十九卷五期）、〈為教師爭人格〉（第十九卷六期）、〈退除役官兵待遇直言〉（第十九卷六期）。

設欲從除惡務盡之角度著眼，尚須加緊搜集幕後人指使教唆之佐證。倘求此而不可得，則能否因其便利或促成犯罪之理由，視為幫助犯，猶待從長研究。

至於海內外視聽如何，也有初步的考慮：

本案一旦開始處理，牽涉較多，影響必大，海內外各種政治上、輿論上以及其他可能引起之後果等因素，似應仍請政治部第二處等有關單位先為考量，俾資妥填。

由此可見，官方對於雷震案工於精心策劃，在此得到了初步佐證。

一個月後，民國四十七年十月三十一日，臺灣警備總司令部首腦黃杰以極機密簽呈「擬即依懲治叛亂條例第七條戡亂時期檢肅匪諜條例第六條之規定，由本部將雷震依法逮捕究辦」，[4]在這份簽呈的附件二所列「自由中國半月刊評選共匪言論綜合分析表」，可以明顯看出時間自民國四十六年元月至民國四十七年九月止，《自由中國》發表有五百四十七篇的文章，並有統計數字分析說明：

其中論及共匪者僅十七篇，僅占全部文字百分之三，其中真正含有反共意義[5]者僅有二短篇，不足全部千分之三，反之，其假借評論共匪而攻擊政府者則有四篇，其立場模糊，涉有為匪宣傳之嫌者則有七篇之多。[6]

換言之，《自由中國》言論受到關注，政府決策當局將雷震定性「涉有為匪宣傳之嫌者」，已是極顯然，往後都是循此方針搜證，作為入罪刑責的依

4　《雷檔選輯》，頁 13-19。
5　此處「意義」一詞，原檔案作「義意」，當是筆誤。
6　《雷檔選輯》，頁 32。

據。

(二)策劃逮捕行動蒐證時期

　　有了前述密切關注《自由中國》發表的言論，必然要採取進一步的行動。民國四十八年一月二十三日「臺灣警備總司令部軍法處公務處理通知單」（48）判田字第○○一號，其中有所謂「田雨」專案，即是指雷震與《自由中國》雜誌社的整肅行動代稱。[7]由這份「公務處理通知單」，不難看出情況處於「搜集資料」階段，離實際逮捕行動尚未達成熟。其打擊層面，除了雜誌社務相關人員之外，撰文作者亦擬一網打盡，無所遺漏。

　　綜觀民國四十八年三月十九日（缺簽呈）、四月十八日、六月三日、六月二十二日、七月九日、九月十九日、十月七日、十月三十日、十一月四日、十二月五日、十二月二十五日，頁 85 不詳日期（又缺簽呈），民國四十九年二月八日、三月十二日、四月四日（缺簽呈）、五月四日（缺簽呈）、五月十八日（缺簽呈）的檔案，都是關於《自由中國》雜誌社發表言論的分析報告，在如此平均每個月一次的例行簽報分析表，[8]除了民國四十九年五月十八日提及第廿二卷第十期〈給雷震先生的一封公開信〉一文，簽下「其影響所及，不僅與叛徒有利，亦足搖動人心，顯有觸犯懲治叛亂條例第六條第七條之罪嫌」之外，[9]其餘均是「歸納各篇文字主旨，不外攻訐黨

7　《雷檔選輯》，頁 45。該份（48）判田字第○○一號提出整肅雷震計畫，對《自由中國》半月刊的搜證監視非常詳細，如說「就該刊文字內容分析，約可分為社論、短評、讀者投書、通訊、論文、小說、詩歌等七部門，是否各部門均專門指定一人負責？抑或一人負責數部門？並查明各該負責人之姓名及其年來異動情形？」以及「各部門文字是否一經指定負責人審核即予刊登？抑須經開會討論決定？對於執筆人是否先加指導？或對文字內容預為商榷？編輯委員會之負責人是否實際參與上述各個階段或其中某一階段之工作？抑或根本未曾過問而由編輯負其全責？」顯然是有內線臥底提供線索，才有可能執行如此徹底，又說此人即是杭利吾也。見大風，《新官場現形記》（臺北：李敖出版社，1989 年 6 月），頁 35-36。

8　這是僅據現今公佈的檔案而言。實際上，《自由中國》雜誌每個月出版兩期，我們無法知道是否每一期《自由中國》出版後，有關單位都列表分析注意，但由現今的檔案看來，平均每個月至少一次是肯定的。

9　《雷檔選輯》，頁 106。「亦」字原筆誤為「抑」字，今改。

與政府顢頇無能，並製造軍隊與政府間之裂痕，及人民對於政府之離心傾向，其詞冠冕而用心至爲險惡，惟其行文均有相當分際，不易構成罪名」，或「雖一時尙不能繩之以法，仍應加以切實注意」等類似的分析批注語。顯然地，如此漫長而有系統的搜證工作，檔案所顯示是否可以繩之法律刑責，證據尙是非常薄弱，要動手抓人還是有所顧忌的。

雖然如此，「剪除異己」、「除惡務盡」目標乃勢在必行。

(三)執行逮捕行動模擬時期

由檔案顯示，到了民國四十九年五月下旬，搜證工作已完成了階段任務，「田雨」專案進入執行逮捕行動的模擬時期，打算三個月內完成逮捕行動。

由民國四十九年五月廿一日臺灣警備總司令部政治部發函軍法處列爲「支流專案」的檢討建議綱要，[10]可以看出處理之時機已屆成熟階段，逮捕行動已經提出議程表，爲期不遠了。

同年五月廿六日臺灣警備總司令部政治部再發函軍法處云「自由中國半月刊言論反動問題亦爲本部難以處理一個困擾問題，惟上級已有對策與處理辦法」，「對此問題，必須深加研究擬定處理措施」。[11]同年六月二日臺灣警備總司令部軍法處簽呈明白說「應行作業之『田雨』專案起訴書假作業，經已研擬完竣，隨簽附呈，其中證據部分，擬請保安處積極進行蒐集，以資充實」。[12]由此起訴書假作業構想，依不同範圍分爲甲、乙兩案，其中點名 XX 大學教授殷某，即是指臺灣大學殷海光教授；而作業書中的「田雨」，即雷震，才是爲本案主要目標，不能使其逃脫責任，[13]其餘不過打擊層面有範圍大小之別而已。

執行雷案幕僚分爲四個小組，即思想戰鬥、聯戰運用、法律研究、安全調查，分別以代號依次賦予七二〇一、七二〇二、七二〇三、七二〇四四個

10　《雷檔選輯》，頁 117-118。

11　《雷檔選輯》，頁 119。

12　《雷檔選輯》，頁 121-122。

13　《雷檔選輯》，頁 123-127。

代號。[14]各個小組工作分配極為細膩而系統。試以六月七日的檔案為例，動員組織的人力有「中六組、王師凱先生辦公室、總政治部、情報局、調查局、警備總部、國家安全局等單位」，[15]雖沒有顯示人員的具體數字，但勞師動眾的單位達七個之多，足見逮捕雷震等四人的組織是何等龐大！

更駭人聽聞的，檔案也顯示此時雷案進入高度嚴密層次的策劃，先是有意營造氣氛，在「軍中黨員應適時分發機密學習文件，巧妙的側面的揭發雷等之陰謀與偽裝」，也引導輿論，利用有關報刊「針對雷等荒謬言論，予以批判駁斥文字須含蓄，以誘導社會群眾及部隊官兵對其發生厭惡心理」；接著拉攏國內外友黨與其他分歧分子，以免對雷案聲援；至於當局深知胡適對雷震倡辦《自由中國》從開始就是非常支持的，對雷案也考慮到胡適等人的反應，「研究其利害關係，指出其矛盾所在並加以運用」，「以分化胡適與雷之關係為主」；對於民社黨與青年黨，採取與雷等分化的手段，以及其他報刊「妥善運用以孤立雷等」。至於美國方面的反應，「運用關係使美國務院遠東問題顧問費正清等不再同情雷等活動」。[16]

可以說，雷案在事前的搜證工作、進行中的組織策劃、輿論導向的營造掌握、對雷震各層面中外友好人士的拉攏疏導，到逮捕之後的國際各種可能動向，均有了面面俱到、「瞭若指掌」的把握，說是布下了天羅地網亦不為過。

所有工作布置，大致上在七月初完成，接下來抓人只是早晚的問題，「如遇有利時機，隨時行動」。

(四) 執行逮捕行動到案

九月四日，《自由中國》半月刊發行人雷震、編輯傅正、經理馬之驌及國史館人事主任劉子英四人以涉嫌叛亂罪，被逮捕究辦，同時住處亦被搜索。

---

[14] 《雷檔選輯》，頁 142。

[15] 《雷檔選輯》，頁 136。

[16] 《雷檔選輯》，頁 137。至於如何「分化胡適與雷震之關係」，沒有進一步的資料顯示，也許俟未來新的文件出爐，才能真相大白。

　　臺灣警備總司令部陸軍一級上將黃杰在九月四日當天呈報國防部，寫下九點二十五分「依法將該雷震逮捕到案，並將與雷震有關亦涉有叛亂嫌疑之該社編輯傅正、經理馬之驌及國史館人事室主任劉子英等三名一併逮捕究辦」，[17]至此，「田雨」專案執行逮捕雷震等到案，完成作業。

(五)各種狀況監視與沙盤推演

　　提醒讀者注意的，前述民國四十七年九月二十四日的簽呈即言「本案一旦開始處理，牽涉較多，影響必大，海內外各種政治上、輿論上以及其他可能引起之後果等因素，似應仍請政治部第二處等有關單位先為考量，俾資妥塡」，所以以下各種可能發生狀況沙盤推演，早就列入考量，並非逮捕雷震之後才策劃的。

　　雷震等被捕後各方面反應情況，當局時時刻刻密切觀察注意，由九月十日特檢處以超高效率向上呈報的一份「雷案等被捕後各方面反應情況報告」，可以看出涵蓋的對象，包括有外國記者報導方面、民青兩黨方面、學術界人士方面、國內外輿論方面、華府人事方面、反黨反政府分歧分子方面；[18]同時，對於信件、電報等郵電檢查也非常嚴密，這份報告書所反映的發件時間、發件人與收件人的姓名地址、談論內容與雷案相關摘要，都一五一十詳列說明。[19]雷案宣判後，監察院委員調查的報導發向國外美聯社、法新社譯電檔，也受到特檢處的攔截檢查。[20]

　　由此可覘，以國家安全名義為由，人民通訊的隱私權在執行雷案之下，受到多麼嚴重的侵犯。至於雷震本人的信件、文稿被查扣，那就更不必說了。

　　雷案審判前後的輿論動向，十月二日至十月八日由郵電檢查搜集各方反映的情報，其細節與前述類似，就不再贅述了。[21]至於監察院調查雷案可能

17　《雷檔選輯》，頁 191-192。

18　《雷檔選輯》，頁 200-213。

19　《雷檔選輯》，頁 214-235。

20　《雷檔選輯》，頁 459、467。

21　詳見《雷檔選輯》，頁 308-322。

結果之剖析，以及預擬監察委員對劉子英之問話可以見到幾種情形，相關執行單位均有防範與應對措施。詳以下「(七)監察院調查的困境」節。

(六)審判前蔣介石至少六次指示處置雷案

檔案資料顯示，蔣介石在審判前至少有六次直接指示處置雷震案，尤其最後一次定性雷震刑期不得少於十年、《自由中國》撤銷其登記、覆判不能變更初審判決，成為雷案十年冤獄結局。茲將蔣介石六次親自出席開會指示辦理雷案要點擷要如下：

第一次　九月十六日上午十一時在總統府開會商討雷案，「副總統說本案與匪統戰有關，你們要注意，而且要辦得迅速」，「劉子英通信方法決不如此簡單，要追問」，「傅正有匪黨嫌疑，要好好追問」，「香港方面之證據要取來」，「告訴國防部不許辦理新的律師登記」。[22]

第二次　九月二十日上午十一時在陽明山國防研究院後面辦公室，「傅正僅祇兩篇文章，以懲治叛亂條例第七條起訴，恐怕力量不夠，不能使人心服」，「雷震、劉子英部分要平穩、確實，法律上尤要站得住」，審判需要「一個月時間太長，要儘速辦理」。[23]

第三次　九月廿二日下午五時在陽明山官邸，「審判要多少時間，務須儘速進行」。[24]

第四次　十月四日，「大家很辛苦，這件案子要很穩妥的完備的做好，對社會對國家都有很好的貢獻，今後要繼續努力，為軍法爭榮譽，好好的去做」。[25]

第五次　十月六日下午八時卅分在士林官邸，「初審與覆判必須溝通意見，取得協調立場一致，希迅即另行再提一案以備抉擇」。[26]

22　《雷檔選輯》，頁239。
23　《雷檔選輯》，頁240。
24　《雷檔選輯》，頁241。
25　《雷檔選輯》，頁275-276。此次沒有詳細時間與地點的紀錄。
26　《雷檔選輯》，頁289-290。

第六次　十月八日上午十一時在總統府，「雷之刑期不得少於十年」、
　　　　「《自由中國》半月刊一定要能撤銷其登記」、「覆判不能變更初
　　　　審判決」。[27]

　　看到了這些原始檔案資料，我們終於恍然大悟：在蔣介石一人獨裁之
下，至少六次親自主持雷案的會議，一切都在指示下辦理，可以說，蔣介石
是雷案的審判官。其中第四次（十月四日）的會議，係在雷案開庭（十月三
日）次日即召開的，以瞭解當天情況的簡報，足見蔣介石對各個重要環節發
展，是毫不含糊的；檔案也顯示，幕僚不乏開明人士的顧慮，如第五次（十
月六日）的會議，時為秘書長谷鳳翔就說，「第一知匪不報證據薄弱，第二
恐貽文字獄之議」，可見國民黨要員心知肚明欲整肅雷震的做法，在法律上
是站不住腳的。可是在「總統指示」之下，哪裏管得著合法不合法，只能一
味蠻幹硬幹到底。這是蔣介石在臺灣獨裁統治下，迫害異己的一幕赤裸裸血
腥紀錄，尤其第一次在會議上說「副總統說本案與匪統戰有關」的話，欲行
一己獨斷而必為遁詞以掩飾，尤顯欲蓋彌彰。[28]歷史的陰暗死角，最終仍會
燭見洞悉，水落石出，真相大白。

(七)監察院調查的困境

　　在國民黨「總統指示」，軍方單位配合演出，可以說是天衣無縫、滴水
不漏，監察院對雷案調查只是徒具「形式主義與官僚政治」，[29]辛辛苦苦白
忙一場而已，又能奈何？

　　監察院調查雷案，可能進行的步驟，由「雷案調查問答十則」及「雷案
調查問答十四則」的內容觀之，[30]執行單位是有充分防備與演練，調查工作

27　《雷檔選輯》，頁 331-332。

28　對照蔣介石於九月十三日下午在士林官邸接見美國西海岸記者訪問團一行四十人，曾
　　說「他相信已有匪諜在該刊的幕後作活動，逮捕雷震當然有法律的依據」，可見其為
　　一己辯護的飾辭。見九月十五日官方喉舌《中央日報》，轉引自《雷震全集 6》，頁
　　31。

29　雷震撰有〈形式主義與官僚政治〉一文，見《雷震全集 19》，頁 131-153，本處用詞
　　借用其篇名。

30　《雷檔選輯》，頁 351，頁 363-367。這二份模擬問答，推演得十分精密，如「雷震

不可能有任何突破的進展，也就可以思過半矣。再者，軍方視監察委員調查為異端，由「關於檢察院調查雷案之剖析」檔案，可以看出其對監察院的調查是充滿敵意、排斥、不信任的態度，如在檔案〈前言〉所云「但案件既經覆判確定，對於社會上若干疑問，覆判判決已有釋明，茲仍揚言繼續積極展開調查，來意不善，殆可概見」等語觀之，[31]則監察委員會能夠提出客觀公正的調查報告也就可想而知。檔案「監院專案小組之分析」的報告，則可看出相關單位對監察委員調查有露骨的成見，[32]而劉永濟與陶百川對雷案持同情的態度，但軍方在作業防堵工作，則將二人視為洪水猛獸一般。[33]

　　除了執行單位的防堵，蔣介石對於監察院的調查，也表現高度的注意，還躬親直接介入。檔案顯示，十二月廿一日午後四時卅分，蔣介石召見黃杰「垂詢」監察院調查進行情形；[34]最離譜的是，檔案也顯示在監察委員（十二月五日）調查之前，「除中央黨部曾多次洽監院之黨團會外，總統亦為此

何以不與劉子英對質」、「在採證上何以僅採證劉子英的自白，而不採雷震之申辯」、「如此大案，何以竟以一天審結，似有草率之嫌」等，足見下了一番琢磨工夫。《雷檔選輯》，頁 380。

[31] 見《雷檔選輯》，頁 381。

[32] 「……其中劉永濟同情雷震，本年十月二日曾與公論報記者論雷案為文字獄，其反對政府之立場極為明顯。陶百川與雷震之私交甚厚，本案偵辦之初，即聞其在幕後為雷之家屬多方策劃，審判中曾一再來看守所見雷，並贈食物。黃寶實為人尖刻，遇事咬文嚼字，與陶百川極為接近。金越光、陳慶華則較與中央接近。依此分析，專案調查小組，外表上本黨黨籍委員雖占五分之四，但實際上究否能全部掌握，殊成疑問，該專案小組調查雷案固名曰旨在澄清疑竇，實則為親雷分子，與另闢途徑以救援雷震之策略」。

[33] 另外，《雷檔選輯》，頁 370，「監察院司法委員會雷案專案小組名單」備考欄上也特別注明陶百川「經常與分歧分子接近，為本小組之核心人物，態度穩重，過去曾來本部視察」，注明劉永濟「在監院潛力甚大，雷案發生後，曾在公論報發表有利雷之文字」，又《雷檔選輯》，頁 395 簽呈點名陶、劉二人言論袒雷，在「監委陶百川、劉永濟對雷震案具有成見之資料簡表」將二人對雷震關切種種作為，依時間先後詳細列表紀錄「事實摘要」，可見軍方對調查委員背景事先有很清楚的掌握，其防備心態表露無遺。

[34] 見《雷檔選輯》，頁 424。

曾召見陶委員一次」，「對雷案本案當無異議」。[35]此外，蔣介石還「論示」，請立委與參事對劉子英談話，以試探是否可能翻供，「作為能否接受監委調查決策上之參考」，並在十二月廿六日聽取簡報結果，[36]相關人員並預擬監察委員對劉子英問話的試探演練。[37]可以說傾盡所有黨、政、軍組織力量隔離監委的調查，如此情況下，即令有一百個陶百川，也是無濟於事的。

　　吾人看到報章披露「監察院雷案調查小組報告」的全文，儘管包括有逮捕理由、偵查情形、審判經過、查詢要點、調查意見、處理意見等項，[38]洋洋灑灑數千言的內容，而就其最終的結論，「至雷震等之徒刑或感化處分，業經依法確立」、「本案雖經察有若干瑕疵，然無損於其確定性或既判力」等語觀之，[39]果然是如官方預設模擬，竟演出了一齣戲！往後監察院調查雷案的「糾正案」[40]報告書，與其後續若干簽辦文件，不過是一陣浪花浮光，難以力挽狂瀾。

35　見《雷檔選輯》，頁 401。蔣介石為雷案先後召見陶百川總共有幾次，不易確知。據雷震說，雷案發生時，成舍我、胡秋原在當年九月十四日《徵信新聞報》與《聯合報》發表「不應以叛亂論罪」的聯合聲明，陶百川也原定要簽署，蔣介石聞報即找他去，說「我曾大力培養你，送你出洋求學，不意你今天卻忘本，使我十分失望」，陶聽了這段哀訴就不好簽署，但心中不無耿耿，所以藉機在同年的十月二日《徵信新聞報》發表〈言論文字叛亂罪的認定問題〉文章，以表示自己的態度，儘管沒有提及雷案一字。以上見《雷震全集 6》，頁 24-26，雷震按語。另外，當時立法院長張道藩出面宴請立法院「革新俱樂部」的核心成員，轉達「層峰不希望干預雷震案件，一切依法處理」。詳見沈雲龍等訪問：《齊世英先生訪談錄》（臺北：中央研究院近代史研究所，1990 年 8 月），頁 373。

36　見《雷檔選輯》，頁 424-425。

37　《雷檔選輯》，頁 413-420、425。

38　《雷震全集 12》，頁 333-345。

39　同前揭書，頁 345。

40　《雷檔選輯》，頁 516-528。

結　論

　　以上各項資料，表明了這樁臺灣政治史上的冤獄案件，從初次簽稿研析《自由中國》言論是否足為科刑論罪的基礎，到雷震等四人被捕為止，前前後後經過近乎兩年的策劃，每個環節與進行步驟，都是有極嚴密的組織，其最高直接主導者是蔣介石，配合執行命令單位是警備司令部軍法處與政治部，終於水落石出，真相大白。雷案預定在十月八日下午五時審判，[41]當天上午十一時，蔣介石還在總統府主持會議，指示雷之刑期不得少於十年，可見蔣介石介入雷案之深，連最後一刻都不放鬆。

　　雷震被判刑十年之後，監察院陶百川等委員在國內外輿論的關注下，雖有心營救，但在當時不容許反對勢力生存的政治環境氛圍之下，只能由當局擺布，可憐是陶百川等人並不知道他們要調查劉子英的種種疑問，竟完全是在軍方沙盤推演下「入其彀中」。觀閱檔案記錄監察院委員調閱檔情形，「陶委員對凡涉及雷震部分，非常注意，一字一句抱頭沉思良久」，再仔細展讀這幕精心策劃雷案冤獄歷程的檔案，不禁令人油然生起陶等被戲弄之感。如今風骨偉岸的陶百川先生已歸返道山，倘地下有知，當是何等滋味在心頭？一般對陶百川的評價，以為在雷震案的調查盡了很大力量，也佩服在當時的獨裁政權下公開撰文聲援，堅持剛正不阿的骨氣，的確是值得尊敬的長者。可是看了這些檔案，卻令人感嘆監察院的少數清流，對伸張人間正義的力度竟是如此的單薄，非不為也，是不能也。

　　對於這段歷史，傅正主編《雷震全集》已說明了一切，如今官方檔案首次公布，使吾人對一個獨裁政權如何動用組織的力量打壓異己，集殘暴、蒙蔽、欺騙於一身的官僚政治，才有了深刻而全面地認識，這種工於機心的羅織伎倆，令人不寒而慄，毛骨悚然！隨著知識水準的普及，社會運動的成熟，輿論監督力量的健全，人民有權選擇執政黨的理念落實，臺灣民主政治已締造了歷史新頁，吾人在享受憲法賦予人民言論、出版、結社集會、容許反對黨等自由之餘，不管執政黨或老百姓，都不該忘記雷案，其所堅持自由

---

[41]　《雷震全集 4》，頁 423。

民主信念更應念茲在茲，完全實現！

餘　論

　　當雷震被整肅之後，我們看到了執行單位臺灣警備司令部政治部發函總部轉頒「國軍慶祝　總統七秩晉四華誕活動要點」給軍法處，其中拍馬奉承之嘴臉，赫然可見：

　　　奉　總司令黃上將、副總司令部李中將指示：雷案及一年來偵破匪諜案成果呈獻雷案列於最先，並強調其價值。[42]

蔣介石看到底下的侍奉之臣如此識大體，其「龍心大悅」當可想像。

　　由前所揭示檔案內容，已經明白告訴世人，雷案是一樁有預謀的政治迫害案件，動員了國家機器的組織力量，對付區區幾個敢說真話的知識分子，而有良心的報刊媒體如《公論報》、英文《中國郵報》、《民主潮》者持論批評審判立場不公，卻遭到當局的注意，[43]最後當局雖采取不予理會的態度，[44]但往後《時與潮》周刊在民國五十二年四月一日刊出有關雷震在獄中的三篇文字，卻慘遭停刊一年的命運，[45]這也使吾人看到了獨裁政治的嘴臉，不許新聞輿論報導真相，是一刻都不放鬆的。

　　根據傅正的說法，「雷先生在坐牢的整整十年期間，不但撰有三易其稿的四百多萬字回憶錄，而且還有日記」，經過索討，軍方只還了日記（缺民國四十九年九月到十二月的日記），回憶錄則已被焚毀了。[46]現在公布的

---

[42]　《雷檔選輯》頁571。

[43]　《雷檔選輯》頁583-588、606-609、624。

[44]　《雷檔選輯》頁624-625。

[45]　沈雲龍等訪問，《齊世英先生訪談錄》（臺北：中央研究院近代史研究所，1990年8月），頁382。其實在戒嚴令未解除之前，被查禁的報刊很多，此處僅列舉與雷案有關一例說明。

[46]　《雷震全集40》頁397-398。

《雷震獄中手稿》，僅有日記、書信、回憶錄部分殘存的書稿副本，比較有價值的，是編入附錄的雷震獄中所撰文稿目錄，由這份存目不難看出兩大意義：

一、反映雷震憂國憂民的情操，雖身繫囹圄，仍不改敢言直語的個性，雖九死其猶未悔，一心一意爲理想犧牲奉獻精神，是最值得敬佩的！

二、雷震獄中十年著述清單首見天日，作爲徹底爭取言論自由，留下一段歷史紀錄。然而，吾人不能不感到遺憾者，存目顯示雷震獄中文稿體大思精，是一部可貴的臺灣民主政治發展史，如今只有存目留下，完整原稿則聞說已經被銷毀，徒令人唏噓興嘆！

　　以下筆者展讀《雷震案史料彙編》之後，要提出幾項不得其解的疑點。

　　首先，檔案既稱爲「選輯」，顧名思義，表示仍然許多沒有選出刊登，是不是還有更關鍵性的檔案有所保留？例如雷震被捕之後，到宣判徒刑之前，短短一個月左右的時間，[47] 蔣介石親自主持會議討論雷案至少有六次之多，監察院欲調查之前，蔣介石亦召見了調查委員陶百川，並請立法院長傳達立法委員革新俱樂部的核心成員，層峰不希望干預雷案事件，由此種種跡象，說明蔣介石對雷案介入之深；可是在什麼時候下達整肅雷震的命令，檔案卻沒有顯示，合理的推測，應該仍有敏感的檔案沒有一併公布。

　　其次，詳細閱讀第一章「案發之前」檔案，可以得到一個通例，及時一紙簽呈之後，往往借著帶有附件「《自由中國》半月刊言論研究分析表」，如民國四十八年六月三日的簽呈檔案即是，但現在公布的檔案，有的只有「《自由中國》半月刊言論研究分析表」附件，卻少了正文簽呈，如民國四十八年三月十九日、頁 85 不詳日期的檔案、民國四十九年四月四日、五月四日、五月十八日的檔案，不知道是遺失或是銷毀了簽呈，還是另有其他原因不列？編者沒有說明，讀者就必須設法調閱有無簽呈原件，才能得悉個

---

[47] 任育德，《雷震與臺灣民主憲政的發展》說雷案等四人「經過數月司法偵查審判程序後，分別被判刑」云（原書頁 278），大誤。從九月四日被捕到十月八日判刑，僅三十餘天，完全合乎蔣介石九月二十日指示「一個月時間太長，要儘速辦理」，何來「數月」？

中消息。[48]

　　七月七日到九月四日雷震被捕之間，沒有任何簽呈檔案，頗啓人疑竇。以雷案布置如此完備周詳，筆者以爲，仍有不少檔案因種種顧忌而「不便公布」。例如傅正引述監察院雷案調查小組報告的調查，說警備總部政治部是在八月三日簽請逮捕只是雷震和傅正兩人，交由軍法部究辦，該簽呈於八月三日送到警備總部保安處以後，該處才又增加馬之驌和劉子英兩人，[49]但現在的檔案「雷震等叛亂案偵查經過述要」只說軍法處在八月五日准政治部移送簽呈一件、資料一束附保安處加簽一件，奉總司令黃杰批飭依法拘辦，「於九月三日簽會保安處決定行動」，「九月四日上午先後將雷震、傅中梅拘提到案」云，[50]並不見八月份的簽呈文件，可見尚有不少重要的檔案史料，有待進一步發掘與深入探究。

　　檔案顯示雷震被捕之後，在九月二十二日深夜發出第三封秘密信件被查扣，而第一封、第二封秘密信件寫於何時？內容爲何？必須透過《雷震全集》詳細閱讀，才知第一封是在九月八日上午九時寫給夫人宋英女士，第二封是寫給女兒的，[51]都是一些日常生活瑣事的交代處理，所以沒有被查扣，而這（第三）封秘密信件寫給夫人宋英女士，其中有言「政治解決，除總統外，恐要和經國談談，請注意此點，一切請你決定」，「我無叛亂事情，我絕對不怕，不過今日是不講法律的」，可見雷震自知這不是一件單純的法律案件，有意以政治方式解決，提及蔣介石與蔣經國是關鍵人物，事涉敏感，

48 國史館史料編輯小組發函請國防部提供「雷震先生現存資料調查專案小組」曾訪談之相關人員名冊及通訊錄，得到了不便提供的回覆。即此一例，可見一般研究者要接觸到檔案原件，更屬難上加難。見《雷案選輯》，〈導論〉頁 9，註解 13。

49 見《雷震全集 5》，頁 6，以及《雷震全集 40》，頁 364-365。

50 這份「雷震等叛亂案偵查經過述要」檔案，沒有任何署名與單位往返的記錄，不詳是在何時由何人寫成的報告。見《雷檔選輯》，頁 618。

51 第一封信內容登在九月九日《聯合報》，第二封信並沒有公布內容，轉引自《雷震全集 3》，頁 103-105。

因此被攔截。過去另有說法，蔣介石、蔣經國父子主導逮捕雷震，[52]但除了這封信之外，由檔案完全看不到蔣經國與雷震案有關。也許不久的將來，蔣經國檔案解密開放，這個傳說才能證實真偽。在沒有任何史料為憑據，任何臆斷都是不足取的。

原載《古今論衡》第 9 期，中央研究院歷史語言研究所出版，2003年 7 月

校勘後記：

曾經擔任《自由中國》編委 11 年（1949-1960）聶華苓近作《三生影像》（北京三聯書店 2008 年 6 月出版）提到雷震審稿、約稿、開編輯會議，乃至於校對文稿情形，以及雷震被逮捕、判刑前後種種的情況，還有胡適始終沒有去探監的心理矛盾、苦悶，可以作為本文進一步研究此事件參考。由於聶華苓是當時的編委之一，經歷過雷震案的少數健在者，因此她的回憶就很有價值。

又，蔣經國檔案尚未解密，因而雷震案研究並沒有結束，嚴格說來，我的研究進展到目前這樣的地步，只能算是一個初始階段。蔣介石檔案（主要是完整日記原件）目前存於在美國史丹佛大學胡佛圖書館，已經對外公布有年了，如今也僅僅以楊天石先生的研究最具權威，《尋找真實的蔣介石：蔣介石日記解讀》已經出版了皇皇二巨冊，（第三冊不久即要出版），但其中第五編【遷臺之後】只寫出〈國民黨遷臺〉、〈蔣介石在臺復職與李宗仁在美抗爭〉、〈蔣介石反對用原子彈襲擊中國大陸〉，涉及雷震案的進一步研究，當今之世，舍我其誰！

---

[52] 任育德，《雷震與臺灣民主憲政的發展》，頁 290-291。另參見《新官場現形記》，頁 35-36。

2012 年 7 月 8 日校舊稿於四川大學歷史文化學院中興村寓所

文章跋語：

　　十一年前，蔣介石日記尚未公布，根據檔案的資料，研究雷震案的經過，只能如上所述。如今蔣介石日記公布了，有些看法可以有更清楚而細膩的確認。

　　根據檔案，反映蔣介石在審判前至少六次指示處置雷案，分別是九月十六日、九月二十日、九月二十二日、十月四日、十月六日以及十月八日，但由日記則事實不僅如此，蔣介石在雷案用盡了極大的心思，遠遠超出我們所能預設想像的：包括起訴書的擬訂、起訴書用詞的推敲、相關人員商量（唐、谷、鄭、張、陶等人是他經常咨詢的對象）處置雷案等。尤其是七月下旬以後，幾乎是每天都要在日記提出處置雷案《自由中國》半月刊的經過，如在七月二十六日日記有言：

> 雷逆逮捕後，應警告反動人士者：甲、民主自由之基礎，在守法與愛國。乙、不得煽動民心，擾亂社會秩序。丙、不得違紀亂法，造謠惑眾，動搖反共基地。丁、不得抄襲匪共故技，破壞政府復國反共措施、法令，而為匪共侵臺鋪路。不得挑撥全體同胞團結精神與情感，假借民主，效尤共匪實行顛覆政府之故技，其他皆可以民主精神，尊重其一切自由權利。

又如檔案顯示，九月廿二日下午五時蔣介石在陽明山官邸，僅有「審判要多少時間，務須儘速進行」等語，非常簡略。但日記就有非常細膩記載：

> 本（廿二）日上午詳閱雷案起訴書稿，並予指正。余對此案方針，以雷逆等已逮捕者為限，不擴大範圍，並能在黑裏雪夫未離紐約以前判決為要者。下午召集辭修、岳軍、冠生、鳳翔等，對此案作最後之檢

討，認為乙案減輕罪刑，較甲案為妥，辭修仍持其擴大統戰範圍也。
晚飯後，約鳳翔來談，對此稿再加指正也。

這一天包含了「上午」詳閱起訴書稿、「下午」約談人員作最後檢討、「晚飯後」再約人來談，也就是說，一天從早到晚花了大量的時間集中在研究雷案的問題。

九月四日是雷震等人被逮捕歸案時間，是日蔣本來預先準備了「文告」要發表，日記有言「上午重審文稿，以幹部認為雷案為法律而不涉及政治問題，無須由余發表文告，故暫作罷」，可見小組成員仍認為雷案是「法律問題而不涉及政治」。檔案說是九點二十五分逮捕，蔣介石在日記上記下「九時半逮捕雷震、傅正等交軍法審判」。

檔案說，十月八日上午十一時在總統府，蔣介石作了如下指示：「雷之刑期不得少於十年」、「《自由中國》半月刊一定要能撤銷其登記」、「覆判不能變更初審判決」。日記則更進一步記載小組人員的討論情形：

> 十時入府接受尼加拉瓜公使呈遞國書，後審閱雷案判決書甲、乙、丙三稿，十一時召集辭修、岳軍、冠生、趙琛、鳳翔等研討判決書二小時後，最後決定用第（乙）種，避免引用意圖顛覆罪之法條，而仍處以十年徒刑。

這一天除了接見外國公使，之後立即討論雷案判決書，超過了兩小時的時間，找了陳誠、張群等五人審閱了甲、乙、丙三種判決書，最後決定使用第（乙）種。

由於夫人宋美齡的關係，蔣介石也信奉基督教，每個周日都要上教堂做禮拜，但在處置雷案期間，甚至在周日禮拜之前，還要召集小組人員談論此事，如九月十一日，「上午召集雷案小組談話後禮拜」。

國內以胡適為首的民主人士，蔣介石極為注意其動向（參見前〈讀胡佛檔案館收藏《蔣介石日記》中所見的胡適〉一文，不贅述），其他如相關的

支持人士高玉樹、李萬居等人也密切觀察。如九月十二日記下：「哺，召見小組，據報所謂民主黨發起人李、高等發表營救雷震宣言，余認爲時機已到，再不可忍辱，必須予以反擊矣」。

次日（九月十三日）繼續詳記：

> 上午約見法國會訪華團，談三刻時，又召見監察委員一人後，主持宣傳會，談《自由中國》半月刊雷震案，今日反動分子李萬居、高玉樹等發表其人所謂籌黨委員會救雷宣言等，其形勢達到頂點矣。

十月十八日日記又說：

> 上午入府為李萬居等所謂民主黨籌委會對雷案審判不服之抗議問題，特令軍法處加以駁斥之指示，主持宣傳會談，有以雷案減刑之主張。

對於羅家倫、張道藩等人同情雷案的言論，蔣亦表達極爲不滿。（見九月二十一日日記）在九月底的〈上月反省錄〉，蔣在日記上說：

> 本月工作以雷震案爲重點，自四日逮捕，至廿六日起訴，作爲第一階段，除國內外少數反動言論外，一般反響並不如所預想之激烈，惟《紐約》、《時代》雜誌乃受胡適之影響，亦作不良之評論，殊出意外。

十月廿九日日記說「昨（廿八）日上午召見岳軍與覆判局長（汪道淵），指示對雷案速判的要旨」。

甚至在生日當天（十月三十一日）在金門巡視防衛工事，日記也說「下午聽雷逆自辯狀長答萬言，其巧辯狡詐已極，他指軍法處爲羅織其罪，成爲冤獄。其實彼在《自由中國》刊中歷來文字，皆爲其今日巧辯而預爲其本人羅織其叛逆大罪，而成爲無罪之預地而作也。六篇罪宗文字中，其唯一目的

乃欲爲其大罪而成爲無罪，以達到其爲共匪作有利宣傳，以似是而非之文字以煽動叛亂。此種積非成是，以有爲無和以無爲有之辯證，是乃共產黨徒以文字辯證爲其政治與思想戰，作其侵略世界、控制人類、麻醉人心之重要武器耳。」

　　以上這些，都可以看出蔣介石對雷案是花盡了全心全力在處置，遠遠超過警備總部檔案所顯示的，這是日記的最大價值。如今日記公布了，雷案基本上已經完整結案，可以說是水落石出，眞相大白了。

附　錄

附錄一

胡佛及其胡佛檔案館

史丹福大學內的胡佛塔（Hoover Tower）是構成校園一景的標志。

每次塔乘公共汽車進入大學校園旁的公路上，面望校園方向，這座建築物略帶橘紅色尖頂就自然映入眼簾之中，成爲一天校園生活的初步印象。到了夕陽西下，天色漸漸晦暗之後，初來乍到對校園方位不清楚，急著要找返回的交通車之際，抬頭看到燈火明亮的塔頂，內心就不由舒了一口氣。以爲這樣就安全，保證不會迷路了。因而，對我而言，觀光客以之合影作爲來過史丹福大學的證明，我卻寧願是作爲辨識方位的建築。

這座胡佛塔是爲了紀念

胡佛塔

總統胡佛而建築的，據說搭乘電梯到最高層，可以眺望整個大學校園的全景，每周有幾天固定時間開放，還要購買門票才能進入，是校園內一個有名的旅游景點。我每天到檔案館，幾乎都會看到不少慕名而來的觀光客或中學生，在此拍照留念。的確，這裏是適合拍照的好景點，正前方就是美麗的噴水池，兩旁是綠意盎然的老樹，襯托出這所大學的精沛活力。

高聳入雲的胡佛塔與一旁只有三到四層樓高的胡佛研究院（Hoover Institution）檔案館，構成一整體的建築群，塔門前熱熱鬧鬧，洋溢輕鬆活潑的氛圍，而檔案館與圖書館卻安安靜靜躲在旁邊角落，館內收藏似乎在靜靜訴說塵封歷史的一切。形成有趣而鮮明的對比，這種和諧的統一，是這個小區迷人之處。

檔案館聞名中外，是有關近代二次世界大戰歷史的重要收藏機構，保存史料之完整與齊備，可以說是世界上無有可以比擬的優勢，難怪每年到此做研究的學者經常有如獲至寶而流連忘返之感覺。

史丹福大學畢業的胡佛（Herbert Hoover），曾經擔任過美國總統，與中國也有一段特殊的淵源。

筆者在胡佛研究院圖書館

　　1899 年，只有 25 歲的胡佛，與妻子露亨利（Lou Henry）住在天津，當時他是開平煤礦的合夥經理以及參與修築鐵路。一直到了 1902 年，因爲拳匪之亂與時局的動蕩，他才離開了中國。胡佛也是此時開始努力學習中國的漢語與歷史。在美國歷任總統之中，胡佛是唯一能夠說一口流利的漢語，足見他對中國的認識是很深刻的。

　　在 1907 年，他還有一個重要的任務，幫助史丹福大學歷史學家特理特（Payson Treat）購買有關中國的書籍，特別是歷史方面的。在 1913 年，他捐贈了 600 本書籍給史丹福大學，其中不乏珍貴罕見的珍本。

　　一次世界大戰後，1919 年，胡佛創辦了以其名字命名的「胡佛戰爭史料收藏」（Hoover War Collection）。開始了胡佛檔案館的收藏。

　　二次大戰之後，胡佛檔案館與圖書館在當時的主任費希爾（Harold H. Fisher）領導下，執行了廣泛收集有關當代中國與日本的資料。該計劃基於胡佛研究院的創辦宗旨，界定史料收藏爲環繞在戰爭、革命與和平的課題研究上。費希爾所建立的搜藏方針如下三方面：

一　搜集的史料，應該致力於戰爭的發生與結果，而非軍事行動的本身。

二　所有與革命有關的各種各樣資料。

三　這些史料還應該涵蓋整體的國際範圍，如政治的、經濟的、文化的與和平組織的資料。

　　1946 年，杜魯門（Harry Truman）總統任命胡佛搜集有關二次戰後全世界紓解大饑荒的資料。胡佛因而訪問了全球 39 個國家，在此期間尋得許多珍貴的資料。蔣介石所領導的中華民國政府捐了很多反共的資料，曾在 1912 年擔任首任內閣總理的唐紹儀也捐了早期革命活動的重要資料。

　　隨後，在胡佛與國務院官員的建議之下，胡佛研究院發動史丹福大學校友與早期曾在史丹福大學任教學者的力量，在中國與日本建立完整的搜集史料網路。這樣努力之下是頗具成效的，可以說，保存大量 1911 年中華民國建立以來的有關政治與經濟發展的文獻資料。往後幾十年，很多官員與私人，如軍事將領、工程師、記者、學者等，紛紛將其收藏捐贈給胡佛研究

院，充實其館藏，成爲研究近代中國歷史必要參訪之地。

　　由此，我們可以清楚看到一個學術機構健全發展的軌跡：胡佛檔案館的有名，從創設建立到現在的規模，積累了將近百年的歷史，在這段期間，一直持續不斷壯大規模，沒有任何戰亂的動蕩與政治影響，館藏才能如此蒸蒸日上，成爲世界研究近代中國的重鎮。

　　這也就是我們要學習與必要的認知。

附錄二

二次世界大戰時期的宣傳海報展覽

12 月 13 日，這是一個令人難過的日子。

選擇這天去看這次展覽，爲了紀念南京被日本人大屠殺超過三十萬人的同胞。

可是，我看完這個展覽，我茫然了，難掩失望、遺憾與哀痛。

我想起了英年早逝的張純如（1968 年 3 月 28 日－2004 年 11 月 9 日），美籍華人。《南京大屠殺——被遺忘的二戰浩劫》一書的作者。

史丹福大學內的胡佛研究院圖書館的展示廳正在展覽二次世界大戰時期的宣傳海報，用以紀念曾任美國總統 Herbert Hoover 在 1941 年 6 月 20 日創建研究院開館時說過的一段話：爲了和平，向發動戰爭者挑戰，以促進人類熱愛和平爲目的。然而，71 年過去了，美國在世界各地挑起種種禍端戰爭就不必細說了，這次展覽以西方爲主觀意識的偏見，卻不能不說幾句批評的話，才能一解心中複雜情緒。

先從上一次的展覽說起。

去年是中國辛亥革命一百周年紀念，全世界的華人地區以各種形式的研討會、文物展覽、出版品發行等，紀念這個終結中華帝制五千年的劃時代革命，而作爲世界近代史研究重鎮的史丹福大學，胡佛研究院展出主題爲「世紀之變：辛亥百年珍藏史料展」（A CENTURY OF CHANGE: CHINA 1911-2011），凸顯的是百年風華變革，的確抓住了時代變遷的動脈。我沒有趕上這場世紀盛宴，花了十元美金買了出版圖錄看完之後，也是一樣難掩失望、遺憾與哀痛。

首先要強調的，本圖錄在選擇與解釋文字方面，眼光過於極端狹窄，簡言之，就是完全一面倒的政治化傾向。

百年來的辛亥變革，不僅僅是政治而已，在社會、文化、經濟各方面，

舉起犖犖而大者，至少有以下八點：

1.婚姻制度的變革

過去納妾是可以被容忍的，所以從孫中山、蔣介石到毛澤東，統統與多位女人有密切關係，但並不影響他們在近代中國的歷史地位。如今是一夫一妻制度，這點巨大變化忽略了，無論如何，是說不過去的。

2.婦女纏足解放

中國婦女纏足了一千年以上，梁啓超與蔡元培都極力提倡過戒除纏足，如今大家不以為意，但由人類歷史的演進看來，婦女解放纏足，絕對是值得大書特書的一章。

3.大陸實施人口一胎化政策

過去大家庭觀念是多子多孫多福氣，如今一胎化的結果，家庭結構起了天翻地覆的變化。傳統中國的伯伯叔叔、阿姨、舅舅、嬸嬸等稱謂，可能成為歷史名詞，這點巨大變化，不能不注意。

4.漢字簡化運動

透過政治的力量，學校教育把傳統漢字都不用了，一概是推行漢字簡體化。這種文化史上的大事，為何看不到呢？

5.文化大革命的傷害

中國大陸大規模推行文化大革命，時間長達十年，範圍是神州大陸全部，沒有一個人能夠幸免，不但是中國史上絕無僅有的，更是人類史上空前的浩劫，使得中國人文精神倒退了數十年之久。人類文明史上這樣的文化悲劇，沒有提出任何反思，真是太奇特了。

6.中國首度舉辦奧運會

美國是體育王國，一直重視各項運動比賽，電視與雜誌書報等，體育活動都要占重要的位置，居然在 2008 年的金牌數首度被中國超過，這也是中國首度在北京成功舉辦奧運會，本來就是百年辛亥革命的大事。

7.改革開放的經濟成長

中國近兩百年予人印象就是貧窮、落後，如今在改革開放短短三十年的經濟成就，舉世矚目，在人類史上與經濟發展史都是一大奇跡，是可以列入

巨大變化的事件。

8.民主選舉制度在臺灣

　　臺灣實施民主與自由，民進黨終結國民黨一黨獨大統治，完成了政權和平轉移，這是具有里程碑的一頁，也是中華五千年的一大突破。中國從來都是靠武力改朝換代取得政權的，從來沒有如臺灣在 2000 年透過和平選舉完成政黨交接，宋教仁如果活在現代，應該會充分肯定臺灣的表現。

　　以上八點，在本圖錄只有看到第 20 頁的「三寸金蓮」簡單介紹，談到極端審美意識與千年之久的風俗，短短兩行就帶過，而在第 92 頁大略提到大躍進與文革時期，全中國約有二千萬紅衛兵響應毛澤東的號召，但有五千萬知識分子受難的慘劇，多少還是說了一點災難，但其影響後遺症，卻沒有進一步申說，令人遺憾！其他六點完全看不到，表示在眼光上過於狹隘，居然看不到百年中國的巨大變化。

　　此外，在圖錄上，似乎過度美化孫中山，因此，孫中山有爭議性的行為，本圖錄是看不到的，而孫中山聯俄容共的政策，似乎有過度美化之嫌，所以本圖錄花很大比例在談「軍閥

孫中山「聯俄容共」政策下蔣中正與毛澤東、朱德平分秋色之圖錄（原照片在胡佛研究院圖書館）

割據與第一次國共合作」、「對日抗戰與第二次國共合作」；循此邏輯，很自然地，蔣介石對日抗戰的貢獻似乎從此圖錄很難看到，而是與毛澤東、朱德等人平分秋色（見第 75 頁圖錄），這是與歷史事實相差甚遠的編輯思路。

實際上，共產黨在抗日並沒有用盡主力，只要到檔案館調閱關於抗戰的資料，如組織徵兵、抓壯丁、糧食分配與轉運等，統統是國民黨主導的，共軍是幾乎看不到類似如此的公文。但本圖錄卻是比例失衡無限放大，好像是找到了寶貝一樣，這是不符合歷史真相的。

本圖錄最大的問題，是 1949 年之後，臺海兩岸中國人兩種不同制度的生活，完全沒有任何的反映，所以美其名是「世紀之變」，實際上，只說了1949 年以前的歷史，1949 年之後，除了文化大革命期間那一張紅衛兵的畫報之外，其他是完全看不到了。因此，與其說是百年辛亥圖錄展覽，倒不如說是為共產黨建立新中國而歌頌來得恰當。當然，在美國與中國建交之後，一個中國政策下，臺灣利益是很難維持住。政治現實，影響到圖錄取材與視野，由此見到了一葉知秋的縮影。孰說「政治歸政治，學術歸學術」，可能嗎？畢竟是理想主義的說法而已。

上一回的圖錄展覽，缺失有如上述，而這次的展覽，存在更嚴重的偏見，不得不指出。

今年展覽主題是 THE BATTLE FOR HEARTS AND MINDS: WORLD WAR II PROPAGANDA，其用心是透過宣傳海報傳達的訊息，反思戰爭予人帶來心靈與精神內在的衝擊，具有重大意義，值得關注。從今年 4 月 24 日一直展覽到明年的 2 月 2 日，時間長達九個多月，可見這是一個重要的展覽。

這些關於二次世界大戰的海報（POSTERS）從胡佛研究院超過 10 萬張的收藏之中選出了數十張展出，應該是精品中的精品，張張堪稱是具有代表性的海報，其震撼人心就可想而知了。例如有張 TELLING a friend may mean telling THE ENEMY 海報，是 1939-1945 年期間英國人製作的，以四格說故事的形式，強調「保密防諜」的重要性。主題鮮明醒目。

　　另有一張 ARE YOU A MEGAPHONE MOUTH? Don't spread RUMORS 海報，以誇張的漫畫形式，說明納粹德國可能在周遭有傳聲筒放大言論，說話得當心，要時時提高警覺。表達了 1942 年美國人的思維，極具有視覺震撼效果。

　　為了戰爭，談戀愛的權利都要被剝奪。有一張海報，反映 1942 年美國人在戰爭時期的思維。男孩攬著漂亮女孩細腰，女孩性感而迷人，穿一身粉紅色輕薄的短裙，旁邊坐著一位希特勒形象的軍人假裝閱報，實際上是豎起耳朵偷聽兩人談話。因此，底下來了這麼一句 LOOSE TALK CAN COST LIVES。你想，有多麼殺風景啊！

　　這些看起來很八股的宣傳海報，在臺灣成長的一代都是似曾相識的圖像。臺灣早期有「當心匪諜就在你身邊」、「保密防諜，人人有責」各種宣傳海報，恐怕也都是處於交戰時期，人類心理的共性。

　　比較值得注意的，有一塊柏林圍牆的大牆磚，有各種顏色塗抹的線條與圖案在牆面上，反映那段歷史滄桑，旁邊的文字介紹很清楚，照錄如下：

Berlin Wall Fragment

From 1961 to 1989, the city of Berlin was divided by a concrete wall sixty-six miles long and more than eleven feet high. That barrier, punctuated with watchtowers, trenches, and barbed wire, stood as a forbidding symbol of a nation- and a world- divided. Nearly two hundred people were killed trying to get across it, countless people helped tear it down- an event that symbolizes Germany's reunification and the collapse of Soviet communism.

這是有關德國的主題收藏品，重要價值不言而喻。

　　如今東德與西德已經完成了統一，蘇聯也垮臺了，但這塊牆磚似乎還在哭泣禁錮人類心靈自由的記錄，其令人低迴反思效果，是很明顯的。

　　值得一提的，胡佛研究院創辦的宗旨是為了收藏戰爭、革命與和平，記取教訓，警世意味濃厚，所以這場展覽，我寧願以肯定而贊美的態度看待。

而我的確仔仔細細一一端詳其他的照片與影片播出，展覽室內還陳列了相關研究的書刊專著，主辦單位眞是費盡了心思。

不過，我還是忍不住要說批評的意見。

這回二次世界大戰的宣傳海報展覽，以西方爲中心的霸權主義思想作主導，完全忽略了亞洲戰場，這是很令人難過而遺憾的。

作爲侵略者的日本，使得中國在二次世界大戰打了八年的戰爭，如果把「九一八」也算進來，則日本侵略中國就有十多年了，中國人爲了抵抗日本，總共死了九百萬人，傷害的人員、破壞的建設與消耗的物資，更是難以估算！可是，代表亞洲的宣傳海報，只有列出了兩張居然都是侵略者的海報，一張是「日華滿協助天下太平」，另外一張是「反共倒蔣弭兵救國」，統統是在 1937-1945 年期間日本人在中國的海報，我要找任何有關中國本土的一張海報，居然不可得，實在令人吃驚！

中國人的命運，受到日本人的毒害，實在是罄竹難書，這兩張頌揚日本人的海報如果要反映彼時二次大戰日本軍國主義政府心態的事實也就罷，但沒有任何一張中國人的海報，在比例上的傾斜與忽視，就太說不過去了。

收藏單位胡佛研究院爲了展覽而費出心血，眞的是很令人感佩了。然而發現中國在二次大戰被忽略了，我卻難掩失望與遺憾，繼而是憤怒難以平靜的心，一直久久無法釋懷。

蔣介石在 1960 年的日記寫下他的悲憤，12 月 26 日星期六寫道：

> 上午續閱《美國通史》全書完，對其第二次大戰史中對中國部分可說一筆勾銷，此種恥辱只有自反與戒慎，不足爲怪也。

想不到超過五十多年後的今天，仍然忽略了中國抗戰的貢獻，「對其第二次大戰史中對中國部分可說一筆勾銷」，因此，固然史丹福大學內檔案館策劃者都是專家教授的頭銜擺在那裏，但那目光如豆與偏見，則是沒有任何的進展，能說蔣介石說錯了嗎？

附錄三

史丹福大學胡佛研究院檔案館珍藏《蔣介石日記》提及監視胡適與整肅《自由中國》雷震的相關資料

胡佛研究院檔案館內關於蔣介石日記收藏與開放的情況，可略爲一說。

2004 年 12 月由蔣方智怡提供寄存在胡佛研究院檔案館內。包含內容爲 1917-1923 年日記與 1925-1972 年日記，其中 1924 年日記付諸闕如，一般認爲是蔣介石長年東奔西走，可能遺失流落，應該收藏在南京的中國第二歷史檔案館內。

蔣介石日記共分四次開放，依照時間先後順序，2006 年 3 月 31 日，開放了 1917-1931 年（編號 1-8 盒）的日記；2007 年 4 月 2 日，開放了 1932-1945 年（編號 36-44 盒）的日記；2008 年 7 月 18 日，開放了 1946-

筆者訪問胡佛研究院的圖書館登錄表

1955 年（編號 45-51 盒）的日記；2009 年 7 月 8 日，開放了 1956-1972 年（編號 65-76 盒）的日記；因此，可以這麼說，蔣介石已經沒有任何神秘可言了，而蔣介石的侍衛口述訪談也已經完成了五、六十萬字記錄，由臺北中央研究院近代史研究所出版，所以蔣介石的研究至今，條件已經成熟了，全世界的學者都可以順利掌握這些史料，對抗戰歷史、國共內戰經過與恩怨、美國居間的因素與影響、臺灣白色恐怖的種種，此時是可以清楚提出見解、解釋與結案了。

因此，很諷刺地，研究中國近代史，在中國本土不能有客觀資料呈現研究，必須在臺灣與到美國才能研究；不僅蔣介石如此，抗戰史與文革史，關鍵性檔案還是在中國本土看不到，必須到美國才能研究。這也是我實際體會到圖書資料管理遠遠落後美國一大段距離的感受。怎麼辦？只要檔案不開放而封閉，我們下一代子孫就永遠不會懂得真正的中國近代史了，究竟是中國人自己吃虧，不懂近代歷史，也是作為現代中國人的恥辱。

梁啓超要是活在現在，應該是同意我的看法。

抗戰勝利已經 70 年了，國共內戰結束 60 年後，文革終結也超過 35 年了，但這三段影響現代中國人深遠的歷史，試問在中國本土有哪一部著作可以作為權威可信的歷史著作呢？檔案不開放，任何留住人才做研究都是空談的門面話，不可能也不必相信。我當時創辦「中國西南文獻研究中心」就是要打破這樣的陳腐封閉現象，理想色彩極為濃厚，如今看來是一場空，如同鏡花水月夢幻般破滅，令人傷心。

以下是《蔣介石日記》提及整肅雷震《自由中國》以及監視胡適的相關資料，依照順序排序。

1960 年

四月一日

（提要）雪恥。自今日起，記事方式凡每日工作時間已在每年課程表內所規定者，不再瑣記。其有與該表所規定者改變之日常工作則補記，以資查考。至於散步、聽報、入浴等每日經常之工作，以及朝午晚三課之時間，皆不復

記矣。

令經國訪胡適，表示其對國大（參加）態度尚持大體，故慰之。

（四月二十三日星期六）上星期反省錄

一、韓南民眾反政府之形勢擴大，將爲共匪利用滲透以達成其顛覆與驅美目的，不勝憂慮。

二、美國務院對南韓李承晚政府指責無理，可謂狂妄幼稚，徒張其內部反動氣焰，並爲共匪製造侵韓驅美良機，重演我十一年前大陸赤化一發不可收拾之覆轍，美國外交之幼稚鑄成禍世害華之大錯，至今仍未覺悟也。

三、匪共來犯之跡象漸著，來日月潭後，對澎湖與金門南岸之防務研判獨到，頗引自慰。

四、凱旋計劃之指正與攻廈準備之督導，若非親自研討，必將貽誤不淺，高級將領之無思無識如故，不勝憂惶，未知如何建軍復國也。

五、本周研閱「德國參謀半部」甚力，得益殊多也。

四月三十日

與經國談廷黻事，囑其代作勸告其就任外交事。結果以其對立、監二院不易對付，及其對外交無興趣爲辭，是否眞話，不得而知，惟以盡其情而已，乃不再勸也。近日一般投機反動分子又受韓國政變影響，以爲美國反對韓李不民主之態度，而其對我國亦將如此，故藉蠢蠢欲動也。

五月二日

（提要）雪恥。一、扶持青年黨領導人物。二、司法部改隸司法院。三、易瑾兼任緬北司令。四、教授指定聯絡幹部。五、對反動派之接近辦法。六、緬北經理之管制。

五月三日

（提要）雪恥。一、俘虜之處置：甲、集中。乙、隔離。丙、僞裝（敵服裝）之滲透。丁、監視。戊、考察與試誘反叛與暴動組織。二、群眾暴動隊伍中之警察便衣滲透及其工作項目與方法之運用造謠、脅制、恐慌、逃避、

分裂、內訌。三、對內政策：甲、聯繫調協之組織，對教授與記者。乙、反動黨派之懷柔妥協，但對著名之反叛分子監視與孤立。丙、對臺省反對分子之懷柔。

上午入府召見美憲兵司令「那特烈」與留美參大班八員後，主持宣傳會談，討論韓國情勢與對政策二小時，有益。下午記昨日事後，批閱公文。

五月四日

（銘能按：有剪貼《中央日報》社論※「五四」學生運動的評價——實迷途其未遠，知來者之可追）

五月十三日

胡適又要陳雪屏來作賣空生意，可恥之至。

七月七日

（略）正午約宴胡適等赴美會議學者廿一人。

七月十一日

（略）上午在研究院紀念周講話一小時半，畢與唐、谷、鄭研討《自由中國》半月刊問題與選舉法案，下午手擬四十八年總反省錄未完，與文亞談立院黨員情形。

七月十八日

（略）上午主持研究員（銘能按：員為院之誤）紀念周後，約見美記者泰勒作第二次有關金門談話一小時，下午重審《蘇俄在中國》第二編第三章與第四遍後，召見谷、鄭、唐、張等商討《自由中國》刊（銘能按：刊當為半月刊之省）與雷震叛徒之處置的法律問題。

七月二十日

（略）本月對於《自由中國》的反動刊物，必欲有所處置，否則臺省基地與人民皆將為其煽動生亂矣。

（七月二十三日）上星期反省錄

一（略）。二（略）。三（略）。四（略）。五（略）。

六、《自由中國》半月刊、雷震反動挑撥臺民與政府惡劣關係，如不速即處置，即將噬臍莫及，不能不作最後決心矣。

七（略）。

七月二十五日

（提要）雪恥。一、《自由中國》半月刊之處治辦法，應再加考慮乎。二、王雲五調考試院長後之人事：甲、俞大維調行政副院長。乙、至柔調國防部長。丙、經國任省主席。丁、季陸調教育部。戊、銓敘與考選二部長之人選，袁守謙與中央副秘書長及考試委員人選張邦諗等。（鄧傳楷、劉眞）（下略）

七月二十六日

（提要）雪恥。一、雷逆逮捕後，應警告反動人士者：甲、民主自由之基礎，在守法與愛國。乙、不得煽動民心，擾亂社會秩序。丙、不得違紀亂法，造謠惑眾，動搖反共基地。丁、不得抄襲匪共故技，破壞政府復國反共措施、法令，而爲匪共侵臺鋪路。不得挑撥全體同胞團結精神與情感，假借民主，效尤共匪實行顚覆政府之故技，其他皆可以民主精神，尊重其一切自由權利。

七月三十日

（提要）雪恥。一（略）。二、行政院與《自由中國》刊物兩個問題之處置，應有輕重先後之分，不可不重加考慮。

上午閱報，始知鴻鈞今日安葬，乃帶熊武即時起程，十二時到陽明山公墓，向其墓前致哀敬之忱，後回後草廬。下午重修講詞稿、會客，晡約張、唐、陶等談《自由中國》刊與雷逆問題，談及辭修行態，不勝奇異之至，奈何。

本月大事預定表

1.召見國大主席團及各組召集人

2.召見實踐研究院各分組主任

3.林派為中國銀行董事（崇鏞）

4.召見中國、交通與中央各行幹員

5.本黨全國代表會與重新登記案之研究

6.重審軍事會議全部報告各案

7.東沙群島機場之建築計劃

8.緬北人事與整軍組織之督導

9.《自由中國》半月刊與雷逆問題之解決

10.考試委員與院長提名與行政院副院長人選

八月十六日

（提要）雪恥。匪俄交惡矛盾日列，甚至有俄停止匪共援助之現象，如果至此情勢，美左派更將重張姑息匪共，力求妥協。如果民主黨大選勝利，更將實現此一政策無疑，應預作準備，惟臺灣問題，匪必要求其所謂「歸還統一」，美民主黨果能承認乎？二、美大選如果民主黨當政時，對我不利之形勢究至如何程度，自我內部應如何加強其組織與基礎，當早為綢繆。

上午宣傳會談對陶希聖等開放報禁之無知言行悲憤積鬱，發怒無狀，此又是最近不能養氣，不知自重而自損威信之重大過犯，切戒之。其實低聲輕言指斥批評則更為有效，望勿再犯。下午批閱，後審閱《毛奇評傳》開始。

八月十八日

（提要）雪恥。昨（十七）日上午主持中央常會，對陶希聖提案與作為無常識殊為痛苦，不能不令人憤忿，此又余不能深沉之過也。其實一切不如意之事，無須氣憤即可改正，而憤怒反有害也，今後更應以溫慈和樂之態度處理一切也。下午續讀《毛奇評傳》，對毛奇寬裕沉默之精神與性格，更令余欽佩矣。

八月二十一日

（提要）雪恥。一、緬北計劃與組織，召見柳元麟等。二、雷、傅叛逆案。

三、研究俾斯麥傳。四、歐美各國史講期。五、招待松野鶴平。

八月二十二日

（略）主持研究院紀念周。召見谷鳳翔。

八月二十七日

（提要）雪恥。一、對《自由中國》半月刊問題的處理方針：甲、以寬容與不得已的態度出之，非此不能保證反共基地的秩序安定，否則行將以此一線生機之國脈，被殉於假借民主自由的共產鋪路者之手。乙、該半月刊雷某所言所行，完全如在大陸上卅六、七年時期的民主同盟的口號行動如出一轍。丙、三中全會決定聯合反共救國的方針。丁、只要依循合法的行動，中央決不妨礙言論結社之自由。

本星期預定工作課目

1.處置雷逆案之審愼決定

2.對雷案發表文告

3.審閱俄國簡史

4.三中全會召開日期

5.黨員重新登記之準備

6.反共救國會議召開之政策

7.憲政研討會之常委人選

8.侍衛長人選

八月二十九日

（提要）雪恥。一、守法負責爲國民之天職。二、亂法毀紀爲社會之公敵。三、臺省不僅爲反共抗俄基地，而且爲國脈民命所繫一線之生機。四、不應效尤在大陸淪陷前，匪共工具的口號、行動，以致大陸人民至今陷於空前浩劫而無法自拔之覆轍。五、挑撥政府與人民之隔閡，造成各區同胞之惡感。六、以流血叛亂之鼓動民眾再造二二八事變爲目的之陰謀，如再不予處治，特爲匪共製造其和平解放臺灣之良機。

八月三十日

（提要）雪恥。一、公告中應先說明今日臺灣之環境與現狀，外為匪軍時刻所窺伺進犯，內為匪諜到處隱伏滲透、造謠、煽惑，無孔不入的作他破壞顛覆運動、挑撥分化。無論政府每一機構應具備其隨時應戰的組織，而每一負責公民與團體，亦應隨時防範為匪諜滲透與叛亂所陷害的警惕，作反共消患的準備，方能確保此一片乾淨土，以免受大陸匪禍浩劫，此應為政府與社會共同之責任。

上午記事後，唐乃建來談時局與黨務，決定下月秣或十月初召開三中全會，與對雷震、傅正之處治時期，並與其同游望月台新亭。下午口授文告稿要旨，聽報讀史。晚審閱俄國歷史開始，並觀影劇。

八月三十一日

（提要）雪恥。一、雷逆逮捕後，胡適如出而干涉，或其在美公開反對政府時，應有所準備：甲、置之不理。乙、間接警告其不宜返國。二、對美間接通告其逮雷原因，以免誤會。三、談話公告應先譯成英文。四、何時談話為宜，以何種方式以應考慮：甲、紀念周訓詞方式。乙、對中央社記者談話方式。

上月反省錄

一、內政與工作：甲（略）、乙（略）、丙（略）、丁（略）、戊（略）、己（略）、庚、雷震逮捕之考慮不厭其詳。（略）

二、國際情勢（略）

三、匪俄關係之發展（略）

九月二日

一（略）

二、所謂反對黨之活動與進行，乃以美國與胡適為招搖號召之標幟。朝課後，補編毛奇評傳兩段，幾費二小時之久。上午會客及主持宣傳會議，對匪矛盾關係又有新資料參考，下午重修處治《自由中國》半月刊之文告稿，與

岳軍、達、乃建研討對雷逆之手續。聞辭修必欲由其行政院負責承辦，余乃先之。

九月三日

一（略）

二、決定逮捕叛逆雷震等反動不法分子，此為安定臺灣必要之舉也。

上星期反省錄

一（略）

二（略）

三、本周對雷逆法辦之計劃，再三考慮並正擬公告，期安人心。自覺謹慎周詳，比之二十年前對此等案件之快斷速決之情形，不可同日而語，此乃環境與年齡之因素，大有關係也。

四（略）

五（略）

九月四日

上午重審文稿，以幹部認為雷案為法律而不涉及政治問題，無須由余發表文告，故暫作罷。九時半逮捕雷震、傅正等交軍法審判。禮拜後記事，記上周反省錄，下午閱讀華盛頓傳開始，晡與妻之蒔林檢取林肯傳，晚獨步於公園觀月自得，十時就寢。

九月五日

（略）上午在研究院紀念周指示時局與安定臺灣基地之道約一小時，未用日前文告也。（後略）

九月六日

（前略）主持情報會議，據雷案之劉子英自供，其由匪共派來聯結雷逆，且其初已明告雷逆，而雷仍包敵不檢，且容留在家並派其為《自由中國》刊之會計也，其通匪之罪確立矣。

九月七日

上午記事，主持中央常會，討論三中全會議案與黨友運動案，指示乃逮捕雷案主要問題，因轉移於劉子英匪諜與雷有重大關係方面，而以其社論叛亂涉嫌爲次要因素矣。（下略）

九月八日

一、胡適對雷案（在美）發表其應交司法機關審判，且稱雷爲反共人士而決不叛亂之聲言，此種眞正的「胡說」，本不足道。但有此胡說，對政府民主體制亦有其補益，否則，不能表明其政治爲民主矣，故仍予以容忍；但此人徒有個人而無國家，徒恃外勢而無國法，只有自私而無道義，其人品等於野犬之狂吠，余昔認爲可友者，今後對察人擇交，更不知其將如何審慎矣。（下略）

九月十日

一、法訪華團之注意。
二、孔孟學會大會之籌備。
三、雷案之速續。
四、李案之研究。
五、美運機（略）。

上星期反省錄

一（略）
二（略）
三（略）
四、雷案中劉子英自認其爲匪諜，此一發現甚爲重要。
五（略）

九月十一日

一（略）
二（略）

上午召集雷案小組談話後禮拜。

九月十二日

一（略）

二（略）

上午主持參大開學典禮及研討雷案發展情勢與方針，下午批閱公文，審閱納爾生傳開始。晡，召見小組，據報所謂民主黨發起人李、高等發表營救雷震宣言，余認為時機已到，再不可忍辱，必須予以反擊矣。

九月十三日

一（略）

上午約見法國會訪華團，談三刻時，又召見監察委員一人後，主持宣傳會，談《自由中國》半月刊雷震案，今日反動分子李萬居、高玉樹等發表其人所謂籌黨委員會救雷宣言等，其形勢達到頂點矣。下午批閱後，接見美國西岸新聞記者等二十人，問答約一小時餘，歸去後與妻車游山下一匝。

九月十四日

（提要）雪恥。據報，美國務院已對我駐美大使館為雷震案作變相警告，可鄙！

九月十六日

一，雷案以懲治叛亂條例處理，不能移轉司法機構審判；二，取消戒嚴法或請求開釋匪諜有關嫌疑犯，乃是要解除政府反共武裝，並以民主反共為名，而以救共亂國為實，再進一步，即可實現其投共陷臺的技倆也。大陸殷鑒，能不警惕！能不寒心！

上午辭修來見，談雷案應注意其與共匪統戰關係上更重要，余然其言，惟證據難覓，即有人證，亦無法定罪，該案對煽動軍心與毀損軍譽上，實應注重。（下略）

九月十七日

下午從軍醫院療牙一小時餘回，考慮雷案提審結案時期與聯合國大會關係。

上星期反省錄

一、雷案已由美國務院對我大使提出警告，以示恫嚇，而且美《時代》雜誌對我素表同情者，此次亦將作不好之社論，此爲胡適之關係；其他如《紐約時報》與《華府郵報》之惡評，更無論矣。但此次霍華德系報紙對我反無批評，而其對我代表權問題且作支持，可知美國輿論對我不利者，只是與中國自由主義者與其美國左派有關之少數報刊而已。此爲余事前出預料者。而至上周乃爲反動之巔點乎？惟此次顧慮周詳，決心堅定，毫不爲內外反動之邪惡評論與美國壓力所動搖，以理與力皆甚充足耳。不過，高級幹部亦有搖撼之象，不足爲怪也。經此一考驗，更知外國之良友，皆無公義與情感可言，一如其政府以強取與帝王凌人，而本國所謂自由分子如胡適者，實昧良之洋奴而已。

二（略）

三（略）

四（略）

五、下周俄黑到美聯合國與美作激烈之冷戰，以及美國朝野自顧不遑之際，正爲我政府解決雷案之良機乎？

九月十九日

見辭修，謀下午茶會講話要旨。彼對雷案所有待軍法判決後，再予究免之意，余不作表示。

九月二十日

胡適挾外力以凌政府爲榮，其與匪共挾俄寇以顚覆國家的心理，並無二致，故其形勢雖有不同，而重外輕內，忘本逐末，徒使民族遭受如此空前浩劫與無窮恥辱，其結果皆由民族精神與固有倫理式微所造成，故今日應特別強調民族主義自重自愛、自立自強之重要耳。

九月二十一日

今日爲近來精神最不樂之一日，所見所聞，一般老大幹部不是衰頹，就是糊塗，尤其羅家倫思想以自由文化人自居，其實卑鄙自私而已。此次劉子英匪諜之任，隱匿爲其人事處長，不僅偷安養奸而已。下午續閱納爾生傳後，道藩來見，彼於前日在中山堂茶會時，已覺其神經病復發爲慮，但其語言尚有條理，其間並有補益爲慰；不料，其半日所言對雷案處置方法之意見，可說「昏庸老朽、卑怯腐劣」八字，實不足以盡其意矣，不勝爲本黨前途悲切痛苦萬分，此乃其此謂 CC 派之代表人物也。晡，見黃杰對雷震起訴書稿，平庸無力極矣！

九月二十二日

本（廿二）日上午詳閱雷案起訴書稿，並予指正。余對此案方針，以雷逆等已逮捕者爲限，不擴大範圍，並能在黑裏雪夫未離紐約以前判決爲要者。下午召集辭修、岳軍、冠生、鳳翔等，對此案作最後之檢討，認爲乙案減輕罪刑，較甲案爲妥，辭修仍持其擴大統戰範圍也。晚飯後，約鳳翔來談，對此稿再加指正也。

九月二十三日

上午入府與岳軍、乾三檢討雷案起訴書後，約見菲律濱西亞地等。

九月二十四日

上午重核雷案起訴書稿，入府與岳軍、鳳翔（乾三）商討修稿與起訴時間後，見愛爾蘭議員林賽。（下略）

上星期反省錄

一、廿三日閱及洋奴張君勱藉洋勢以恫嚇和誣衊之西文電報，毫不憤怒，而且以爲喜，因知雷案依法懲治之正確，加強自信，此乃修養進步之效驗也。
二、默察雷案反應，至本周尚有餘波在蕩漾之中，而高級幹部皆因美國輿論之壓力，甚多動搖，尤以張道藩神經病爲甚，不勝悲痛，惟辭修尚能堅定不撼耳。

本星期預定工作課目

1 造就建國與愛國人才（為國家作育人才）

2 端正青年心理改造社會風尚

3 發谷鳳翔與牙目醫節金

4 青年教育宗旨：甲、自信。乙、自強。丙、負責。丁、樂觀。戊、積極。
己、創造。庚、力行實踐。辛、觀察判斷力。

5 發各大專校教授節金

6 雷案決於星一日起訴，務期速決

7 三中全會開會詞尚未研究

8 中央日報人選與改造

9 政策委會秘書長與韓大使的人選

九月二十五日

上午重核雷震罪證稿，中結束一段重加修正，較前有力。十時，召集乾三、
乃建等指示後，即重修假牙，約一小時，故未往禮拜。記事。下午續閱納爾
生傳後，在蒔林約見美參眾兩院出席國際議會代表孟郎尼、狄克生夫婦等十
餘人茶會，相談一小時，甚洽，彼等並未問及雷案也。

九月二十六日

上午重核雷案起訴書，作最後定稿。十時半入府，與岳軍、乾三談定稿查對
訖，十一時召集辭修、冠生、昌煥等檢討雷案，作最後決定。另約正綱來
談。下午召集宣傳會談，指示起訴後的宣傳計劃與要領，並徵詢意見後散
會。六時，由警備總部發布起訴書。因之，雷案又進入一個新階段矣。

九月二十七日

上午聽報後，再聽起訴書全文，認為完妥無缺。

九月二十九日

上午批閱公文，清理積案，督導雷案之進行。

上月反省錄

本月工作以雷震案爲重點，自四日逮捕，至廿六日起訴，作爲第一階段，除
國內少數反動言論外，一般反響並不如所預想之激烈，惟《紐約》、《時
代》雜誌乃受胡適之影響，亦作不良之評論，殊出意外。

十月一日

（提要）一、開會詞旨：甲（略）。乙（略）。丙、挾外制內，媚外自重的
風氣與觀念，不可使之滋長。丁、崇洋媚外，要求外力干涉內政的買辦觀
念，就是漢奸意識，必須徹底破除，依較僥幸的自卑自賤的心理必須徹底鏟
除。戊、今日媚外自豪，明日就可降共求榮，漢奸與洋奴的賣國思想，並無
分別。己（略）

十月二日

（提要）

一（略）

本（二）日上午手擬全會閉幕詞要旨，對於無恥文人之洋奴與漢奸思想，將
辟斥以端正學者趨向。（下略）

十月四日

（提要）略。

上午與劉壽如談金門工事與人事問題，召見軍法審判官與檢察長等，後主持
宣傳會談，指示對雷案宣判前後之宣傳要領。（略）

十月五日

（提要）一、雷犯以包庇（保證）匪諜爲發揚民主以爲匪宣傳，危害國家安
全，爲言論自由以勾通奸匪。胥其彼此瞭解，爲匪諜保證安全，爲反共愛國
作其自辯自解，就是胡適的民主自由與反共愛國的巧妙意義。

十月六日

（提要）略

一、（前略）晚召集軍法有關人員，指示其對雷案判決書方針，擬交兩種方案候核。

十月七日
（略）
三、對在美留學的軍官切實監察。（略）

十月八日
（略）
十時入府接受尼加拉瓜公使呈遞國書，後審閱雷案判決書甲、乙、丙三稿，十一時召集辭修、岳軍、冠生、趙琛、鳳翔等研討判決書二小時後，最後決定用第（乙）
種，避免引用意圖顛覆罪之法條，而仍處以十年徒刑。（略）

上星期反省錄
一（略）
二、對雷案審判與指導以及判決理由書，皆予悉心注意指正，或比起訴書為妥也。
三（略）
四（略）
五（略）

本星期預定工作課目
1.對留美軍官應加強管理

十月九日
上午聽報一小時餘，對於昨日雷案判決結果，美政府以此為內政問題，記者說無所評論，其他反響不大，自覺無枉無縱，心安理得，禮拜如常。（略）

十月十日
（提要）一、雷案判決理由書從速發表。（略）

十月十一日

（提要）略

上午十時半入府召見鳳翔與達雲，詢其雷案判決書脫稿日期，並指示其補充要點，後會客見美記者莫文，問放棄金門意見，甚爲不快。（略）

十月十二日

（提要）略

上午主持中央總動員會報，對臺北市整理要領予以指導，對教育政策作研究與指示，下午審核雷案判決書內容，對於其爲匪作有利之宣傳，並可與匪言和合作之語意特加予修改，乃加強其犯意一節，甚爲有力。夜間並作最之修正，臨睡已在十一時半矣，實爲就寢最後之一夜也。

十月十三日

（提要）聞胡適定於十六日回來，是其想在雷案未覆判以前要求減刑或釋放之用意甚明，此人實爲一個最無品格之文化買辦，無以名之，只可名之曰「狐仙」，乃危害國家、危害民族文化之蟊賊，彼尚不知其已爲他人所鄙棄，而仍以民主自由來號召反對革命，破壞反共基地也。

上午爲審核判決書，再加補修。（略）

十月十四日

（提要略）

（前略）上午核定雷案判決書後，入府會客，主持財經會談。（略）

上星期反省錄

一（略）

二（略）

三、雷案等判決書正文，已於星期五日正式宣布。

四（略）

五（略）

十月十八日

上午入府爲李萬居等所謂民主黨籌委會對雷案審判不服之抗議問題，特令軍法處加以駁斥之指示，主持宣傳會談，有以雷案減刑之主張。

聞胡適已於昨由美起飛回國，其存心搗亂爲難可知，而且若輩所謂自由主義之文化買辦，仍從中難容無疑，應加防範，但以忍耐爲主。

十月二十日

（提要）近旬體力認爲最佳之階段，雖有雷案受內外無聊文人之攻訐與非難，尤其胡適卑鄙之言行，皆視爲常事，不感痛憤。此爲不愧、不怍、不憂、不惕之箴言自修之效乎！

上午續閱美國通史第十一章（兄弟之戰）完，對於美國地名更多認識爲快。入府對黨務優秀幹部三十餘人訓話，後召見調職人員，再催覆判局提早結束雷案，最好能在美大選以前結束也。下午批閱公文。聞胡適經日逗留，暫不回臺，或聽其友人之勸乎？

十月二十二日

（略）據報，胡適今晚回來也。

十月二十四日

（前略）今日聞胡適回來後，對雷震各種「胡說」，不以爲意，聽之，我行我事可也。

十月二十九日

（提要）昨（廿八）日上午召見岳軍與覆判局長（汪道淵），指示對雷案速判的要旨，後與妻起飛來金門避壽，以期休憩（略）。

本日爲胡適無賴卑鄙之言行，考慮痛苦，不置其實，對此等小宵，不值校量，更不宜痛苦。惟有我行我事，置之一笑，則彼自無奈我何矣。

上星期反省錄

一（略）

二、雷案申請覆判理由書盡延未遞，是因之該案覆判日期亦難確定，時恐夜

長夢多爲慮也，而胡適無恥言行與美國左派與糊塗友人，仍爲雷震張目說情，並加脅制的情形，更令人痛心，但此係完全操之在我，而且法理皆在我方，並不如對美國大選之憂困耳。

三（略）

十一月三十一日
（提要略）
（略）下午聽雷逆自辯狀長答萬言，其巧辯狡詐已極，他指軍法處爲羅織其罪，成爲冤獄。其實彼在《自由中國》刊中歷來文字，皆爲其今日巧辯而預爲其本人羅織其叛逆大罪，而成爲無罪之預地而作也。六篇罪宗文字中，其唯一目的乃欲爲其大罪而成爲無罪，以達到其爲共匪作有利宣傳，以似是而非之文字以煽動叛亂。此種積非成是，以有爲無，和以無爲有之辯證，是乃共產黨徒以文字辯證爲其政治與思想戰，作其侵略世界、控制人類、麻醉人心之重要武器耳。

上月反省錄
一（略）二（略）三（略）四（略）五（略）六（略）
七、胡適爲雷震張目，回國後似並未變更，故其對國內反動之鼓勵不少也。
八（略）九（略）十（略）十一（略）

十一月一日
（提要略）
上午爲雷案覆判要旨致函岳軍，並催其能於七日以前，即美大選未決以前解決此案也。（略）

十一月二日
（提要略）
（略）晡與岳軍談雷案覆判時期，實無法提早也。

十一月四日

（提要）一、昔在大陸，共匪以農村改良之名義，利用民主同盟爲其統戰之工具，而掩護其武器叛亂與顛覆國家之行動，今在臺灣乃以民主改革名義，利用《自由中國》半月刊爲其心戰盾牌（武器），而避其（地下）滲透活動，顛倒是非，擾亂人心，希圖實施其動搖反共基地之陰謀，以達到其所謂解放臺灣之目的，其在國際上利用共產國際同路人宣傳其爲農村改革者，而非實行共產主義爲號招，其在國內利用其所謂游離分子與民主人士以反對政府各種改革措施，動輒以不民主的口號相脅制，或外人干涉，顛倒黑白、混肴是非以隱蔽其一切共產之行動。此乃共匪一貫之故技，前後如出一轍，不論國際與社會如何對我政府之評論，吾人必以事實與國法爲依據，不復爲匪徒由此假借，或雖容姑息重蹈其危害國家與人民之覆轍。

上星期反省錄

一（略）

二、本周三日爲雷案早決問題，提先回臺，而其結果反爲尼克生助選工作，對時間最巧合而作補救之機運，甚認爲尼克生當選勝利之預兆也，夫人辛勞與忙碌幾乎二晝夜未能安息也。

三（略）

四（略）

十一月八日

（提要）一、對雷案覆判決定後，發表談話要旨。（略）上午瓜地馬拉大使呈遞國書禮畢，接見墨西哥商會長，召見派往泰國農業考察團員等後批閱公文，與岳軍談雷案處理方針。（略）

十一月十日

（略）本（十）日心神皆已正常，並無緊張氣氛。上午入府會客，召見許孝炎、張武、卜少夫等，後與岳軍討論雷案後並談美大選結果對我國在大局上言，並無重大影響，惟與美商定的合作，如天馬計劃恐將延擱時間至一年或半載之後，故必須自己另作打算耳。

十一月十一日

（略）下午批閱公文並審閱雷案覆判判決書，甚妥。

十一月十二日

（提要）

一（略）

二、雷案務於下周內覆判判決書宣布。

三（略）

十月十五日

（提要略）

上午入府召見汪局長與鄭部長，詳詢大公報主權訴訟關係與臺北市長貪污案由，後主持情報會談畢，與辭修談雷案判決書等案。（略）

十一月十六日

（提要略）

（前略）岳軍再要求准約胡適來見，允其星五日召見。

十一月十八日

（提要略）

上午入府接受瓜地馬拉與希臘二大使到任國書，後召見胡適約談三刻時，彼最後提到雷震案，與美國對雷案輿論，余簡答其雷係關匪諜案，凡破壞反共復國者，無論其人為誰，皆必依本國法律處理，不能例外。此為國家關係，不能受任何內外輿論之影響，否則政府無法反共。即使存在亦無意義。余只知有國家而不知其他，如為顧忌國際輿論則不能再言救國矣。此大陸淪陷之教訓，不能不作前車之鑒也，最後略提過去個人與胡之情感關係，彼或有所感也。

上星期反省錄

一（略）

胡適在 1935 年 3 月 17 日出版《獨立評論》之「編輯後記」自言「我是主張全盤
西化的」，又說「我是完全贊成陳序經先生的全盤西化論的」，可見蔣介石批評
胡適，並非無據。

二、雷案覆判書已核定，決不能減刑。

三、胡適之胡說，凡其自誇與妄語，皆置之不理，只明答其雷為匪諜案，應
依本國法律處治，不能例外示之，使之無話可說，既認其為卑劣之政客，何

必多予辯論。

四（略）

十一月二十四日

（提要）昨覆判局對雷震等案判決書發表以後，今日雷、劉二犯皆遷入監獄執行徒刑，此爲臺灣基地反動分子之變亂與安定之惟一關鍵。胡適投機政客，賣空與脅制政府未能達其目的，只可以「很失望」三字了之。

上星期反省錄

一、雷、劉等覆判判決書已如期宣布，國內與國際輿論並無多大評論，此爲不憂不懼與不愧不怍，不爲任何壓迫所搖撼或猶豫，可知決心與定力的修養更比前進步爲慰。

二（略）

三（略）

十二月二日

（提要）雪恥。昨日結婚紀念，夫婦共度一天愉悅安樂，甚想在日月潭休息期間，亦能安樂如常也。不意本晨接葉大使來電報告，美國務院又對雷案覆判之決如原判，因受其參議員傅爾白雷之壓迫與警告，乃要求我對雷自動減刑（作此間接之干涉），否則該國務院將提出正式聲明，余乃立即拒絕，令葉據理糾正，此爲雷案結束後又一風波也。美國之愚拙極矣。（略）

上星期反省錄

一（略）

二、美國對雷案尙想干涉，其民主黨左派如傅爾白來特及艾其生之流，若不使共匪完全統治中國以消滅我政府，非達到其媚共倒蔣目的，決不甘心。至於其美國對共產戰爭之成敗得失，乃至其治亂存亡，亦在所不顧，此種投機自私之政客，誠可謂至死不悟矣。

三（略）

十二月九日

上午召見殷希文後，主持緬北作戰會談一小時半，後主持財經會談，情勢較前進步，會後與岳軍談近事，聞胡適、成舍我等發起要求特赦雷震運動，此與美國共黨同路人，內外相應之行動也。

十二月十六日

（提要）雪恥。一、重申匪諜自首寬免令。二、對劉犯查對之研究。三（略）。四（略）。

十二月十七日

（提要）雪恥。一（略）。二（略）。三（略）。四（略）。五（略）。六（略）。七、言論自由。

十二月十八日

（提要）雪恥。一（略）。二（略）。三、劉子英口供准由監察委員調問。四、重申匪諜登記令。五（略）。六（略）。

十二月二十一日

（前略）約胡適聚宴以祝其七十之壽也。

十二月二十九日

一、美國新政府成立後對華政策之探討者：甲、中國聯合國席次問題。乙、兩個中國問題。丙、裁減兵員問題。丁、金馬問題。戊、臺灣人問題。己、雷案與言論自由問題。

上午聽報，至《公論報》「來鴻」欄內為雷案對政府侮辱，殊堪痛惡。

上星期反省錄

（一至十五略）。十六、反動的所謂民主黨聲明延緩成立。此在內政上，本年法辦雷逆之最重要收穫也。否則基地必將為共匪與美國左派合謀而動搖矣。

全年反省錄

一、近年每自反省中正在大陸上過去二十餘年之主政，其初因共匪對我黨之篡奪，乃政治全爲元老派（靜江、石曾）所操縱，而不能自主，其後爲各地軍閥（馮、閻、李、白）之脅制與叛亂，又爲政客與市儈所操縱（宋子文爲其尤者），最後因日軍侵略，軍閥與共匪之叛亂，乃更爲投機黨派與軍閥政客，以及黨內之叛徒互相勾結內外夾攻，又爲其所謂政治協商會者所脅制與操縱，無事得以主動決定，其此爲卒至大陸淪陷，人民遭受今日空前浩劫，實爲對黨、對國、對人民，一生莫白之罪愆。而今日一般無聊政客自稱爲學閥者胡適、張君勱等，又想藉外勢來操縱政治，以爲連任與否問題必須與其協商、決定，以抄襲其以往藉共匪以組織政治協商會議之老方式相要脅，亦何其卑劣蠢拙至此耶！凡此等把持操縱者，自始至終無論其爲元老、市儈，以及政客、學閥，雖皆讀過孔孟之書，亦曾游歷世界或留學各國，其實所有知識、學術皆是一知半解，更不知政治爲何物，而其用心惟有自私自利，絕無國家與民族的革命與建國觀念。我何其能使國家不危、革命不敗乎？因以自民國十五年北伐開始至三十八年徐蚌會戰失敗，本身下野爲止，此二十餘年來，不肖中正最大之罪惡，乃在政治上不能自運其樞機而一任無知無識之市儈、政客與軍閥所操縱而不能自援，此爲畢生所不能自恕之悔恨也。往者已矣，來者何如，能不自反自勉而重蹈過去之覆轍乎？（以下略）

國家圖書館出版品預行編目資料

手稿文獻略論稿

吳銘能著.－初版.－臺北市：臺灣學生，2018.05
面；公分

ISBN 978-957-15-1768-1 (平裝)

1. 文獻學 2. 手稿

011   107004638

手稿文獻略論稿

著　作　者　吳銘能
出　版　者　臺灣學生書局有限公司
發　行　人　楊雲龍
發　行　所　臺灣學生書局有限公司
地　　　址　臺北市和平東路一段 75 巷 11 號
劃　撥　帳　號　00024668
電　　　話　(02)23928185
傳　　　眞　(02)23928105
E - m a i l　student.book@msa.hinet.net
網　　　址　www.studentbook.com.tw
登記證字號　行政院新聞局局版北市業字第玖捌壹號
定　　　價　新臺幣四〇〇元
出 版 日 期　二〇一八年五月初版
I S B N　978-957-15-1768-1